JN045808

対立・葛藤

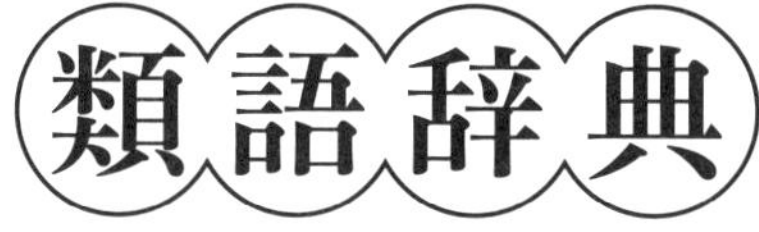

アンジェラ・アッカーマン+ベッカ・パグリッシ=著
新田享子=訳

THE CONFLICT THESAURUS:
A Writer's Guide to Obstacles,
Adversaries, and Inner Struggles
VOLUME 2

Angela Ackerman & Becca Puglisi

THE CONFLICT THESAURUS
A Writer's Guide to Obstacles, Adversaries, and Inner Struggles Volume 2
by Angela Ackerman and Becca Puglisi

Published by special arrangement with 2 Seas Literary Agency via Tuttle-Mori Agency, Inc.

もくじ

はじめに

- ストーリーテリングにおける対立・葛藤の役割：プロットの形成 …… 008
- 4つのレベルの対立・葛藤 …… 014
- 中心的な対立・葛藤を中核に据える …… 031
- 対立・葛藤という黄金の糸がストーリーを動かす …… 037
- 対立・葛藤で緊張感を高める方法 …… 053
- ストーリーの中の悪役：力強い衝突を作り出す …… 059
- クライマックス：苦闘の頂点 …… 067
- 人間関係の対立・葛藤の解決を急がない …… 078
- キャラクター・エイジェンシー：主人公を運転席に座らせる …… 085
- 対立・葛藤導入時に書き手が陥りやすい問題 …… 092
- 筆者から最後に …… 097

■ コントロールの喪失

悪天候 …… 100
思いがけない妊娠 …… 102
家族が死ぬ …… 104
強制退去 …… 106
景気の後退／突然の不況 …… 108
怪我をする …… 110
強盗 …… 112
孤児になる …… 114
子どもを見失う …… 116
詐欺に遭う …… 118
定められた道を強いられる …… 120
事情聴取される …… 122
自動車事故に巻き込まれる …… 124
自分に子どもがいたことが発覚する …… 126
切望しているものを得られない …… 128

誰かを置き去りにしなければならない 130
捕まる 132
取り残される 134
パートナーが借金を重ねる 136
パニック発作が起きる 138
引越さなければならない 140
ペットに先立たれる 142
家賃が上がる 144
流産する 146
罠にはめられる 148
悪い知らせを受け取る 150

■ 権力闘争

いじめられる 154
訴えられる 156
えこひいき 158
家族に圧力をかけられる 160
差別を経験する 162
出席を強制される 164
信念が対立する 166
逮捕される 168
適応するように圧力をかけられる 170
ぬれぎぬを着せられる 172
ハラスメントを経験する 174
妨害される 176
求めるものが合わない 178

■ 優位性の喪失

安全な場所がなくなる 182
競争相手が現れる 184
協力者を失う 186
グループからはずされる 188
故郷や祖国を追われる 190

資金を失う 192
重要な人を失う 194
重要な物資がなくなる 196
重要な目撃者や証人を失う 198
重要なものが盗まれる 200
重要なものにアクセスできなくなる 202
重要なものを紛失する 204
重要なリソースが足りない 206
ルールが不利なものに変更される 208

■エゴにまつわる対立・葛藤

あとに残らなければならない 212
嘘をつかれる 214
事細かく管理される 216
自己不信を振り払えない 218
自分が養子だったことを知る 220
自分の権威が危ぶまれる 222
自分のスキルや知識を超えた問題に直面する 224
重要なイベントの前に外見が損なわれる 226
真剣に取り合ってもらえない 228
真実を伝えているのに信じてもらえない 230
信用を落とす 232
他人に頼らなければならない 234
チームからはずされる 236
地位や富を突然失う 238
仲間はずれにされる 240
人に金を借りる 242
人前で恥をかく 244

■危険と脅威

愛する人が危険にさらされる 248
アレルゲンにさらされる 250
安全のために分かれる 252

家が火事になる 254
追い詰められる／閉じ込められる 256
怪物や超常的な存在に狙われる 258
機械が誤作動する 260
危険な仕事を任される 262
危険な場所を横切る 264
危険な犯罪者が自由の身になる 266
救援を断たれる 268
最後の抵抗を試みる 270
自然災害 272
生活が脅かされる 274
戦争が勃発する 276
毒におかされる 278
人に気づかれる 280
武器なしで脅威と対峙する 282
復讐のターゲットになる 284
見知らぬ人に襲われる 286
身を隠す／追手から逃げる 288
目撃者が脅迫される 290

■その他の困難

嫌な人に邪魔される 294
記憶を失う 296
恐怖心や恐怖症が頭をもたげる 298
健康問題が生じる 300
自殺を考える 302
指導者の立場を強制される 304
自分が何をしたいのかわからない 306
自分を許すことができない 308
信仰の危機が訪れる 310
セキュリティをくぐり抜けねばならない 312

楽しみにしていたイベントが中止になる 314
特定のグループに潜入しなければならない 316
肉体疲労 318
人間の死体を発見する 320
望まない超能力がある 322
呪いをかけられる 324
人違いされる 326
魔法をかけられる 328
無意識に抑圧されていた記憶が蘇る 330
盲目的に人を信用しなければならない 332
もっともらしい嘘をつかなければならない 334
予定が突然変わる 336
悪いタイミングで悪い場所に居合わせる 338

付録 A　GMC + S ツール 340
付録 B　クライマックスにおける問題の見つけ方 342
おすすめの書籍とサイト 344

おわりに 346

＊読者の皆さまに
本書内各事例での一部の記載は、フィルムアート社刊「類語辞典」シリーズ既刊での表記と統一しています（一部本書オリジナルの記載あり）。本書と合わせてぜひご活用ください。
「結果として生じる感情」:『感情類語辞典［増補改訂版］』
「状況を悪化させうるネガティブな特性」:『性格類語辞典 ネガティブ編』
「対処に役立つポジティブな特性」:『性格類語辞典 ポジティブ編』

日本語版刊行に際して
本書には原書出版国であるアメリカ合衆国に特有の生活慣習・文化等に基づいた表現が使用されている箇所がありますが、原書を尊重し、日本の制度・慣習にあてはめる調整は最小限にとどめました。
また本書には一部において、文化的・身体的・思想的な差異を強調するような表現・描写も認められますが、それらはいずれも原著者の差別的な意図を表すものではなく、あくまでも表現行為における創作のバリエーションとして記されたものであり、本書の性質上必要な記載であると考え、修正や調整は最小限にとどめました。

はじめに

ストーリーテリングにおける 対立・葛藤の役割：プロットの形成

英語の「フィッシュストーリー」という言葉をご存じだろうか。基本的に、叔父、隣人、いとこなど、**誰か**が釣りに出かけ、魚を捕まえるという筋になっている。

筋書きがそれだけだと単純に聞こえ、はっきり言って少々つまらない。しかも、魚をとって晩のおかずにしたという話で終わっては、あまりにも退屈で、あくびが出ても仕方がない。ところが、英語の「フィッシュストーリー」には、釣り人がするような「大げさな話」という意味もある。単なる魚釣りの話にせず、常にそれ以上にして聞かせれば、「フィッシュストーリー」は優れた物語になる。実際、鯉も鱒も鯰もまったく出てこないかもしれないが、交渉で粘り勝ちして車を買う話や、婚約指輪を取り出してプロポーズし、恋人から「イエス」の返事をもらう話など、釣りとはまったく違う話でもやはり、基本は「フィッシュストーリー」なのだ。そして、それを興味深いものにするには、すばらしい物語であれば必ず共通して存在する重要な要素、すなわち、**対立・葛藤**（コンフリクト）が必要になる。

ここで少し、典型的な「フィッシュストーリー」がどういうものなのかを紹介しよう。語り手はあなたの隣人。彼は自宅のポーチに座り、ピンクやオレンジ色にたなびく夕焼け雲を見ながら、夕涼みを楽しんでいる。あなたが庭の芝刈りをしているのに気づいて手招きし、アイスティーたっぷりのピッチャーを肘で突くような仕草をする。ちょうど喉が渇いていたあなたは、そのアイスティーに誘われて、隣人のポーチの階段を上がり、腰を掛け、「ありがとう」と礼を述べる。くつろぎはじめたあなたに、隣人は足元にあるクーラーボックスを足で軽く押し、「今朝釣りに行ったんだ。いやぁ、とんだ一日だった」と話を切り出す。

よき隣人であるあなたは、体を乗り出し、「そうなの？」と期待された言葉を返す。もっと詳しく話を聞かせてほしいと相手を促す、一般的な合図だ。

我らの釣り人はまず状況説明から入る。今朝は夜明けと共に起床して、釣り用具を一式担いで家を出た。早朝なので道は空いている。釣り人は記録的な速さで湖に到着した。空には雲ひとつなく、湖畔には彼一人。あとは鳥たちと、とんぼの羽音がかすかに聞こえるだけだ。湖で船釣りするにはもってこいの日である。

ところが、最初の災難が降りかかる。いくらボートを動かそうとしても、エンジンがかからない。エンジンのひもを引くこと半時間。他の釣り人たちも現れはじめた。一番乗りを狙って早朝に来たのは、**自分の**穴場を占領するためなのだから、他の人たちに追いつかれないよう急がねばならない。

やっとのことで秘密の穴場にたどり着くと、船の横から釣り竿を振って糸を垂らした。首の後ろに朝日があたって暖かく、湖水は鏡のようにおだやかだった。水面下のどこかで、丸々とした鱒がただ飯はないかと探して泳ぎ回っているはずだ。

ところがだ。そのまま数分が経過した。そしてさらに時間が過ぎた。

魚はまったく食いつかない。突いている感触さえもなかった。

背中は痛み、きつい日差しを浴びて、まるでブロイラーの中のチキンのように肌が焼けてきた。釣り人はぶつぶつと文句を言いはじめた。悪いことは重なるもので、慌てたせいで、弁当箱と水筒をトラックの中に置いてきた。喉がからからに渇き、口の中で唾液が糊のようにべっとりとしている。

次第に忍耐力が薄れてきた。魚たちはもうこの穴場にはいないのだ。不愉快なことに親指も痛む。釣り針にエサを付けていたとき、誤って親指を突き刺してしまったからだ。それに、雲行きも怪しくなってきている。まったく冴えない一日になってしまった。そろそろ荷物をまとめて引き上げる頃かもしれない。

ところがそのとき、ぐいっと手ごたえがあり、釣り糸がぴんと張った。そしてもう一度。

隣人は椅子に座ったまま、その瞬間を再現してみせる。両腕を前に突き出し、ぐいぐいと引っ張られる釣り竿を握りしめているかのように。 竿を自分に引きつけ、抵抗があるかどうかを確かめる。ああ、間違いない、魚だ！

あたかもそこにリールがあるかのように、隣人はリールのハンドルを巻きながら、釣り竿を引きつけては緩める。ところがどっこい、この魚はワニほどの力を持っていた。いや、ワニ2匹分だ！　原子力発電所からの排水の中で巨大化したやつに違いない。

隣人は超人的とも思える力で釣り竿を引っ張りながら、低い声でうなり、力を振り絞るようにして魚との戦いのシーンを再現してみせる。

頭上では雷鳴が響いた。空は真っ黒だ。風が強く吹きはじめ、荒波にボートが揺れる。今にも転覆しそうだ！　それでもボートにしがみつき、1時間はたっぷりとモンスター魚と格闘しただろうか。

そこで話を聞いていたあなたは片眉を上げる。

「いや、半時間だったかな」と、隣人はいったん手をとめて考え込む。「5分は続いたな」

詳細をはっきりさせると、隣人は話に戻った。遂に、水面から姿を現した鱒は悪魔のように体をばたつかせて抵抗する。隣人は急に椅子から立ち上がり、この目に見えない鱒と格闘しながら、低い声でうなり、ののしりはじめた。やっとの思いで鱒をボートに引き上げると、彼は椅子に倒れ込んだ。やった、捕まえた！

隣人はアイスティーをぐいっと飲み干すと、魚の入ったクーラーボックスの赤い蓋を指でとんとんと叩き、「命がけだったが、まあ、結果はこの中を見ればわかる！」と言って話を結んだ。

以上が典型的な「フィッシュストーリー」である。壮大なスケールで語られるストーリーには山もあれば谷もある。主人公は自らの手には負えない逆境に陥るが、強い意志を持って力を振り絞り、状況を逆転させると、話は語り手の都合のいいように傾いていく。確かに、話は真実から逸脱し、たっぷりと脚色されているが、語り手は重要な何かを知っている。何かしらの欲求（**動機**）があり、その欲求を満たすための**目標**を設定するだけでは、面白いストーリーにはならない。しかし、あらゆる逆風が吹く中で（**対立・葛藤**）、主人公がその目標を達成すると、**すばらしいストーリーになる**ことを語り手は知っている。

私たち書き手にとって重要なのは、ここだ。書き手はキーボードの前に座り、想像力をふくらませて次から次へと出来事を思いつく。しかし、ある種の対立・葛藤がなければ、ストーリーのプロットは求心力を失うと共に、読者の関心をも薄れさせる。そういう書き方ではいけないと、「フィッシュストーリー」は教えている。読者を引きつけるストーリーを作るには、目標、動機、対立・葛藤が必要なのだ。

●目標、動機、対立・葛藤が揃うと効力を発揮する

ほとんどの書き手にとって、ストーリーに関する面白いアイデア、キャラクターや場所、状況の設定を思いつくのは難しいことではない。しかし、せっかくアイデアが浮かんでも、やみくもに書くのでは、いいストーリーは作れず、出来事が次々と起きるだけになってしまう（そして、そのあとには長く面倒な書き直しの道が待っている）。しかも悲しいかな、話を生き生きさせるのに時間がかかればかかるほど、書き手はフラストレーションをため込み、そのうち別のアイデアが浮かんで、そちらに気をとられ、新しい話を書きはじめる可能性が高くなる。結局、コンピューターのハードドライブという墓場に、またひとつ原稿を葬ることになるのだが、書き手が目指すのはそんなことではない。ストーリーを書き上げ、それを読むのを心待ちにしている読者たちに届けることこそが目標なのだ。

ありがたいことに、最初に小説の骨格を見つけ出す簡単な方法がある。デブラ・ディクソンが考案した、書き手のための処方箋「GMC」がそれだ。Gはgoal（目標）、Mはmotivation（動機）、Cはconflict（対立・葛藤（コンフリクト））の略である。彼女が執筆した『GMC : Goal, Motivation and Conflict（GMC：目標、動機、対立・葛藤）』と題される本の中に、ストーリーには次の3つの重要な要素で構成されるとある。

目標：キャラクターは何を求めているのか

動機：キャラクターはなぜそれを求めているのか

対立・葛藤：何がキャラクターの前に立ちはだかるのか

以上の3つがストーリーの土台となり、実際、これらがなければストーリーは成立しない。アイデアが浮かんだはいいが、小説を書ききるだけのしっかりとした土台があるのか、それとも、森の中に潜む殺人者や、秘密の情事、次々と起きる爆破事件など、出来事が羅列されているだけの状態なのかがわからない場合は、このGMCの法則を使って確かめるとよい。

GMCの法則：キャラクターは何か（目標）を求めている。なぜなら、ある理由（動機）があるからだ。だが、ある事（対立・葛藤）がその目標の追求を阻んでいる。

では、このGMCの法則にのっとり、過去の小説や映画、ドラマからその骨子を抜き出してみよう。

> メアリーは海岸にたどり着こうとしている（目標）。なぜなら、安全と安心を必要としているからだ（動機）。だが、ゾンビたちが潜む森がメアリーの行く手を阻む（対立・葛藤）。――小説『The Forest of Hands and Teeth（手と歯が潜む森）』〔同名で映画化もされている〕

> グリンチはクリスマスを台無しにしてやりたい（目標）。なぜなら、平穏と静寂を必要としているからだ（動機）。だが、クリスマス気分に浮かれるフーヴィルの村人たちを引き裂くのは困難を極める（対立・葛藤）――絵本『いじわるグリンチのクリスマス』

> ソン・ギフンは掛金の大きなゲームに参加して賞金を稼ぎたい（目標）。なぜなら、その賞金で家族を養い、多額の借金を返済する必要があるからだ（動機）。だが、彼が参加に同意したゲームは残虐で、負けは死を意味する（対立・葛藤）。――ドラマ『イカゲーム』（2021）

以上、GMCの法則に従うと、ストーリーの土台となる基本要素を浮かび上がらせることができる。書き手であるあなたのストーリーも同じだ（付録Aを利用して、この基本要素を確認できるようになっている）。また、このGMCを用いて、キャラクターが何を求めているのか、なぜそれを求めているのかを決めたり、ストーリーレベルの難題がいくつかある中で、どれが目標達成の最大の障壁になるのかを考えたりと、様々なアイデアを模索することもできる。

GMC以外にもストーリーの土台になりそうな要素を探る方法はあるが、GMCは非常に効果的な方法のひとつで、内容を問わず、どんなストーリーでも対立・葛藤が大きな役割を果たしている事実に、書き手の注意を強く喚起してくれるツールなのである。

4つのレベルの対立・葛藤

ストーリーテリングで犯しがちな大罪は、対立・葛藤をけちり、驚きをまったく書かないことだ。キャラクターが抱える様々な問題や課題、障壁、懊悩こそが、読者をストーリーに引きつけて離さない。キャラクターは果たして目標を達成できるのかどうなのかと、書き手は読者に気を揉ませなければならない。

読者は場面ごとに起きている物事にだけ意識を集中させているので、対立・葛藤もその場面でしか起きていないように思いがちだ。しかし実際には、対立・葛藤は多層的に存在し、各場面だけでなくストーリー全体でも、様々な障壁や課題を絡み合わせることが、味わい豊かな、力強いストーリーを構築する鍵になる。この点に関して、もう少し詳しく説明しよう。

①中心的な対立・葛藤

どのストーリーにも、最後のページまでに解決しなければならないスケールの大きな、中心的な対立・葛藤がある。恐ろしい魔物が人間の世界に入ってくるのを阻止しようとしたり（ドラマ『ストレンジャー・シングス　未知の世界』[2016-]）、ナカトミ商事の社屋を掌握したテロ集団を取り押さえようとしたり（映画『ダイ・ハード』[1988]）、はたまた、姿を消した新郎を捜し出し、予定通りに結婚式に出席させようとしたり（映画『ハングオーバー！消えた花ムコと史上最悪の二日酔い』[2009]）と、問題は何でもかまわないが、主人公はその問題を解決しなければならない。どのストーリーでも、中心的な対立・葛藤は次の6つの型のいずれかをとる。

キャラクターvsキャラクター：主人公が他のキャラクターと知力や意地、力を張り合う。

キャラクターvs社会：キャラクターは社会や権力に立ち向かい、必要な変化を起こそうとする。

キャラクターvs自然：キャラクターは、猛威を振るう気象現象、危険な自然環境や地形、野生動物など何らかの形の自然と対峙する。

キャラクターvsテクノロジー：キャラクターはテクノロジーや機械と対峙する。

キャラクターvs超自然現象：キャラクターは自分の理解を完全に超えて存在する何かに直面する。運命や神、あるいは、魔力や超自然的な力を持つ敵と対峙する。

キャラクターvs自己：キャラクターは自分の信念や願いが根本から揺るがされたり、心に抱えている根深い欲求や恐れと戦ったりする。

ストーリーがローラーコースターだとしたら、中心的な対立・葛藤は、その車輪をがっちりとレールに固定する役割を果たす。したがって、書き手がマクロやミクロの問題を書き加えても、路線からはずれることなくプロットを進行させ、キャラクターの成長を支えることができる。

②ストーリーレベル（マクロ）の対立・葛藤

対立・葛藤の中には、キャラクターが解決の手段や能力を持たない、非常に大きな問題を提示するものがある。「ひょっとしたらこの問題を解決できないのではないか」という脅威は暗雲となってストーリーを覆いはじめる。主人公はこの脅威と向き合いながら、場面ごとに目の前に現れる危険や課題を解決していかなければならない。

たとえば、『ダイ・ハード』の主人公ジョン・マクレーンは、ナカトミ商事の社屋を掌握した武力集団にたった一人で立ち向かう。この武力集団を阻止し、ビルに閉じ込められている人々全員を救出しなければならない。その中には妻のホリーもいる。これが彼の中心的な対立・葛藤（キャラクターvsキャラクター）である。これだけでも達成不可能のように思えるのに、問題は他にも浮上し、状況は困難を極める。たとえば、テロリストたちにホリーが自分の妻だとばれれば、彼らはそれを利用するはずだ。そうさせないためには、ホリーと自分の関係を隠し通さなければならない。それに、武力集団を率いるハンス・グルーバーがなぜこの社屋を乗っ取ったのか、その本当の動機も探らねばならない。そこへ、恐ろしく無能なFBIが何度も下手に介入してくる。それでもジョンは諸々の問題を解決しなければならない。

その上、ジョンの頭の片隅には、最大の問題がひっかかって離れない。そもそもなぜ彼がカリフォルニアにやって来たのかといえば、今にも壊れそうな結婚生活を修復し、手遅れになる前に和解する方法を見つけ出すためなのだ。

このようにスケールの大きな対立・葛藤は、主人公によって解決されなければならないが、それには時間がかかる。問題が壮大なので、普通は段階的に解決せざるを得ず、主人公は場面ごとに自分の身に降りかかる危険をかわしつつ、少しずつ小さな目標を達成していく。

③場面レベル（ミクロ）の対立・葛藤

場面レベルの対立や葛藤は、たまたま遭遇する衝突や脅威、障壁、課題という形で現れ、キャラクターの目標達成を阻む。キャラクターは目の前の出来事を対処しようとしつつ、同時に心の中で葛藤もする。何より、大惨事を防がなければならない。場面によっては、うまく切り抜けられることもあれば、失敗することもある。ちなみに、最終目標を達成するまでにキャラクターが失敗することは織り込み済みだ。キャラクターにもっとプレッシャーを与え、状況をもつれさせ、緊張感を高め、なぜ失敗したのかをキャラクターに考えさせるには、挫折が必要なのである。キャラクターが変化のアークをたどっているのなら、失敗を省みる場面をストーリーの最後の方に盛り込むことが特に重要になる。キャラクターがストーリーの目標を首尾よく達成するには、内面の成長が不可欠だからだ。

『ダイ・ハード』には、ジョン・マクレーンがわざと火災報知器を鳴らして消防団を呼び、ビルがテロ集団に掌握されていることに気づかせようとする場面がある。ところが、テロリストたちが誤報だったと偽って消防団を引き返させたため、ジョンの目論見は失敗に終わる。それだけではない。密かに火災報知器を鳴らしたことで、ハンス・グルーバーとその手下たちに、ビルの中にいる何者かが自分たちに抵抗しようとしていることがばれ、ジョンは狙われてしまう。抵抗者探しが始まるが、ジョンは裸足で武器もない。にもかかわらず、各場面で追手の裏をかき、力で抑えつけ、自分を排除しようとする相手を逆に殺しながら、僅差で逃げきるのである。

④内的な対立・葛藤

キャラクターの内面には別の形の対立・葛藤が起きる。マクロレベルではそれが大きな内的葛藤として現れ、ストーリーの目標を達成するには、キャラクターはその葛藤に向き合わなければならない。

ジョン・マクレーンの結婚生活が破綻の一歩手前まできたのには理由がある。彼が自分のことしか考えず、妻子に冷たく、自分のニーズや仕事が優先されるのを当然だと思い込んでいるからだ。一方、妻のホリーは夫のために自分を押し殺す道を選ばない。自分の夢だった仕事に就こうと、子どもたちを連れ、ニューヨークからカリフォルニアへと移り住む。ジョンは和解するつもりでカリフォルニアに彼女を訪ねるが、内心は、ホリーがカリフォルニアに来たことを後悔し、ニューヨークに戻って自分と一緒に暮らしたほうがよいと思っているのでは……と期待している。ところが、ホリーはカリフォルニアで幸せに暮らし、仕事にも満足し、ジョンなしでも一人でうまくやっている。独立ぶりが目覚ましく、旧姓を名乗っているほどだ。

自尊心を傷つけられたジョンは、妻とよりを戻すのは簡単ではないことに気づく。結婚生活をうまく続けたいのなら、彼は何かしらの犠牲を払わなければならないだろう。こうした背景があって、ジョンは「自分を優先すべきか、家族を優先すべきか」と心の中で葛藤するようになる。ところが今、ホリーの命が危ない。それを目の当たりにしたジョンは、自分がこれまでいかに自分勝手で、非協力的だったかに気づき、そのことをホリーに伝えたいと思うようになる。この気づきが、ジョンにとって自分の内的な対立・葛藤に向き合う第一歩なのだ。そして、ハンスを阻止し、ホリーを守るためなら、自分はどんな犠牲を払ってもかまわないと考え、持てる力を出し尽くすとき、彼の目標は達成されるのである。

内的な対立・葛藤はミクロレベルでも起き、個々の場面で起きる様々な対立・葛藤として導入される。苦境に立たされ、プレッシャーや反対に打ちのめされそうになると、キャラクターはどうしたらいいのか迷いがちになる。善悪の判断ができていて、自分がどう感じるべきかがわかっていてもだ。矛盾した感情や、対立する欲望や欲求、恐怖のせいで身動きがとれなくなったキャラクターは判断が鈍り、決断や選択ができなくなってしまう。

外的または内的なものであっても、マクロまたはミクロであっても、対立・葛藤はストーリーを動かす。対立・葛藤に振り回され、プレッシャーをかけられたキャラクターは、心の底から望むものがあるのに手が届かず、自分の限界を乗り越えられず、何もかもあきらめたくなる。しかし、そこから這い上がって闘い、犠牲を払い、目標を達成させるためなら自分が変わることもいとわないと決意し、自分の力を示し、自分に価値があることを証明しなければならないのだ。

● 対立・葛藤の緊張感を高めるため、対抗相手とのバランスを不均衡にする

4つのレベルの対立・葛藤（①中心的な対立・葛藤／②ストーリーレベル［マクロ］の対立・葛藤／③場面レベル［ミクロ］の対立・葛藤／④内的な対立・葛藤）の導入方法を練っている段階なら、ストーリーの中に不均衡を強調する機会はないか探してみよう。ストーリーの構成要素をアンバランスにすると、主人公を不利な状況に置けば、すぐに摩擦が生まれる。ここで、『ダイ・ハード』に組み込まれている意図的な不均衡をいくつか精査してみよう。まずはキャラクターから。ジョンはニューヨークの熟練警察官という設定なので、ハンス・グルーバーのような脅威に立ち向かえるスキルの持ち主だろうということは容易に想像がつく。ただ……ジョンは武器も持たずに不慣れな場所にいるし、対抗相手のハンスは単独ではない。テロ集団にビルが占拠されると、ジョンは対抗するのに利用できるものが何もないまま、靴さえも履いていない裸足の状態で、ビルの中に閉じ込められてしまう。一方、ハンスは武器を持った有能な手下たちを引き連れており、ビルのあらゆるところに自由に出入りができ、大勢の人質をとっている。その中にはジョンの妻もいる。

ジョンがいくらハンスを阻止し、ホリーを守ろうとしても、これほど相手が優勢だと、戦っても無駄なのではないかと観客に思わせる。実際、結末に近づくまで、ジョンは目標にまったく手が届いていない。ところが、場面レベルで彼の対立・葛藤へ

の向き合い方を見ると、話は違ってくる。一人ずつ敵を倒し、警察官の注意を引こうとパトカーの上に死体を投げ落とし、武器を手に入れ、ハンスの起爆装置を盗み出すといった具合に、ジョンが勝つのもありえるところまで、自分の力で徐々に劣勢を優勢に近づけていく。また、ジョンの対立・葛藤への対応ぶりから、観客は彼が本当はどういう人物なのかを知ることもできるようになっている。知恵を絞り、容赦なく戦うジョンの姿は、犯罪集団が6億5000万ドルの債権を盗もうと綿密に立てた計画であっても、一人の男がひっくり返せると観客を信じ込ませる鍵になっている。『ダイ・ハード』は動的なプロットとアークを作り出し、4つのレベルの対立・葛藤それぞれがいかに全体に貢献するのかを示す、すばらしい一例になっている。表面的には、警察官が主人公で銃撃戦が繰り広げられるという平凡なあらすじで、深く考える必要もなく、ただ見て楽しめる映画のように思える。それもある程度当たっているが、主人公の内面の葛藤がこの映画に深みを与えている。最終的には、ジョンが自分の目標をすべて達成したいなら（結婚生活を救うことも含め）、自分のことばかり考えるのをやめ、もっと利他的にならなければならない。

●異なるレベルの対立・葛藤のつなげ方

キャラクターの精神や身体、感情に負担をかけるであろう様々な問題を、最後まで観る（または読む）に耐えうる流れにして構築するのに、異なるレベルの対立・葛藤がどう相互作用するのかを、これまでの説明で理解してもらえたかと思う。では、それを理解した上で、実際にストーリーを書くとき、書き手はどうすればよいだろうか。

最後にもう一度、『ダイ・ハード』から具体例を拝借して説明したい。あのナカトミ商事のビルがストーリーの全体的な風景で、ビルの各フロアが場面を表しているとしよう。キャラクターはビルの屋上に到達することを目標にしている。なぜなら、そこに助けを必要とする人がいるからだ（リスク）。敵は自分の家族を人質にとり、爆弾を仕掛けて待っている（マクロの対立・葛藤）。敵はキャラクターとの対決に負けるくらいなら、ビルを爆破してすべてを灰にするつもりだ。

キャラクターは片足を負傷し、エレベーターも全機停止しているので、35階まで階段で上るのは容易ではないだろう。その上、各フロアにはブービートラップが仕掛けられている（ミクロの対立・葛藤)。それでもキャラクターは敵や難題に直面し、危険な目に遭いながら、1フロアずつ上がっていく。途中で遭遇するすべてのものに行く手を阻まれ、前進は不可能なのではないか、引き返したほうがいいのではないかと逡巡する。心の奥では、自分には無理だと思っているから、引き返したい気持ちに襲われる（内的葛藤)。いつも間一髪で命拾いをするのだが、そのたびに、屋上まで行って妻を救うなど無理ではないか、自分は殺されるだけではないかと心を迷わせる。

しかし、1フロア上がるごとに、キャラクターはブービートラップを避けるのがうまくなっていく。途中、武器や道具が一式入ったかばんも手に入れ、一安心する場面もある。だんだんと強くなり、自分の能力に自信が出てくるが、依然として自分に対する疑心暗鬼は続く。だが、耐えに耐えてここまで来たのだから、前進し続けるしかない。

遂に、キャラクターは屋上に到達し、敵と対決する。ここで勝たなければ、爆弾が破裂し、愛する人も自分もビルと共に崩れ落ちる。これまで幾度も自信を失いかけたが、ここまで来たからには不安を振りきって戦おう、そうキャラクターは決意する。そして、屋上に来るまでに手に入れた道具を使って爆弾の信管を抜き、敵を倒し、愛する人を救う。中心的な対立・葛藤は解決し、主人公は目標を達成する。

ストーリーはそれぞれに異なっていても、対立・葛藤の中心的役割は共通していて、ストーリーの中で、目標達成能力のないキャラクターを徐々に達成できる人間に変えていく。書き手であるあなたが、キャラクターの前に立ちはだかって摩擦を生み出す障壁や課題、敵対勢力を選ぶときは、その対立・葛藤がキャラクターを成長させられるかどうかを自問してほしい。場面レベルで小さな不都合や面倒にいくつも対処しながら、キャラクターが自分自身や世の中について学ぶべきことを学べるように、来る闘いに備え、勝てる人間になれるように対立・葛藤を選択すべきである。

●対立・葛藤の分類

様々なレベルの対立・葛藤を包摂したストーリーには深みが出るが、場面がマンネリ化しないよう、いろいろな種類の問題を取り入れる必要もある。キャラクターが何度も繰り返し同じ問題に出くわしていると、読者はいらいらしはじめ、斜め読みをするか、最悪の場合は、本を閉じてしまう。

ストーリーのジャンルや中心的な対立・葛藤、キャラクター・アークが決まれば、対立・葛藤のシナリオはある程度それによって決まる。しかし、さらに肉付けするには、いろいろな種類が必要だ。数多く存在する対立・葛藤の中から適切なものを選ぶのに、どこから始めるべきか。心配は無用。本書で紹介する対立・葛藤のシナリオは、それが提示する問題別に分類され、どのカテゴリーにもすばらしい対立・葛藤が詰まっている。早速、カテゴリーがどういうものなのかを見ていこう。各カテゴリーの説明を読んだら、この類語辞典の該当ページを開き、あなたのストーリーに合ったマクロとミクロの問題を探し、完璧な組み合わせを考え出そう。

危険と脅威

「対立・葛藤といえばこれ」というくらいに明白で、使い道の多いのがこのタイプ。危険や脅威は、キャラクターやキャラクターが大切にしている（そしてキャラクターが責任を負っているかもしれない）人たちが直接的に被害を受けることを意味する。

マズローの欲求の階層によると、**安全・安心の欲求**は、人が抱くことのできる最も重要な欲求のひとつである。つまり、現実世界にいる私たちは、自分を危険にさらす状況を避けようとするのが普通だ。心理学的にいえば、キャラクターには生身の人間がありのままに投影されているはずなので、人間と同じように、キャラクターも自分に危害がおよぶような状況には警戒する。当然、書き手である私たちが、キャラクターが運転中に道路に張った薄氷を踏んで滑らないように、森の中で危険な動物や人間に遭遇しないようにしてやらなければならないのである。

危険の源は、他人、周囲の環境、場所、あるいはキャラクター自身であったりする。何かの依存症に苦しむキャラクターなら、リスクを判断して助けを求めることができずに、病院に担ぎ込まれ、死にいたる可能性があるだろう。また、過去の過ちのせいで罪悪感にさいなまれているキャラクターなら、自分を罰して犠牲にすれば罪滅ぼしになると思い込んで自滅的になり、絶対に勝てないような競争相手に歯向かったり、できもしないことに挑戦したりするかもしれない。

ストーリーの自然な流れから遭遇しそうな危険を探しているなら、キャラクターの居場所をよく考えればよい。どのようなストーリーの設定であっても、その設定場所に危険は内在している。たとえば、雇われた探偵が浮気をしているキャラクターの家を見張っている設定からは、キャラクターが遭遇しそうな危険がいくつか思い浮かぶだろうし、雨のあとのぬかるんだ地面の設定からは、足跡が地面に残って冒険者たちの隠れ家がばれる危険が考えられる。場所に潜む危険は小さな場合もあるし（毒ムカデがキャラクターの寝袋にすべり込むなど）、大きな場合もある（ハリケーンに見舞われ、土砂崩れが起きそうになるなど）。ストーリーに何を必要としているのかによって、こうした脅威は不都合や遅延を引き起こしたり、綿密に練った計画を台無しにしたり、大惨事を巻き起こしたりすることができる。

このカテゴリーの対立・葛藤は、注意を怠ったキャラクターに責任を負わせたいときなどに選ぶとよい。キャラクターが危険を軽視した、または、自分の能力を過大評価した結果、大変なことが起き、キャラクターは痛みや苦しみを覚えるが、それらは避けられたはずのものなので、キャラクターは後悔にさいなまれる。キャラクターに危険を無視させるか、危険を見えなくすることで、人生の教訓を苦労して学ばせ、同じ過ちを二度と繰り返さないように仕向けられるのも利点である。

エゴにまつわる対立・葛藤

危険と脅威がキャラクターの安全・安心の欲求を攻撃するように、エゴにまつわる対立・葛藤はキャラクターの承認・尊重の欲求を矮小化する。この欲求は個人の価値観がすべてだ。人に押しつけられる価値観と自分の価値観がせめぎ合い、他人の考えを押しつけられたキャラクターが自分自身をどう見ていて、どう評価しているのかが重要になる。

現実世界では、人は人前で恥ずかしい思いをする状況を避けたがる。自分が他人にどう思われるかを気にし、人に決めつけられるのを嫌がるからだ。自分に自信が持てないと、間違いを犯したとき、ミスをしたという事実が心の中で肥大化する。人に批判されてエゴが傷ついた場合や、過去に同じような過ちを犯した場合なら、なおさらである。

虚構の世界においても、よく考えて作られたキャラクターは生身の人間と同じような心理で動くため、ネガティブな過去の経験と結びついている不安を抱えて苦悩する。その経験が心に傷を残しているならなおのこと。キャラクターは排除される、信用を失う、嘘をつかれる、あるいは見くびられると、エゴが傷つく。傷ついたことを隠そうとしても、その事実は消えない。

エゴが絡んだ問題は内的な対立・葛藤を呼び起こし、キャラクターはそれに過敏に反応する。その反応は隠すのが難しく、黙り込んで自分の殻に閉じこもったり、怒りを爆発させたり、状況を悪化させるだけなのに、感じたことをそのままとげとげしい言葉にして返したりする。たとえキャラクターが間違ったことを何もしていなくても、人前で自分のエゴが傷つけられたというだけで、気持ちがひどく傷つけられる可能性がある。

ここで、架空の人物フィオナの場合を検討してみよう。フィオナは故郷に久しく帰っていないが、最近ボーイフレンドのドリューとの関係が深まってきているので、故郷の両親に紹介しようと航空券を予約する。変わり者の両親にドリューを引き合わせることに緊張しているが、それでも、ドリューは自分の「運命の人」なのだから、今が紹介するときだと考えた。

フィオナはドリューと一緒に両親を訪ねた。両親は食後のポートワインを楽しんでいる最中だった。はじめのうちは、期待通りに物事が進む。両親は娘たちの突然の訪問に大喜びで、ドリューをちやほやした。仕事や家族、関心事について質問攻めにしたが、基本的には彼の答えにご満悦の様子だった。ところが、何杯目かのポートワインを飲んだところで、フィオナの父親が世の中の出来事について不満をわめきたてた。そして、一瞬場がしんと静まり返ったとき、まったくの宇宙人陰謀論をほのめかしたのだ。

このときのフィオナの狼狽ぶりを想像してもらいたい。彼女がいかにこの食後の団らんの時間を救おうとしたかを。「お父さんたら、また冗談ばっかり」と笑い飛ばすだろうか。それとも、ドリューに向かって「あなたがどんな反応を示すか、お父さんはからかっているだけよ」と取り繕うだろうか。ところが、彼女がダメージを回収しようとすればするほど、父親の声は大きくなり、言い方も乱暴になる。遂には、フィオナに向かって、「お前はナイーブすぎる」だの、「夢の世界で生きている」だの、「宇宙人たちが人類を操っている明らかな証拠があるのにそれを認めようとしない」だのと批判を浴びせはじめる始末だ。怒り狂う父親を目の前に、屈辱感が彼女を襲う。自分が愛してやまない恋人がこの狂気を目撃している。ドリューは自分の親のことをどう思っているのだろうか……ひいては、自分のことをどう思っているのだろうかと気が気でない。

エゴにまつわる対立・葛藤は、屈辱をなめさせるなどしてキャラクターの心を深くえぐり、キャラクターの最も基本的な欲求のひとつ、承認・尊重の欲求を攻撃する。攻撃されたキャラクターは激しい非難の言葉を返したり（闘争）、黙り込んだりする（硬化）。フィオナの場合だと、訪問を切り上げること（逃走）も考えられる。キャラクターがどのような反応を示すかは、その性格や、感情の振り幅、心が脆くなったときの対処法によるが、キャラクターがどう出ようと、読者はキャラクターが感じている痛みに共感する。エゴが傷つけられて動じない人などいないからだ。

また、この種の対立・葛藤を経験する人が自分を責め、痛みを内面化させるのもよくあることだ。フィオナの場合だと、両親に引き合わせようとドリューを連れてきた自分、あるいは、事前にドリューに両親のことを話しておかなかった自分を責めるかもしれない。父親が支離滅裂な暴言を吐いたのはフィオナのせいではないし、父親の考えやすぐに怒鳴り散らす性格も、彼女の人柄とは何の関係もないが、彼女自身がそれに気づくには時間がかかるだろう。

エゴにまつわる対立・葛藤からは内的葛藤が生まれる傾向にある。内的葛藤は変化のアークをたどるキャラクターにはもってこいの苦しみになり得る。

コントロールの喪失

現実世界において、私たちは日々、大なり小なり意思決定をいくつも下している。このことからわかるように、コントロールを失わずにいることは重要である。経済的に安定した仕事が得られるのなら、大学の学位をとろうと自分に投資するし、わが子に質のよい教育を与えたいのなら、よい学校区に家を購入するだろう。ガソリン切れで車が使えないことがないように給油をしておくのも、膝を擦りむいたら傷口から感染しないよう消毒するのも、揉め事を避けるため、正直な意見よりも社交辞令を言うのも、コントロールを失わないようにするためである。言い換えれば、私たちは因果関係のルールに従って生きている。

しかし、常に因果関係を気にしているからといって、何事もなく平穏に生きられるのだろうか。そんなわけはない。「こうしておけば大丈夫」と保険を掛けている間にも、思わぬ事態は起きる。コントロールできていると思うのは錯覚でしかないのは明白で、この現実がやや恐ろしくもある。いつ何時、予期せぬことが起き、自分の綿密な計画が全部白紙に戻されてしまうかもしれないのだ。

現実世界では、コントロールを失うと大変なことになりかねない。こうなることをなぜ予測できなかったのか、きちんと先を見越していたら備えておけたのにと後悔してしまうからだ。エゴにまつわる対立・葛藤の場合と同じように、私たちは人生のあらゆる側面をコントロールできないのは自分の責任で、そういう状況に陥る自分に何か非があると誤って思い込んでしまう。だから、「コントロールの喪失」を対立・葛藤の1カテゴリーにしている。

コントロールを失うような出来事は誰にでも起きる。虚構の世界でも、キャラクターが自分にはとめようもない、または防ぎようのない厄介な問題に直面すると、キャラクターは打ちのめされた気持ちになる。それを読む読者も「自分もこういう不安な思いをしたことがある」とストーリーに引きつけられ、事態が制御不能になるにつれ、自分を責めて苦しむキャラクターに自分を重ねる。

自分の人生をコントロールできているという思い込みを一掃する対立・葛藤は、人生最悪のときをキャラクターがどう過ごすのかを見せ、その人となりを表面化させることもできる。たとえば、キャラクターの配偶者がキャンプを楽しんでいる最中に心臓発作で亡くなったとしよう。配偶者を失って嘆き悲しみ、荒れ狂い、人を寄せ付けないキャラクターと、身近な人たちとのぎくしゃくしていた人間関係が表面化したりしないだろうか。配偶者の死を受け入れられず、ひたすら否定し続け、人生の泥沼に陥ったりしないだろうか。それとも、自分の苦しみは顧みず、残された子どもたちや他の家族が死の悲しみを乗り越えられるよう、彼らを優先するだろうか。

コントロールを失ったあとのキャラクターがどれくらいの速さで復活するかは、書き手次第だ。しかし、あまりにも早急に苦しみを克服させるべきではない。この種の対立・葛藤が原因で窮地に陥ったり、心に傷を負ったりした場合は、その逆境を切り抜けなければならず、復活により時間がかかることを覚えておこう。

優位性の喪失

キャラクターに望みを失わせる——それはキャラクターに対し、書き手がやれる最悪なことのひとつである。何しろキャラクターは既に、ストーリーの最初からずっと、対立・葛藤という鋭利な刃で容赦なくずたずたにされている。闘って、犠牲を払って、死に物狂いで前進して、ようやく必死の努力が報われはじめたところだ。いよいよ、自分が求める何かを手に入れ、世間は自分の味方をし、競争で優位に立てるようになるかもしれないのだ。

当然、書き手は意地悪であるからして、そこで、キャラクターが必死で勝ち取った優位性を奪う。

「優位性の喪失」は用途の広い対立・葛藤で、ここぞというときに重宝する。したがって、戦略的に用いるべきだ。たとえば、冒険開始の合図のラッパが鳴り響いても、全員が扉を開けて外に飛び出すとは限らない。そんな誘いには乗らず、居間にあるお気に入りのソファーから腰を上げないキャラクターもいるだろう。ソファーはたるみが目立ち、布張りは猫に引っ掻かれてぼろぼろになっているのにだ。たとえ今の人生がそれほどうまくいっていなくても、これが自分の知っている生き方で、自分の安全地帯で無難に暮らせているからである。

しかし、書き手がキャラクターを安全地帯にとどまらせておいたのでは、ストーリーは死んだも同然。そこで、キャラクターが自分にとって不可欠だと考える何か——権威のある立場や、信用のおける味方、大切な人間関係などを奪ってしまえば、キャラクターは嫌でもストーリーの中の冒険の第一扉を開き、よろめきながら出て行くはずだ。

この種の対立・葛藤は、キャラクターの本気度を試すこともできる。キャラクターが継続の糧にしていたあるものを失うと、どうなるだろうか。裁判で自分の無実を証明してくれるはずの主要証人が殺害されたとしたら、後援者が支援を打ち切ったとしたら、あるいは、養子縁組が成立しなかったとしたら、キャラクターは前進し続けるだろうか、それともあきらめるだろうか。

同様に、優位性を失うことで、それまで間違った目標を追いかけていたキャラクターを目覚めさせることもできる。キャラクターはストーリーの出だしから自分の優先順位が常にはっきりと見えているわけではなく、間違った夢を追いかけたり、間違った理由で目標を達成しようとしたりすることもある。たとえば、出来のいい息子や娘であろうとするあまり、親からの圧力に屈し、都会に出る夢をあきらめて、家業の農場経営を手伝う場合もあるだろうし、鍛冶屋になるために長年見習いをしてきたのだから、今までの努力と犠牲を無駄にしたくないと、鍛冶屋になることに固執し続ける場合もあるだろう。

このようなキャラクターたちは、キャラクター・アークの中で、本当に自分がやりたいことを発見できるかどうかもわからないまま道を歩む。ところが、優位性が失われると、岐路に立たされ、何らかの決断を下さなければならなくなる。自分の目標に向かって前進し続けられるよう、劣勢に立たされても挽回しようとするだろうか。それとも、優位性が失われると同時に、目標達成の意欲も失われたことに気づくだろうか。

キャラクターが本当にやりたいと思っていることをしているとき、キャラクターは正しい目標に向かっている。その場合は、たとえ優位性を失っても、目標に向かって前進し続けるはずである。

権力闘争

キャラクターについてひとつ、私たち書き手が知っていることがあるとすれば、それは、いつかキャラクター同士がぶつかるということだ。**なぜ**ぶつかるのか、その理由ははっきりしている。ストーリーに登場するキャラクターはそれぞれ自分の目標や底意、ニーズ、信念を持っているが、ときに、それが他の人たちのものとは相容れないことがある。合わない人との摩擦が強すぎると、権力闘争が起きる。

権力闘争がよく起きるのは、警察官と容疑者、上司と部下、教師と生徒など、キャラクターたちの立場が平等ではない人間関係においてである。立場の弱い者が対等な口をきこうとしたり、立場が上の者を失脚させようとしたりするときに争いは起きやすい。また、権威のある人が自分の地位を不当に利用していると他人に受けとめられるときにも、対立・葛藤は起きる。キャラクターがパワーハラスメントを受ける──たとえば、不機嫌な顧客に取るに足りないことで訴えられたり、ライバルに不当に非難されたり、上司の身びいきのせいで自分の昇進が見送られたりすると、「そんなのは道徳的に間違っている」と腹を立て、熾烈な争いが繰り広げられるはずだ。

このような激しい争いは、ポジティブな人間関係においても起きる可能性がある。自分の愛する人や尊敬する人に圧力をかけられるのだから、それをどう跳ね返せばよいのか、悩みもより深刻になるだろう。たとえば、「自分のように軍人になれ」と父親に厳しく言われた息子がいるとする。もし息子が父親は自分を支配しようとしていると感じて反抗した場合、父親は息子に手を上げるかもしれない。父親にしてみれば、息子を支配するつもりなどなく、軍隊という組織立った場所で厳しく訓練を受けるのは息子のためになると思っただけなのかもしれない。しかし、意見の食い違いというのは、煎じ詰めれば視点の違いであることが多く、慎重に状況を扱わないと、大切な人間関係を損ないかねない。

正反対の性格の持ち主、たとえば、正義感が強くて高潔な人と、平気で弱い者いじめをし、人を操るのがうまい人とを対立させると、互いの性格を際立たせることができる。見せ場の対決場面を作るには、2人が何について反目し合うのかを考えよう。両者とも同じ目標を達成したいと思っているのか。あるいは、両者の目標はあまりにも違いすぎて、一方が勝てば、もう一方は負けなければならないのか。過去に何かがあって、2人は激しく敵意を燃やしているのか。もしそうなら、ストーリーの中で2人はどのようにして憎み合うのか。

権力闘争を浮き彫りにするには、会話の場面を利用するのが最適で、そのためには、異なる目的を持ったキャラクターたちが言葉を交わす様子を書くとよい。一方は相手には言いたくない情報を持っていて、それをもう一方が聞き出そうとしている場合などには、2人の間で見事な綱引きのような会話が繰り広げられるはずだ。やがて2人は激しく言い争い、遠回しに脅迫し、侮辱的な言葉をぶつけ合うだろう。

権力闘争はストーリーを貫くマクロの対立・葛藤としても存在し得る。キャラクター同士の間で長く膠着状態が続いていると、互いに執念深くなっているのが普通だ。ちょっとしたことが引き金になって、あっという間に個人攻撃に発展しやすく、「何としてもあいつを負かしてやる」と誓いを立てる。

そう、争いは、恐れずに個人的なものにしてしまおう。キャラクターの感情が高ぶると、そのキャラクターの常識だけでなく道徳観までもがひっくり返る可能性があるからだ。キャラクターが相手に勝ちたいと思っていると、ひどい行為に出てもかまわないと自分を正当化するかもしれない。故意に相手を困らせるようなことをしたり、ぬれぎぬを着せたり、妨害工作を行ったりと、とんでもないことをしでかすかもしれない。

キャラクターが主人公だろうと、敵役だろうと、あるいはその間に立っている人物だろうと、ひどい行いをしているのなら、なぜそういう行動をとっているのか、動機を明確にすべきである。そうしないと、この対立・葛藤は作られた感じを読者に与えてしまう。もし中傷行為をしているのが主人公ならば、読者に嫌われてしまうほど、ひどくは書かないようにしよう。主人公が読者に嫌われないようにするには、主人公の何が危険にさらされているのかを言葉で表現し、主人公が自分を見失っていたと気づいたときに、自分を恥じさせ、その人柄を見せるのもひとつの手だ。主人公が自分の非を認め、次からは中傷に走らないようにすれば、読者はひどい振る舞いであっても許すことができる。

その他の困難

対立・葛藤は多面的だ。世の中のほとんどの物事がそうであるように、あらゆる対立・葛藤のシナリオがぴったりとひとつのカテゴリーに収まるわけではない。キャラクターに二つとない課題を突きつける対立・葛藤、あるいは、書き手のあなたが考えもしなかったような形で状況を複雑にする対立・葛藤を探しているのなら、この「その他の困難」でアイデアを探すとよいだろう。たまたま居合わせた場所が悪かったせいで他の誰かと間違われただとか、悲惨な状況に陥り、見知らぬ人を盲目的に信用したなど、いろいろな可能性を探ることができる。

他の種類の対立・葛藤を探したい場合は、『対立・葛藤類語辞典』の上巻も開いてみよう。上巻では、「人間関係の摩擦」「失敗と過ち」「道徳的ジレンマと誘惑」「義務と責任」「プレッシャーとタイムリミット」「勝ち目のないシナリオ」の6つに対立・葛藤が分類されている。

中心的な対立・葛藤を中核に据える

ここまで読んできて、あなたのキャラクターがストーリーを通して向き合うであろう対立・葛藤のシナリオの数は、星の数ほどあることを薄々感じているはずだ。ストーリーが進行し、主人公が抱える問題が複雑になるにつれ、中心的な対立・葛藤が薄れだし、些末な出来事に煩わされて消えてしまうリスクは常にある。また、対立・葛藤が多すぎたり、ある問題だけが長い間取り沙汰されたりすると、話の展開が鈍化し、キャラクターが一体何に立ち向かっているのかがわからなくなって、読者が混乱する。書き手がストーリーに織り込んだすべてが最終的なクライマックスに向かって盛り上がるようにするには、ストーリーの中核となるプロットと中心的な対立・葛藤から逸れずに書き続けることが最善だ。

中心的な対立・葛藤には6つの型があると前述したが、あなたのストーリーは、その中のどれを中心に構築されているのだろうか。たとえば、小説『ハリー・ポッター』シリーズだと、主人公ハリーに対抗する主勢力はヴォルデモートとヴォルデモートがのりうつるキャラクターなので、その中心的な対立・葛藤は「キャラクターvsキャラクター」型になっている。小説『ハンガー・ゲーム』では、主人公のカットニスが「キャピトル」という政治の中心の街と敵対しているので、「キャラクターvs社会」型の対立・葛藤が主線になっている。また、映画『ターミネーター』(1984) では主人公のサラ・コナーがロボットに追いかけられているため、「キャラクターvsテクノロジー」型の対立・葛藤が見せ場になっている。

あなたがこれからプロットを作りはじめるところで、まだ案を練っている段階なら、前述のGMCの法則を利用し、目標、動機、対立・葛藤を決めれば、ストーリーの中で主人公がどのような対抗主勢力に立ち向かうのかを絞り込みやすくなるだろう。また、既にストーリーを書きはじめていて、その中核となる対立・葛藤が書いている内容と合致しているかどうかを確認したい場合にも、このGMCは役に立つはずだ。

中心的なキャラクターがある対立・葛藤に直面すると、ストーリーがどのように展開するのかを考えるのにも、GMCは非常に重宝する。ある程度方向性が決まったところで、キャラクターの本気度が試され、本当の性格が表面化し、「目標を達成できるようもっと強くなるにはどうしたらよいだろうか」とキャラクターに考えさせる難題や摩擦が起きるような状況を選んでいこう。

しかし、ストーリーに合った対立・葛藤を選んでも、それをタイミングよく導入しないと、キャラクターが向き合わなければならない問題が壮大になりすぎて、プロットの主線から逸脱しかねない。この問題が特に起きやすい領域が2つあるので、それを詳しく見ていこう。

●キャラクター・アーク

キャラクターが主たる内的葛藤を解決するとき、それまでばらばらに動いていたキャラクターの心と頭が一致する。一般に、キャラクターが目標を達成するのに必要な状態だ。したがって、この段階で、キャラクター・アークに紐づけられている内的な対立・葛藤が前面に出てくるのも驚きではない。しかし、それがいくらストーリーに不可欠だからといって、内面の葛藤がプロットも含めた他のすべてを圧倒してよいわけではない。

この場合、内的な対立・葛藤と外的な対立・葛藤のバランスを決めるのは比率だ。少しずつ変化に向かって歩むキャラクターの姿を見せるのに十分な内的葛藤を含めるが、一方で、外的なプロットやそれに付随する対立・葛藤にキャラクターが足をとられ、身動きがとれなくなることがないようにしなければならない。このバランスをうまくとっているのが、『ハリー・ポッター』シリーズの第1巻『ハリー・ポッターと賢者の石』である。

作者のJ.K.ローリングは、第1巻の出だしで読者にハリーとハリーの世界を紹介するが、そのとき、ローリングは主に外的な対立・葛藤に焦点を当て、ハリーがダーズリー家の人々に冷遇され、馬鹿にされ、無視されている姿を描いている。ダーズリー家の人々はハリーを食器棚に閉じ込め、彼宛に送られてくる郵便物を止め、ホグワーツからの手紙が彼の手に届かないよう孤島にハリーを連れて行く。そこへハグリッドが現れ、ハリーの世界を180度ひっくり返す。

この段階で、読者はハリーが心の中で葛藤している事実を初めて知る。いいタイミングだ。なぜなら、ハリーがダーズリー家で暮らして学んだことといえば、常に音を立てないように身を潜め、自分に注意を引かないようにすることだったからだ。そのおかげで、ハリーは何を言われても、されても、うまくかわす。ところが、そんな自分が史上最強の闇の魔法使いヴォルデモートを負かした強力な魔法使いだと知ってハリーは動揺する。自分がこれまでずっと真実だと思い込んできたことと、この新事実をどうすり合わせればよいかわからずに思い悩むのである。

この『ハリー・ポッター』シリーズの第1巻は、全体を通して、外的な対立・葛藤と内的な対立・葛藤が入り混じるパターンが続き、ハリーが思い悩む場面が断続的に挿入されている。たとえば、「組み分け帽子」がハリーをどの寮に入れるか悩む場面、「みぞの鏡」についてハリーが矛盾した感情を抱く姿、そして、自分にはクィディッチの才能がないのではと悶々とする様子などがそうだ。ハリーのストーリーに関していえば、バランスよく内的な対立・葛藤が紹介されている。ハリーはこの第1巻で内面の変化をある程度経験するが、打倒ヴォルデモートというストーリー全体の目標を考えると、その変化は二次的でしかない。ヴォルデモートの手に「賢者の石」が渡らないようハリーを準備させるには、多くの外的な対立・葛藤が必要で、まさにローリングはそのように書いたのである。

アクションが少ないストーリーの場合は、内的な対立・葛藤と外的な対立・葛藤の適切なバランスを探るために研究が必要になるだろう。他のキャラクターと比べ、内面に多くの問題を抱えているキャラクターもいるはずだ。「キャラクターvs自己」型のプロットを持ったストーリーなら、当然、内的葛藤が**中心になる**ため、そこへもっと焦点を当てる必要がある。たとえば、映画『ビューティフル・マインド』(2001)は、主人公ジョン・ナッシュが自分の精神疾患と闘うストーリーであるため、ナッシュが統合失調症に悩まされる姿と、彼の妄想で作り上げられた人物たちとの関わりを描くのに上映時間の多くを割いている。

ストーリーのペースに注意を払って、内的な対立・葛藤と外的な対立・葛藤のバランスをうまく保つのも方法のひとつだ。内面に重きを置きすぎて、そればかり書くと行動が中断されてしまう。外的な障壁や逆境、外からの脅威が休憩していてはいけない。こうした外的要素も途切れさせずに書くこと。適切なバランスを維持しておけば、ストーリーはペースを緩めることなく前進し、キャラクターが何を達成しなければならないのかを正確に読者に伝えることができる。

● サブプロット

対立・葛藤のほとんどは物語の主線をなすプロット上で起きるが、マクロの対立・葛藤には解決に時間を要するものもある。そこでまずは、サブプロットについて少し説明し、ストーリーの中核となる対立・葛藤を圧倒することなく、マクロの対立・葛藤を解決する最善の方法を考えよう。

サブプロットとは、メインのプロットに従属する構成になっていて、主人公または主人公に近しいキャラクターが関与するのが一般的だ。引き続き、『ハリー・ポッター』シリーズの第1巻『ハリー・ポッターと賢者の石』を例にとると、メインのプロットと対立・葛藤は次のようになる。

ストーリーの目標：ヴォルデモートに賢者の石を入手させず、復活させない
中心的な対立・葛藤：ハリーvsヴォルデモート（「キャラクターvsキャラクター」）

このストーリーには多くのサブプロットが含まれているが、明らかなものをいくつかここに挙げてみよう。

サブプロット1：ハリーはロンとハーマイオニーと出会い、友情を結ぶ
サブプロット2：ハリーとマルフォイは敵対関係を強める
サブプロット3：ハリーの敵対者としてスネイプが浮上する

各サブプロットには、独自のストーリー・アークがなければならない。メインのプロットよりも単純で短いが、明確な出だし、中間、結末があって、ストーリーに山も谷もある。また、それぞれがストーリーを前進させ、何らかの形でメインのプロットに影響を与えていなければならない。たとえば、ロンとハーマイオニーとの友情（サ

ブプロット1）は、この第1巻でハリーがヴォルデモートを倒す鍵になっている。第1巻のクライマックスだけをとってみても、ハーマイオニーの「悪魔の罠」の知識と、魔法チェスに詳しいロンの「巨大な魔法チェス」での自己犠牲がなければ、ハリーは最後の部屋での対決まで進めなかった。ハリーが友人たちに支えられているのはすばらしいことではあるが、このサブプロットは、ハリーがこのストーリーで達成しなければならない目標に向かっていくのになくてはならない部分なのである（キャラクターたちの性格を特徴づけるのに重要なサブプロットでもある）。

サブプロット2のマルフォイとの敵対関係も重要だ。理由は、ヴォルデモートが第3幕まで姿を現さないため、それまでの間、マルフォイとハリーが張り合う仕組みになっているからだ。マルフォイは数々の場面レベルの対立・葛藤でも、ストーリー全体の目標の達成にハリーを近づける役割を果たしている。

しかし、最も興味深いのはサブプロット3で、スネイプが関わってくるとだいたい話は面白くなる。マルフォイと同じく、スネイプもハリーと張り合う。スネイプが登場する場面は、賢者の石を探し出す競争と結びついていることが多く、必要に応じてメインのプロットを支えている。このサブプロットが興味をそそるのは、第1巻がいよいよ終わるというときになって、スネイプが登場した場面のほとんどが、ハリーと読者の注意をそらすためのものだったことに気づかされる点である。スネイプは賢者の石を手に入れるためにヴォルデモートと通じていたわけではなかった。彼がやったことはみなその逆で、賢者の石がヴォルデモートの手に渡らないようにし、ハリーを守るためだった。そして、『ハリー・ポッター』シリーズを読破した人なら知ってのとおり、スネイプは第1巻以降も、読者の気をそらす仕掛けとして登場する。スネイプが関わるサブプロットは第1巻のストーリーの展開に貢献しているだけでなく、このシリーズ全体の土台にもなっている。

この3つのサブプロットにおける対立・葛藤には、読者にあっと言わせる要素が多く含まれているため、メインのストーリーから簡単にそれていく可能性もあったはずだ。ところがそうならなかったのは、これらのサブプロットにストーリーの中で果たすべき役目が与えられ、ストーリーが構成されていたからだ。つまり、ハリー、ロン、ハーマイオニーの3人に、もっと大きな闘いに立ち向かうのに必要な知識と経験を与えるためのサブプロットだったのだ。そのおかげで、ヴォルデモートの復活を防ぐためのハリーの戦いがこのストーリーの中心であり続けたのである。

対立・葛藤という黄金の糸がストーリーを動かす

対立・葛藤には独自の大きな力があり、プロットとアークの両方に影響をおよぼしながら、この2つを織り合わせる黄金の糸となり、ストーリー全体を貫く。たとえば、対立・葛藤がなければ、キャラクターに自分の平凡な日常を捨てさせ、新たな世界へ向かわせる**誘発的な事件**は起きない。そして、キャラクターが次から次へと容赦なく逆境や難題に見舞われ、打ちのめされない限り、どん底に落ちて**何もかもを失う**瞬間は訪れないだろう。どん底に落ちたあと、キャラクターは**心の闇夜**の中で、対立・葛藤という炎の中をくぐり抜けた自分の旅路を振り返り、自分は絶対に変わるのだと自らを叱咤激励する。それから**クライマックス**、すなわち摩擦の頂点が訪れ、キャラクターが内的葛藤をいかにうまく克服できたかによって、外的な衝突における勝敗が決まる。

対立・葛藤の爪痕は、プロットやアーク全体に刻まれているだけでなく、それを超えて、いたるところに残っている。意味のある対立や課題はストーリーを向上させる。ここからは、その方法をいくつか見ていこう。

●対立・葛藤はキャラクターの成長を助ける

本の1ページ目で、キャラクターが目標を達成できるはずがない。なぜなら、ストーリーが始まっていきなりクライマックスが訪れても、キャラクターは惨めに失敗するだろうからだ。あらゆる痛みを引き起こす対立・葛藤は、キャラクターに修練場を提供する。キャラクターは小さな危険や弱い敵に直面しながら、より大きく恐ろしい問題に立ち向かうのに必要な知識やスキルを身につけ、自分を知り、反発力を高めていく。

キャラクターはどの対決にも勝てるわけではなく、負けや失敗もその成長に欠かせない。つまずきは事態を複雑にし、無力さや不安、失望といった不快な感情を生みやすい。このような感情に襲われるのは嫌なもので、キャラクターはそうした気持ちになるのを避けたがる。そこで、何がいけなかったのかを理解しようと、自分の強みと弱みを厳しい目で見つめ、判断を誤らせた信念や欲求、恐れ、偏見があったのではないかと分析する。何が自分をためらわせるのかを特定できたら、今後は同じ過ちを繰り返さないように自分を変えようとする。

自分を成長させたいと願うこの気持ちは、対立・葛藤が拡大し、危険度が増し、失敗の余地がなくなってきた場合に、ひときわ重要になる。キャラクターは最善の自分を見つけることでしか、目の前の課題や逆境を巧みには切り抜けられない。自分の成長を阻む恐れや欠点をかなぐり捨て、自分の特性やスキル、知識を活かすように変わると、成功体験を積み重ねるようになり、心の中にあるもっと大きな障壁を乗り越えて成長していく。いかなる内的な対立・葛藤でも、キャラクターがそれに折り合いをつけることができたとき、キャラクターはなるべき自分になり、どんな問題に遭遇しても対処できるだけの強さを発揮する。

以上が、変化のアークをたどるキャラクターの典型的な成長過程なのだが、対立・葛藤は逆に暗い道へとキャラクターを導くこともある。自分を変える機会は何度もあったのに、キャラクターは過去の痛み、偏見、機能不全状態の思考を払拭できずにいる。そこへ、恐れにとりつかれ、失敗が積み重なると、苦境を乗り越えるために必要な自分からますます遠ざかる。そうなると、キャラクターの態度もものの見方もどんどんとネガティブになり、自暴自棄になって、自分の道徳的な線引きが揺らいで消えていくだろう。

●対立・葛藤は自尊心を高める(または引き裂く)

積極果敢に困難な状況を突破しようとするキャラクターは、何かが起きるのを傍観者のように待つのではなく、自ら判断を下し、力強く前進しているという確かな手ごたえに支えられるはずだ。たとえ不利な競争を強いられ、敗北や挫折を味わっても、鏡に映る自分の姿を見て、自分は正しいことをやっているのだと確信する。とても克服できそうにない数々の問題に取り組むには、勇気とへこたれない根性が必要だ。簡単に勝てそうにないなら、なおさらである。場合によっては、闘いの場に姿を現すだけでも、自分に価値があることを他人や自分に証明できることもある。

その一方で、対立・葛藤はキャラクターに自分の適性や能力を疑わせる種を蒔くこともある。キャラクターがリスクの高い状況で失敗を何度も犯していると、負の感情がくすぶってくる。失敗続きのせいで、周囲の人々が自分を信用しなくなっているように思える場合は特にだ。難題が次から次へと襲いかかり、精神的に疲れ果て、自分への疑いを払拭できなくなると、あきらめの境地にいたる可能性は高くなる。へこたれずに歯を食いしばるのはやめて、いつもの情けない自分に戻って心に壁を作り、もっと芯の強い人間になろうとしたこれまでの努力が水の泡となってしまうかもしれない。

●対立・葛藤はキャラクターの価値観と信念を際立たせる

どのキャラクターにも自分を決意や行動に駆り立てる**信念体系**がある。自分の道徳観や価値観、自分を貫く信念、あるものへの愛着によって、キャラクターの世界観は形作られ、どのように自分の人生を生きるのか、その基礎が築かれる。これによって、キャラクターが何をし、何を考え、何を受け入れるのかが決まるのだ。

信念体系は時を経て進化（あるいは退化）する可能性があるが、幼い頃の体験によってその下地は作られている。キャラクターは人生において重要な体験を積み重ね、縁のある人々から教えを受け、社会からある一定の扱われ方をするが、そのすべてがキャラクターの価値観の形成に貢献している。

人生経験は個人によって異なるため、各キャラクターは独自の理想や道徳観、世の中に対する意見を持つようになる。たとえば、人に支えられ、安定した生活があり、無条件の愛に包まれて育ったキャラクターなら、信頼関係や人間関係、帰属意識をとても大切にする可能性が高い。一方で、里子に出され、自立が認められる年齢に達するまで、あちこちをたらい回しにされて育ったキャラクターなら、経済的自立や独立心に価値を置くだろう。自らの経験から、無条件の愛や他者からの支援は幻想にすぎないと思うからだ。

仮に、この両極端なキャラクターたちが出会い、恋人関係を築こうとする場合を想像してみよう。キャラクターBは幼い頃の経験から、人間関係ははかなく、人というのは窮地に陥ると常に自分から去っていくものだと思っているので、親密な関係を築くのを避けたがる。一方のキャラクターAは、家族の絆のありがたさを知っているので、キャラクターBとすぐに親密な関係を築こうとするが、相手が乗り気でないのを感じて混乱する。キャラクターAは家族から傷つけられた経験がなく、相手の拒否反応を理解することができない。

ストーリーには不思議な魅力がいくつもあるが、そのひとつが、キャラクターの多種多様な信念体系を読者が追体験できる景色を与えてくれる点で、それを可能にしてくれるのが、対立・葛藤なのである。キャラクターが人との摩擦を生みやすい価値観と理想を持っているとき、その道徳観は厳しい非難にさらされ、キャラクターが本当はどういう人なのかを浮き彫りにする。この種の**道徳上の対立・葛藤**が起きる場面は、キャラクターが行動の指針にしてきた価値観や真実に目標が結びつけられているため、ストーリーに深みを与え、読者の関心をさらに引きつけるのだ。

●対立・葛藤は過去をうかがわせる

ある状況や人物がキャラクターの信念体系やものの見方に疑問を呈するとき、キャラクターの反応ぶりから、そのキャラクターがどのような価値観や道徳観を持っているのかを自然にうかがい知ることができる。同様に、キャラクターがストレスの多い状況に身を置いているせいで、過去の心の痛みや恐怖が刺激されると、キャラクターは含みの多い言動をし、読者に「このキャラクターの過去に一体何があったのだろう」と思わせ、好奇心を駆り立てることができる。対立・葛藤は、ストーリーのペースを落とさずに、キャラクターの過去を読者に垣間見せることができるのだ。

映画『ガーディアンズ・オブ・ギャラクシー』(2014)に登場するロケットを例にとって、これを説明しよう。ロケットは遺伝子改造されたアライグマ。科学者たちに実験台にされ、作り替えられてしまった元人間である。そんな過去を持つロケットは、何事に対しても強い不信感を抱き、世の中に対して怒りを隠さず、利己的な考え方しかしないため、筋の通った道徳観を持っていない。日和見主義で、誰にでも敵対意識を抱くロケットは、欲しい物を手に入れるためなら、盗みを働くことも暴力に訴えることもいとわない。観客はロケットを深い心の傷を負ったキャラクターだと見ているし、実際にそうなのだ。彼が過去に受けたひどい仕打ちを考えると、あのような人格になるのも驚きではないだろう。

そのロケットが懸賞金を狙ってクイル（スター・ロード）を捕えようとするが失敗し、クイル、グルート、ガモーラと一緒に刑務所に送られる。刑務所の中で、ロケットは他の囚人たちにからかわれて侮辱され、怒りのあまり、「モンスターに変えてくれと自分から頼んだわけじゃない」と自分の脆さを吐露してしまう。この一瞬で、彼がなぜこのような性格になったのか、その謎がすべて解き明かされるのだ。他にもこのような重要な瞬間はあるが、ここはひときわ強烈になっている。

キャラクター間の対立・葛藤は、それぞれの偏見や歪んだものの見方、誤解を表面化させやすい。この摩擦を書くことで、書き手はネガティブな過去の出来事、中でも、キャラクターの世界観や信念を形作ることになった心の傷があることを読者にほのめかすことができる。

●対立・葛藤はキャラクターの誤信を浮き彫りにする

キャラクターの信念体系の一部を形成しているのが誤信である。誤信とは、キャラクターが自分自身についてだけでなく、自分を取り巻く世界についても間違った思い込みをし、その思い込みが有害で破壊的であるにもかかわらず、受け入れている状態を指す。成長の旅路を歩んでいるキャラクターが何か間違った思い込みをしていると、つい歪んだ理解をしてしまう。このキャラクターを成長させる（そしてキャラクターの目標を達成させる）には、キャラクターに間違ったことを信じているのだと認めさせなければならない。

ここで再び『ガーディアンズ・オブ・ギャラクシー』に戻ろう。ロケットは大金と引き換えに、クイルとガモーラとある取引をする。彼らが刑務所から脱走し、破壊的な力を持ったオーブ〔宇宙の力を秘めた神秘的な球体〕を運ぶのを手助けするという取引だ。意外にも、ロケットは対立・葛藤を通して彼らとの絆を深めることになる。まずは脱走の最中に、それから、絶え間なく襲いかかる手ごわい敵を次々と倒している間に。ところが、オーブは盗まれ、ロケットは受け取るはずだった金を受け取ることができない。敵の将軍ロナンの手にオーブ（実はインフィニティ・

ストーン）が渡ってしまうと、世界が破壊されるかもしれない。ロケットたちはそれを阻止するために奔走する。つまり、利他的な使命を帯びて行動するようになる。もしもロケットが見返りの金が支払われた段階でクイルたちと手を切るつもりだったなら、彼はこの時点で仲間たちから離れていたはずだ。ところが、ロケットはグループにとどまった。

ほぼ金目当てでしか動かない者がこのような行動をとるだろうか。おそらく、いつものけ者のロケットは、表向きはとげとげしい一面を見せていても、本当は人に受け入れてほしくてたまらないのではないか。問題は、ロケットが自分には人に受け入れてもらうだけの価値がないと思い込んでいる点である。世間にモンスターだとみなされているため、彼も自分をモンスターだと思っているのだ。どうせ支離滅裂で、いけ好かない奴だと思われているのだから、その通りに行動していたところへクイルと出会い、自分と同じように社会からつまはじきにされている、素行の悪い彼らと疑似家族的な関係を築いていく。そしてロケットは変わる。

遺伝子改造され、アライグマになって初めて、ロケットは世の中を違った目で見るようになる。クイルを中心としたグループの一員として、お互いを守り、みんなを思いやっている。それだけではない。もしかすると、世界滅亡を阻止するという新たな、利他的な使命を背負ったことで、ロケットはどんなモンスターもやらないこと、すなわち人々を守ろうとしているのではないか。

誤った考えから自分を解放し、自分の存在価値を認めたとき、ロケットはグループの価値観を自分の信念体系に取り入れ、それまで利己的だった自分を改め、他人のことを優先して考えるようになった。いつもではないにしてもだ。日和見主義で強欲でなければロケットらしくない。

キャラクターのアークは様々な要素がないまぜになってストーリーを成立させるが、その中で途切れることなく綿々と続いているのが対立・葛藤という黄金の糸なのだ。対立・葛藤がなければ、ロケットはクイルたちと行動を共にすることはなかったし、インフィニティ・ストーンをめぐる壮大な争いに巻き込まれることもなかったはずだ。対立・葛藤がなければ、ロケットはかっとなって、実は自己嫌悪に苦しんでいるという事実を吐露しなかったはずだ。結果的には、そのおかげで、ロケットとの接し方をクイルが改めたのであるが。そして、対立・葛藤がなければ、ロケットは自分が仲間を大切に思っている事実にも、彼らを家族のように慕い、自分もまたその疑似家族の一員になっている現実にも、気づかなかったはずである。

●対立・葛藤は読者に振り返る機会を与える

ストーリーを読みながら、読者は他者の人生を追体験できる。対立・葛藤は虚構の世界の出来事をより面白くし、人を引きつける一方で、読者に対し、人生について奥深い疑問を投げかけ、読者の世界観を考えさせる。

道徳上の対立・葛藤は白黒はっきりしていることがめったにない。そういう性質のものだからこそ、読者を多種多様なものの見方に触れさせられる。読者自身のものの見方とは合致しないものであってもだ。各キャラクターの価値観や、各々が何と闘っているのかは、ストーリーが進展するにつれ明らかになる。すると、読者の心の中には哲学的な疑問がわいてくる。ある状況においては何が正しく、何が間違っているのだろうか、人は自分の人生をどう生きるべきなのだろうか、どういう信念なら闘って守る価値があるのだろうかと。

ストーリーの関心と主題によっては、読者は当然だと思っていたことに異議を突きつけられたと感じるかもしれない。たとえば、強い道徳観を持った善良な男なら、絶対に人を拷問しないだろうという思い込みが打ち砕かれたり（映画『プリズナーズ』［2013］）、愛するもののためなら、どんなことでもすべきだという考え方に不安を覚えるようになったり（映画『ペット・セメタリー』［1989／2019］）する。キャラクターの一人と同じような信念を持っているのに、そこには邪悪な側面もあると気づかされる場合なども、いつになく深く考えさせられるだろう。

読者が自分自身の信念に疑問を投げかけてしまうような対立・葛藤や、読者に悟りを開かせるような対立・葛藤が必ずしもストーリーに必要なわけではない。だが傾向として、読者を考えさせるシナリオは、本を読み終わったあとも長い間、読者の心に残りやすい。

●対立・葛藤は緊張感を高める

対立・葛藤と緊張感は、うまく組み合わせると大きな効果を発揮するので一緒に用いられることが多いが、混同されやすい。次の定義を見てもらえばわかるように、この2つの違いは微妙だが重要だ。

> **対立・葛藤**は、キャラクターと、キャラクターが心の底から求めるものとの間に立ちはだかる力を指す。
>
> **緊張感**は、次に何が起きるのだろうかと期待して起きる高揚感を指す。

2人の女性と二股をかけて交際しているローガンというキャラクターがいるとしよう。女性たちの名はアリスとシャイで、どちらも互いの存在を知らない。ローガンがそういう状態にしておきたいのだ。ところが、ローガンがまさかのへまをやらかし、それぞれの女性に、同じ夜、同じレストランへ食事に誘ってしまう。

アリスとシャイは当然同時にレストランに到着する。これが対立・葛藤である。そして、2人とも同じ男性と約束をしていることを知らずにテーブルに向かう。これが緊張感だ。

緊張感は読者を引きつけ、読者は心の中で次のようなことを疑問に思う。

> **アリスとシャイはローガンに二股をかけられていることを**
> **知ってしまうのだろうか。**
> **ローガンはこのピンチを切り抜けられるのだろうか。**
> **アリスとシャイはどうするだろうか。**
> **大喧嘩が勃発するのだろうか。**

読者の関心を引きつけては緩めるパターンを繰り返し、読者は気を張り詰める。つまり、緊張感をどんどんと高め、ピークに達したら、「どうなるのだろう」と固唾をのんで見守っている読者に答えを与えて、緊張を緩めるということを繰り返す。

ローガンはアリスとシャイが同時にレストランに現れるのを目にするはずだ。2人の女性が鉢合わせするのも秒読みで、ローガンはどうしたらよいのかわからない。はっきりしているのはただひとつ。2人が同時にテーブルに着いたら、一巻の終わりだということだ。

このまま緊張感を高め続けたいなら、ハプニングを追加して、鉢合わせの瞬間を遅らせる手がある。たとえば、テーブルに向かうシャイが途中で手袋を落とし、アリスがそれに気づく。アリスはそれを拾い上げ、シャイを呼びとめる。

アリスとシャイが少し言葉を交わしている間、緊張感は高まる。ローガンはこの恐ろしい光景が繰り広げられるのを目にしながら、「どちらかが俺の名前を出すのではないか」「こちらを指さしたらどうしよう」「2人とも俺を殺してやりたいような目つきで、こちらに顔を向けるのではないか」と狼狽する。

ローガンがこのピンチから逃れられないことを読者は知っている……が、ここでローガンに一息つかせてみることにする。また別のハプニングを挿入するのだ。

たとえば、手袋を受け取ったシャイが化粧室のほうへ目を遣る。ローガンは頭の中で必死に逃げ道を考えていて、「シャイが化粧室に立ち寄ってくれますように」と念じる。そうなれば、先にこのテーブルに着くのはアリスだ。アリスに「体調がすぐれない」と言い訳し、2人でレストランを去ることができる。レストランを後にしてから、シャイにも同じように「体調がすぐれない」と言い訳のメッセージを送ればいい。

読者はこの新たな展開を読みながら、「シャイは化粧室に立ち寄るだろうか、ローガンはここでピンチをうまく切り抜けるのだろうか」とやきもきする。

期待が高まったところでもう一度、例の「関心を引きつけては緩める」パターンにのっとって、読者の心の中の疑問に答えることにする。シャイは化粧室に行かなかった。シャイもアリスも同時にローガンのいるテーブルに到着する。お気の毒さま。悪いのはローガンだ。そう簡単に逃れられるはずがない。

一瞬、2人の女性の顔に困惑の表情が浮かんだが、ローガンも読者も予期していたことが起きる。シャイとアリスはローガンに向かって大声でののしる。レストランの客は全員、食事の手をとめ、この3人をじろじろと見る。恥ずかしくてたまらないローガンは、2人に落ち着いてくれと懇願するが、余計に怒らせてしまう。そこへスープを運ぶウェイターが通りかかり、アリスがそのスープ皿をウェイターから奪ったかと思うと、ローガンに頭からスープをかける。ここで緊張感が再び緩む。

シャイがアリスに「一緒に飲まない？」と声をかけ、2人はレストランを後にする。ローガンは頭からクラムチャウダーをしたたらせながら、おあいその合図をウェイターに送り、幸いにもレストランが自宅から遠く離れているので、知り合いに目撃されていないことに安堵する。

この最後の一文が、緊張感を高めるためのもうひとつの仕掛け、伏線を敷くための、見本のような機会を与えている。

ローガンが顔に付いたあさりのむき身を取っていると、誰かに携帯電話で撮影されていることに気づく。嫌な予感がして、ローガンは縄で胃を締め付けられているような気分になる。読者もだ。

ここでさらに、読者の心に疑問が浮かぶ。

あの動画はインターネット上に拡散されるのだろうか。
動画を見た誰かが、あれはローガンだと気づくのだろうか。

見てのとおり、緊張感は読者とキャラクターの両方をどきどきさせる。状況が展開し、脅威や障壁が立ちはだかって何かが危機状態になると、「次に何が起きるのだろうか」と疑問がわき、それが頭から離れなくなる。

緊張感はあらゆる種類の対立・葛藤のシナリオから生まれる。たとえば、キャラクターが次のような状況のときに生まれる。

相反する目標や欲求、欲望を抱え、苦戦している。
情報がすべて揃っていないのに決断を下さなければならない。
問題を解決できずにいる。

結果を待っている。
有効な選択肢がない。
結果がどれくらいひどいものになるかわからない。
自分の行動の代償を誰が払うのかがわからない。
誰を信用すればよいのかわからない。
相手がどう反応するのか予測がつかない。

以上の例すべてに共通しているのが、「何かが不明な状態である」という点に気づいていただきたい。この何がどうなるかわからない状態や不確実性を活用し、緊張感を作り出そう。

また、キャラクターの人間関係を見れば、緊張感が生まれそうなところは必ず見つかる。権力争いが起きているとき、人に何かをしてもらって当然だと思っているとき、キャラクター同士の間で境界線がうまく引けていないとき、嫉妬を感じているとき、間違った相手に忠誠を尽くしてしまったときなど、いくらでも緊張感が生まれる状況が見つかる。意見の食い違いが起きると、たとえ愛し合っている者同士であっても、キャラクターたちはそれぞれに違った反応を示す。たとえば、互いを避け合う、互いの電話やメッセージを無視する、自分からは連絡しない、受動攻撃的になる、相手を傷つけるようなことを言うなど。このような反応は問題解決を困難にする。したがって、緊張感を高める一方で、人間関係の亀裂を深める結果にもなる。

キャラクターたちがライバル同士または敵同士で、どちらにも好意がまったく見られない関係の場合は、互いに相手がどう出るのかを見極めなければならない。たとえば、「あいつは欲しい物を手に入れるために、どこまでやるつもりなのだろうか」「相手は自分の上手(うわて)にいるのだろうか」「相手はこちらをだましたり、操ったり、妨害したりなど卑劣な手を使うのだろうか」と考えをめぐらす必要がある。

この未知に対する恐怖心を抱えていると、キャラクターは落ち着きを失い、耐えられなくなって衝動的に行動し、事態を悪化させる。たとえば、接戦の選挙を戦っている政治家のキャラクターがいるとしよう。いずれ対抗馬に中傷されるに違いないと、待つことに耐えられなくなったこのキャラクターは、先制攻撃に出て、対抗馬が酒に酔ってどんちゃん騒ぎをしている姿をとらえた過去の動画を公開する。

これにメディアが食いついて、願ったり叶ったりの騒ぎになるのだが、一方の対抗馬は、これまで潔い選挙活動をするつもりでいたのに、この一件で心の中に復讐の火が付く。キャラクターは張り詰めた緊張感に耐えられなくなって、あの動画の公開に踏み切ったのだが、目先のことにとらわれて先を読めなかったせいで、今度はキャラクターのほうが対抗馬に昔のスキャンダルや秘密事をほじくり返されてしまう。

ネガティブな形で現れる緊張感は非常に大きな効果を発揮するが、ポジティブな緊張感にも役割はある。恋愛において、2人の親密度が増すと、緊張感は興奮や切望という形で表面化する。ストーリーは小さな摩擦（意見の食い違いや、考え方や目標の違いなど）から始まるだろうが、最終的に2人は違いを克服し、互いの心の壁を低くして心を開き、読者を喜ばせる。それから、性的緊張感も忘れてはならない。互いの欲望が衝突し、互いの体に触れずにはいられなくなる……ガルルルル！

他にも、様々な状況によって引き裂かれたキャラクターたちが再会するときや、主人公が目標達成を目前にしているときなどが例として挙げられる。こうした状況での緊張感は、ポジティブな希望あふれる予感という形で現れる。

ストーリーレベルでは、危機状態が続き、マクロの対立・葛藤が未解決のままである限り、緊張感は存在する。また場面レベルでは、ミクロの対立・葛藤を解決しなければならないが、場面が終わるまで、どう転ぶかわからない不確実性は残しておくべきだ。場面が終われば、その対立・葛藤が効力を失うか、先送りになるか、勢いを失う。ときには、キャラクターが新たな問題を抱えて場面が終わることもあり、読者がストーリーにかじりつけるように、書き手は次の緊張場面を作っていく。

一般に、よいストーリーテリングであれば、緊張感は最後の1ページまで続く。この最後の1ページで、それまで点々としていた細部がひとつにつながり、キャラクターは無事に新境地（そしてよりよい場所）に立つのである。

●対立・葛藤は感情を引き出す

よく考えて作られた対立・葛藤はキャラクターから感情的な反応を引き出せるはずである。なぜなら、キャラクターは理想的ではない状況にいるからだ。対立・葛藤の源が、人、出来事、または環境であろうと、対立・葛藤が引き金となって、キャラクターは闘うか、逃げるか、あるいは動けなくなってしまい、非常に警戒心を高める。

たとえば、キャラクターが自宅の中で奇妙な物音を聞いたとしよう。聞き耳を立て、様子をうかがい、いざとなったら攻撃に出る構えになっているキャラクターの姿が想像できるはずだ。このような場合、キャラクターは緊張しつつも、脅威の度合いを探るため、心の中で次のような疑問を自分に投げかける。

この音は聞いたことがある音だろうか。
この時間にこんな音がするだろうか（日中または夜中、一人で家にいるときなど）。
ドアは全部施錠してあるだろうか、警報器は鳴るように設定してあるだろうか。

何が起きているのかわからない状態は気持ちの悪いもので、キャラクターは原因を突きとめようとする。今起きていることは、好奇心をそそられることなのか、または不安や恐怖を覚えることなのか、それとも別の何かなのかを確認してすっきりさせたい。どういう感情がふつふつとわいてきているのかにもよるが、立ち上がって原因を調べるか、警察に通報するか、あるいは、肩をすくめて寝に戻るかだろう。立ち上がって原因を調べる場合は、何を発見したか（または発見しなかったか）によって、キャラクターは動揺するか、驚くか、安堵するかして、感情が変わるはずである。

感情を引き出すという視点から考えると、対立・葛藤は大きければ大きいほどよいと思いがちだが、必ずしもそうではない。小さな番狂わせが次々とキャラクターを襲うようなスケールの小さい対立・葛藤のほうが、ひとつの劇的な出来事が起きるスケールの大きなものよりも、もっと多くの感情を引き出せることもある。

ここで驚きのあまり心臓がとまるかと思うようなシナリオを想像してみよう。たとえば、獲物を絞め殺すような巨大なヘビが、玄関からあなたに向かってするするとやって来たとする。最初の「え？」という驚きは、サッと恐怖に変わるはずだ。それから、あなたは闘うか、逃げるか、それとも動けなくなるかの反応を示すだろう。このときのあなたは生き延びるのに必死で、幅の広い、様々な感情を経験する余裕はないはずだ。

誤解しないでもらいたい点だが、劇的な対立・葛藤のシナリオは確かに極端な感情を引き出せる。しかし、小さな対立・葛藤が連鎖して起きると、キャラクターの感情は徐々に勢いを増し、幅広い激しさと種類の感情を引き出すことができる。

ここでスーザンという母親を思い浮かべてみよう。スーザンは学校から娘がサッカーの練習中に倒れたと知らせを受ける。学校へ向かう車の中で、一体何が起きたのだろうか、娘のネドラは怪我をしているのだろうか、などと想像し、スーザンの頭はパニック状態になる。学校に到着してみると、大したことはなく、ネドラは倒れた拍子に頭をぶつけたので、たんこぶと切り傷ができた程度だった。傷を縫わなければならないが、ネドラは元気にしている。

スーザンはネドラを救急病院に連れて行く。そこでネドラは医者に、「サッカーの競技場で練習しているときにめまいを感じたが、きっと外がとても暑かったからだ」と説明する。医者が傷を縫う間、スーザンはネドラに向かって、「ちゃんと水分補給してなかったんじゃないの？　**ハリー・ポッター**みたいに額に傷が残るかもよ」とからかった。

「それって誰？」とネドラは言った。

スーザンは医者と目を合わせる。ハリー・ポッターの名前を知らない子どもはこの世に存在しない。スーザンは「知らなくてもいいのよ」と言わんばかりにネドラに微笑みかけるが、心の中では動揺している。「いくつか検査をしておきましょう。あくまでも念のためで、心配は要りませんよ」と医者は言った。

帰宅途中の車の中で、スーザンは気丈に振る舞うが、心の中では「これって正常なのかしら」「脳震盪が原因で一時的に記憶を失うことってあるのかしら」と次々と疑問が浮かび、気が気でない。

後日、検査の結果が返ってきた。ネドラは脳出血を起こしていた……そして脳腫瘍も見つかった。腫瘍は大きい。すぐに入院する必要がある。

スーザンはベッドのそばに腰を掛け、娘の手を握りながら、「大丈夫だから」「この病院には優秀なお医者さんが揃っているから」「今発見できてよかったわ」と娘を勇気づけるつもりで言葉を次々とかけるが、本当はスーザンが感じている恐怖や罪悪感が表に出ないようにするためだ。思い返せば、これまでに兆候はいくつかあった。それをささいなことだ、10代の子がやりそうなことだと無視してしまった。シャワーの水を出しっぱなしにしているのに、シャワーを浴びるのを忘れたり、朝食にトーストを食べたいと言ったのに、トーストを頼んでなどいないと言い張ったり。あのとき自分が兆候を見逃さず、ネドラに検査を受けさせていたら、腫瘍はこれほど大きくはならなかったかもしれないとばかり考えている。

スーザンの例からわかるように、小さそうな対立・葛藤をゆっくり小出しにしていくと、キャラクターは、心配、安堵、恐怖、不安、ショック、罪悪感といった幅広い感情を経験する機会を得る。多層的な対立・葛藤は感情を徐々に変化させ、高ぶらせ、別の感情に変えていく。まるで山盛りになった出来立ての手羽先みたいなもので、はじめのうちは湯気が立っていておいしいが、食べすぎると気持ち悪くなるのに似ている。一方、突然の大きな対立・葛藤は、一口で超激辛のゴーストペッパーを飲み込んだときのように、瞬間的に、極端な反応を引き出す。どちらの対立・葛藤を用いるかは、書き手がどういう結果を狙って書いているかによるだろう。

●対立・葛藤はストーリーを前進させる

対立・葛藤が欠けていると、緊張感もなくなる。なぜなら、キャラクターとそのキャラクターの目標との間に何も阻むものがないからだ。目標への道はまっすぐで平坦、心配の種になるような障壁も競争もない。つまり、キャラクターは慌てて自分の目的地に到達する必要がない。ショッピングをしたり、友人とどこかへ出かけたり、クルーズの旅を予約したりと、ゆっくり時間をとるだろう。

「幸せの国の幸せなキャラクターはストーリーを台無しにする」とプロの書き手たちの間ではよく言われるが、まさにそのとおりだ。しかし、対立・葛藤（そして失敗の代償を高くするリスク）は、キャラクターのおしりに火をつけ走らせる。事態が複雑になり深刻化するにつれ、キャラクターは追い詰められて、うまく立ち回ろうにもそうできず、余裕を失う。キャラクターは単に疾走すればよいわけではない。なるべく失敗しないように賢く立ち回らなければならない。言い換えると、キャラクターは成長していく。内面に変化が訪れるたびに、キャラクターは習得途中のスキルをさらに磨き、新たな自分にもっと近づきたいと思うようになり、かつての自分に戻ることが少なくなっていく。こうなれば、プロットは展開し、キャラクターのアークも前進するようになる。

対立・葛藤で緊張感を高める方法

ここまでの説明で、対立・葛藤という黄金の糸を使う方法がいろいろと頭に浮かんできたのではないだろうか。だが、キャラクターをストーリーから逸脱させてはいけない。もう少ししっかりとストーリーに縛りつけておかなければならない。その方法がいろいろとあるので、いくつか紹介しよう。

結果を不確実にする。 対立・葛藤のシナリオの結果を読者に簡単に予想させないよう、疑いの種をいくつか蒔いておく。キャラクターに楽をさせてはいけないのだ。キャラクターを不利な立場に置く、あるいは、意地悪く、キャラクターを簡単に勝たせても、それは本当の勝利ではないという方向にもっていく。たとえば、会社の上層部に「親しい人」が何人もいるキャラクターが、大抜擢され昇進する機会を与えられるとする。その「親しい人」たちは自分たちの違法行為を隠蔽するため、キャラクターをスケープゴートに仕立て上げようと目論んでいるだけなのだが、本人はそれに気づいていない。この例のように、勝利が予期しなかった結果を招くこともある。キャラクターが今代償を払わないなら、あとで代償を払わせるようにしよう。

キャラクターにとって必要な何かを奪う。 キャラクターは情報を持っている、資金援助も受けている、その上、相談できる人もいて、周囲の人からの支えもある。このようにキャラクターが何もかも手にしていると、面白くも何ともない。そこで、キャラクターが成功のために最も必要としているものは何かを考え、それを奪う。キャラクターが地図を手放せない状況にいるのなら、地図を川の中に沈めてしまう。知識、通信手段、武器……と何でもよいが、必要なものがないのに行動しなければならないとき、大抵は失敗する。そして、そこからさらに対立・葛藤が生まれる。

リスクを個人的なものにする。 どんなストーリーであっても失敗の代償は高くすべきで、キャラクターが失敗すると、何かが危険にさらされるようにする。

リスクが個人的なものであれば、失うものが大きすぎるため、キャラクターはどうしても勝たねばならない。キャラクターがどういう人物で、誰を、どんな場所や物を大切にしているのかをよく調べ、子どもの命、仕事や評判、結婚生活など、キャラクターにとって大切なものを危険にさらそう。自分にとって大切なものを守るためなら、燃え盛る火の中に飛び込むこともいとわないはずだ。

勝ちのない状況を考える。キャラクターにとって最もつらいのは、自分がどの選択肢をとろうと、自分の決断によって誰かが代償を払うときだ。キャラクターがどちらを選んでも同じようにひどい結果が待ち受けているとわかっているのに、選ばなければならない場面を書くのは、書き手にとって勇気がいる。娘を救えば、息子を見捨てることになる、あるいは、とどまって捕まるか、逃げて見つかれば殺されるかの状況で、キャラクターはどちらを選択するだろうか。勝ちのないシナリオは、キャラクターのみならず、読者にもはっきりとした緊張感を覚えさせる。読者はキャラクターが不可能な状況に直面しているのを見て、キャラクターがどちらをとるのだろうかと見守るのである。

キャラクターを走らせ続ける。鮫は泳ぎ続けないと死んでしまうのをご存じだろうか。ストーリーテリングにも同じことが言える。キャラクターがあまりにも長い間安穏に暮らすと、緊張感がなくなるからだ。したがって、書き手はキャラクターを走らせ続けなければならない。キャラクターが安住の地にとどまっているなら、隠れた危険をあちこちにちりばめ、その地を去るように仕向けよう。恋人との関係が落ち着いてきたら、隠し事を発覚させ、よりを戻したいと思っている前の恋人を登場させ、2人を引き離すような事件を発生させよう。

キャラクターの内面の動きにも同じことが言える。キャラクターの心が停滞し、内的な対立・葛藤に向き合おうとしていないなら、キャラクターが努力して築き上げてきたものを何もかもぶち壊しかねない危機を作り出す。欲しい物を手に入れるには、進化し続けなければならないことをキャラクターに再認識させよう。たとえキャラクターが認めたがらない真実に直面し、心の古傷を開くことになってもだ。

チームを揺るがす。 キャラクターが他の人たちに依存しているのなら、その人たちと仲違いをさせたり、ぎくしゃくさせたりする方法を探そう。意見の食い違いや誤解、エゴ、ライバルとの競争、または人に何かをしてもらって当然だと思う意識は、人間関係の根本を揺るがし、権力闘争を引き起こす。仲間がいなければ、人からの助けがいくら必要でも、キャラクターは一人で問題に立ち向かわなければならない。

時間の余裕をなくす。 タイムリミットほどプレッシャーを与えるものはない。キャラクターに一瞬しかチャンスを与えなかったり、最終期限を変更して慌てさせたり、待たせたり、究極の選択を与えたりして、時間に余裕がなくなる方法を考えてみる。キャラクターが慌てていると、いい加減なことをしたり、ミスを犯したりするので、対立・葛藤は複雑になる。

引き金を引く。 どのキャラクターも何らかの過去を引きずっている。キャラクターが変化のアークを歩んでいるのなら、解決されていない心の傷を持ち、それを心の奥底に押し込めている可能性が高い。問題は、キャラクターが前進するには、自分をためらわせている古傷に向き合う必要があるという点だ。そうさせるための引き金をストーリー内の適切な場所に配置しておくと、キャラクターの心の傷を表面化させることができる。

たとえば、いとこを避けているキャラクターがいるとする。姉が自動車事故で死んだ夜、このいとこがその車を運転していたからだ。ところが、キャラクターは家業を救わなくてはならなくなり、そのためには、このいとこと肩を寄せ合って協力する必要がある。あるいは、警察官のキャラクターがいるとする。ある日警察に通報があり、とあるアパートへ様子を確認しに向かうことになった。

住所を見ると、そこはかつて自分が両親に虐待を受けながら育ったアパートだった……など。キャラクターを恐怖やつらい過去の記憶に直面させれば、キャラクターは過去にとらわれている自分に気づくだろう。

犠牲を含める。自分には手に負えない問題に直面しているキャラクターで、すべてを失うのは避けたいと考えているなら、難しい選択をしなければならない。何かに専念するため、または友人に力を貸すために、自分の目標や好きなことをあきらめなければならない場合もあるだろう。犠牲を払うのは意義のある行為なので、読者は気になるはずだ。書き手は恐れずにこの手を使おう。

ジャンルに頼る。どのジャンルにも、そのジャンルに特化した、対立・葛藤の緊張感を高める機会がある。古い時代に生きる設定のキャラクターなら、その時代に何らかの疾患が流行したり、キャラクターの人種やジェンダー、信仰心のせいで、権利が与えられなかったりしなかっただろうか。未来の世界にいる設定のキャラクターには、相手にわからないように動くのが難しくなるような技術があるのではないだろうか。キャラクターの現実や、キャラクターが直面しそうな問題を考え、ストーリーのジャンルから自然に思い浮かぶ対立・葛藤を引き出そう。

暴力に頼りすぎない。対立・葛藤を強める方法を探していると、キャラクターを脅したいあまり、つい暴力を利用したくなる。暴力を利用するのが理にかない、シナリオにも合致している場合もあるのだが、あまりにも安易な場合もある。暴力という極端な手段に頼る前に立ちどまり、ストーリーに何が最善なのかを考えてみる。たとえ暴力を使うと決めても、それだけに頼るのはやめること。また、根拠もなく、やたらと暴力を振るうキャラクターを設定するときはよく考えよう。暴力の矛先が直接女性や子どもに向かう状況であれば、より慎重に。

●静かな対立・葛藤の力を利用する

小さな対立・葛藤を幾重にも重ねると、非常に大きなインパクトを生み出す可能性があるのは、これまでに説明したとおり。静かな対立・葛藤を用いる場合も同じである。歴史は静かな抵抗が世の中を動かした瞬間に満ちている。戦争中にスパイ活動に従事したり、ナチスに追われるユダヤ人をかくまったりした一般市民、第二、第三世界の国で不当な労働条件で働かされている人間がいることを世界に知ってもらうため、自分たちが縫製する服の中にメッセージを縫い込んだ人々などがいる。

静かだが、十分に効果のある対立・葛藤が必要なときは、次の方法を試してみよう。

破壊：ライバル集団や敵の取り巻きの中にいる人を「寝返らせる」ため、丸め込みや人心操作などをキャラクターにやらせる。

衝突：ある目標を追いかけているキャラクターが現状を打破し、権力者たちを敵に回す——これ以上にすばらしい対立・葛藤があるだろうか。もちろん、そこへキャラクターと似た考えの持ち主をもう一人放り込む。たとえライバル同士でも2人が力を合わせ、有力者や権威ある機関に立ち向かうのが究極の抵抗なのである。

干渉：静かな対立・葛藤は常に混乱や妨害という形をとる。たとえば、予期しない遅れが出る、役所での手続きに時間がかかる、情報提供者を失う、敵が故意に誤情報を流す、あるいは誰かがちょっとしたミスをやらかして、キャラクターの計画や予定が狂うなど。

情報提供：個人的な事情を公にされて喜ぶ人などいない。それを人に利用されて、コントロールを失うことが多いからである。キャラクターの競争相手や敵に情報が漏れると命取りになりかねないのも、この理由からだ。情報漏えいによって、キャラクターの目標が妨害される可能性があるだけでなく、逆に自分に情報をささやく人がいると、周囲の人全員を疑いの目で見てしまい、自分だけでなく周辺の人にも不信感が深く根付くことも考えられる。

感化／洗脳：影響力のある者は人から信用や支持を勝ち取り、優位な立場を利用して他人を説き伏せる。そういう影響力を持った人が善良であれば、親身になって助けてくれるだろうが、悪意を持った人だとそうはいかない。利用できるものは利用して、キャラクターの自信を打ち砕いたり、自分に依存させたり、長期的にキャラクターを弱体化させるような選択肢や行動へとキャラクターを誘導するだろう。

威嚇：感化が悪い方向へエスカレートすると威嚇になる。暴力や不愉快な結果を示唆することで、作者の都合のよいように、キャラクターに無理やり決断を下させる。実際に暴力を振るって威嚇することもあるが、キャラクターがその場にいてほしくない人を連れてきたり、含みのある表情を見せたりするだけでも威嚇になる。精神的に追い詰めるという手段もあって、特に、相手が自分の言うことを聞かない場合に、相手について知っている情報をもとに相手を威嚇する。

ストーリーの中の悪役：力強い衝突を作り出す

ストーリーを通して、主人公は数々の対立・葛藤に直面する。その多くは、様々な**敵対者**との衝突である。恋敵、悪気はないがおせっかいな人、友人のふりをした敵、または侵略者との衝突は、主人公にとって貴重な学びの機会になる。敵対者からの攻撃に対し、どう反応すべきか、どういう対応や作戦が成功し、失敗するのか、まだ習得途中のスキルをどのように磨くのかを考え学習する。このような対立は、ストーリーに**悪役**が登場する場合に特に重要性を増す。なぜなら、悪役はクライマックスでの最終対決のために、ヒーローを鍛え、育てるからだ。極悪非道なキャラクターが悪役として盛り込まれているストーリーは多い。早速、悪役をうまく書くための心得を紹介することにしよう。

悪役とは、人物、組織、あるいは身体を持たない力であったりするのだが、いずれにしても、残酷かつ邪悪で、主人公を傷つけてやりたいと悪意に満ちている。単にヒーローの計画を妨害または干渉するよりも、ヒーローを苦しめることを重視しているため、必ずやヒーローに倒されるのであるが。たとえば、小説『羊たちの沈黙』〔同名で映画化もされている〕では、主人公クラリスが過去を克服して優秀なFBI捜査官になるには、連続殺人犯だと考えられているバッファロー・ビルを探し当て、彼と対決して勝たなければならない。また、小説『ジョーズ』では、警察署長のブロディが自分の町を守るために人食い鮫に勝たなければならない。

悪役がどのような形をとろうと、彼らを恐るべき確かな存在にするディテール（細部）と資質がある。そこで、映画『ボディ・バンク』（1996）で、ジーン・ハックマン演じる医師ローレンス・マイリックを事例に、悪役の資質とはどういうものなのかを紐解いていこう。

● 悪役は自分なりの道徳規範に従って生きる

よく言われることだが、最高の悪役は自分が悪者であることを知らない。自分が物語のヒーローだと思っているのだ。確かに、よく考えて作られた悪玉は自分なりの道徳規範を持っている。ヒーローのそれと比べると歪んでいるし不純だが、それでもストーリーを通して、この悪役を導く手すりのような役割を果たす。

マイリック医師は腕利きの著名な神経外科医で、麻痺の治療に人生を捧げている。自分の名声のためではなく、世界中の麻痺で苦しむ人々のために、他を一切顧みず、麻痺の治療開発という崇高な目標を目指している。何としてでもこの目標を達成したいと考えるマイリックは、治療法を開発しても、試験し認可されるまでの数十年を待つことができない。そこで、彼は動物実験をすっ飛ばし、いきなり臨床実験に着手する。だが、そのような恐ろしいリスクをとってもかまわないと承諾してくれる健康な被験者を探すのが難関だ。なんと、マイリックはホームレスを誘拐し、自分が用意した秘密の医療施設に閉じ込め、彼らの脊髄を切断して体を麻痺させ、治療の実験を行う。

マイリック医師以外の人々にとって、これは許しがたい行為である。残酷で、非人道的で、おぞましい行為だ。しかし、目的のためなら手段を選ばないと考えるマイリック医師は、人を誘拐し、彼らの自由を奪って体を動けなくし、数えきれないほどの残酷な治療を受けさせることに何の疑問も持たない。研究に彼らが不要になると、彼らを捜す家族や友人がいないのをいいことに、平気で彼らを排除する。マイリック医師の道徳規範は狂っているが、絶対的で、彼の選択や行動の指針になっている。こうして彼の道徳規範を知ると、決して認めることはできないにしても、少なくとも何が彼をこのような行動に駆り立てているのかを理解でき、彼の行動に納得がいく。

悪役をストーリーに含めるつもりなら、悪役だから価値観を持っていないと思い込むのはよそう。自分の悪役が善悪に対してどのような信念を持ち、どのような世界観や理想を抱いているのかを研究する。特に、その悪役の信念が、主人公のものとはどう違うのかを考えてみる。そうすれば、その悪役がどのような思考の枠組みの中で行動し、悪役自らが作り出す対立・葛藤の中で、どのように舵をとろうとしているのかが見えてくる。それによって、ヒーローとの対比がくっきりと強調されるはずである。

● 悪役もストーリーの目標を持っている

ヒーローと同様に、悪役もストーリー全体を貫く目標を持ち、それを達成するためなら、自分の道徳規範に合致している限り、何でもやるつもりでいる。悪役の目標がヒーローのものとは正反対なら、2人は対立し、どちらかが排除される状況になる。

マイリック医師の目標は麻痺を治癒することで、その目標に向かってひたすら邁進していた。同じ病院に勤める救急医が、病院からホームレスの患者が次々と行方不明になっている事実を発見するまでは。この救急医、ルーサン医師は不思議に思って調査を始める。やがて何者かが何か悪事を企んでいると気づき、真実の究明が彼の使命になる。そして、この2人の医師の対決が始まる。1人が成功すれば、もう1人は失脚だ。映画『ハイランダー　悪魔の戦士』（1986）の名台詞を引用すると、「生き残れるのはただ一人」になる。

書き手が想像力を振り絞っているうちに、悪役が降ってわいてきたら（**捻りだしたら**とでも言おうか）、その悪役は何を目指しているのかを知っておく必要がある。悪役の目標はヒーローのそれと同じくらい明確で、わかりきったものでなければならない。それはヒーローと対立するような目標だろうか。できれば、互いを阻み合い、各々が求めるものを手に入れようとしてもなかなか手に入らないように目標を設定するのが理想だ。

● 悪役は危険に駆り立てられて行動する

書き手のあなたが作るヒーローの目標は何であれ、非常に重要な何かが危険にさらされていなければならない。たとえば、ハリー・ポッターはヴォルデモートを倒すことを目標にしているが、その目標を達成しなければ、「名前を言ってはいけないあの人」としてヴォルデモートが最初に現れたときよりも、世界はひどくなり、悪夢のような状況に陥ってしまう。また、小説『レ・ミゼラブル』の主人公ジャン・ヴァルジャンは、善人になり、自分とわが子のために人生を立て直すことを目標にしているが、そのためには、犯罪に手を染めた過去を隠し続けなければならない。

悪役の目標も、主人公の目標と同じ程度の危険をはらんでいるべきだ。ヴォルデモートは自分がかつて持っていた力を取り戻せるよう、ハリーを殺害し、自分にかけられた予言を解き払わなければならない。また、『レ・ミゼラブル』のジャヴェール警部は先入観に満ちた自分の理想を守るために、ジャン・ヴァルジャンを捕まえて刑務所に送らなければならない。ヴァルジャンのような犯罪者が汚名をそそぎ、法の裁きを逃れては、ジャヴェールが信じ、人生の礎(いしずえ)にしてきたすべてが偽りだったことになる。そして、『ボディ・バンク』のマイリック医師が失敗すれば、人々は麻痺という疾患がもたらす困難を抱え、尊厳を傷つけられたまま死ぬまで生きなければならない。

悪役の目標を知っておくだけでなく、もしも悪役がミスを犯したら、何が危うくなるのかも知っておくこと。これを読者に明らかにし、なぜ悪役が闇の行動に駆り立てられているのかを読者が理解できるようにしよう。

●悪役はバランスがとれている

書き手は一般に邪悪であるとみなされる悪役に欠点を詰め込んで、悪役にもポジティブな一面があることを忘れがちだ。しかし、善人が完全な善人でないように、悪人も悪いところばかりではない。そのように一面的にしか描かれていないキャラクターは、まるでぺらぺらの素材で出来たダンボール箱のようで説得力がない。確かに、マイリック医師は残酷かつ冷酷で腹黒いが、同時に知的で、麻痺という深刻な疾患に苦しむ多くの人々を治癒するため、自分の時間や努力を惜しみなく注ぎ、研究に没頭している。

なかなか倒せない威圧的な人物として悪役を書く一方で、性格的にポジティブな面もある姿を表現すると、悪役がより本物らしくなる。悪役がヒーローと互角に闘える強さを持っていれば、なおのことよい。

児童文学『ウォーターシップ・ダウンのウサギたち』に登場する悪役ウンドワート将軍は、意地悪なウサギなのだが、高い戦闘能力とかたい意志の力というポジティブな側面を持っているため、動物というより人間のように描かれている。一方で、ヒーローのヘイズルは、ウサギであるとはどういうことなのかを体現していて、機敏で賢く、自分が何者たるかを知り、**自分らしさ**を受け入れている。ヘイズルとその仲間たちは自分たちがウサギであることを活かし、自分たちには到底かなわないような敵を倒す。

書き手であるあなたの想像の中で悪役が誕生し成長しはじめたら、ネガティブな性格だけでなく、ポジティブな性格もいくつか与えるようにしよう。ヒーローに匹敵する悪役にすることができるだけでなく、読者にとって忘れられない悪役にもなるはずだ。

●悪役には背景となるストーリーがある（そしてそれがどんなストーリーなのかを書き手は知っている）

書き手が悪役を書くときに犯す大きな過ちのひとつに、なぜ悪役が闇の世界に入ったのかを説明するストーリーを用意していない点が挙げられる。邪悪なキャラクターの行動や動機の裏に理由が何もないと、そのキャラクターは現実味に欠け、型にはまりすぎで、やや……凡庸になる。

このような罠に陥らないためには、悪役がなぜ闇の世界に足を踏み入れたのかを知ること。なぜこの悪役はこういう人間なのか。この悪役が現状にいたった背景には、どういうトラウマや家族関係があって、あるいは悪い影響をおよぼす人が周囲にいたのか。なぜこの悪役はこのような目標を追求しているのか、つまり、どういう欲求不満を抱えていて、なぜ目標を達成すると、その欲求が満たされるとこの悪役は考えているのか。悪役を作るときは計画と研究が重要になるが、読者の記憶に残る、唯一無二の悪役を作ることができれば、その努力は報われる。そうすれば、ヒーローもこの悪役と張り合ってみたいと思うだろうし、読者も大いに興味を引かれるはずだ。

●悪役は手ごわい

知ってのとおり、ストーリーは主人公の旅路を描いていることがしばしばだが、同時に主人公が危険な敵を倒す物語でもある。多くのストーリーが面白さを失う理由に、悪役がそれほど手ごわくないという点が挙げられる。歯が立たないはずの敵をヒーローがあっさりと倒すようでは、価値のあるストーリーとは言えないのではないだろうか。そのキャラクターは本当にヒーローなのだろうか。そのようなストーリーに読者は時間を割くだろうか。ストーリーに熱狂し、ファンになってくれるだろうか。

そんなはずがない。主人公はまったく勝ち目のない状況を克服しないと、ヒーローにはなれないのだ。

主人公をヒーローにするには、ヒーローにはない強さを悪役に与えよう。ヒーローが喉から手が出るほど欲しくなるような仲間や資源を悪役には与えるのだ。何としてでも勝ちたいと思う悪役の意志は強烈で恐ろしくなければならず、ひいてはそれが悪役を、欲しい物を手に入れるためなら何でもする、不屈で容赦のない存在に仕立て上げる。それに、悪役の目標そのものが非常に大きな脅威でなくてはだめだ。悪役が欲しい物がその手に渡るかもしれないと思っただけで、主人公を恐怖で震え上がらせるほどにしなくてはならない。

それに、恐怖といえば、それに秘められた力を見くびってはいけない。悪役には相手を——手下や犠牲者、ヒーロー、そして読者をも——恐怖で震え上がらせる力を持っていることが重要だ。悪役を簡単には倒せない、相手を怖気づかせる不穏な存在にする、あるいはひたすら怖い存在にするにはどうすればよいのかを考え、誇張して悪役を怖い存在に仕立てよう。

●悪役は主役と接点がある

現実世界において、私たちは多くの人と敵対する。高速道路で危ない運転をする人や、愚かにも選挙で票を投じてしまった政治家が自分勝手で、意見をころころと変える人だったなど、自分の身近にはいない人に腹を立てることもある。このような人たちは自分の頭痛の種になる程度だが、自分を最も傷つけ、ちょっとやそっとでは自分の思いを直接ぶつけられないのは、自分と接点のある人たちだ。親、兄弟姉妹、別れた配偶者、毎日顔を合わせる隣人、憧れと嫉妬が入り混じる思いで見ている競争相手、嫌いだが、どこか似たところのある人など……。こういう人たちとの対立・葛藤は、わき上がる感情が格別なため複雑になる。

虚構の世界においても同じことが言える。深い意味のある衝突は、キャラクターが知っている人との衝突だ。書き手はこの事実をうまく利用しよう。悪役と主人公との間に何らかの接点がある設定を考え、悪役を主人公の身近に置き、2人の対立を個人的なものにする。以下に、いくつかアイデアを紹介しよう。

過去を共有している。悪役と主人公が共有している過去が多ければ多いほど、より複雑な感情がわき上がるはずだ。罪悪感、怒り、悲嘆、恐怖、嫉妬、後悔、欲望といった強い感情があれば、2人がやり合うときに火花が散るだろう。このような激情は主人公の判断を曇らせ、悪役が有利になる可能性を高めるはずだ。

似た者同士にする。主人公が悪役の中に自分を見ているとしたら、どうなるだろうか。ふと悪役に共感するのではないだろうか。主人公は倒さなければならない相手につながりを感じ、そのせいで状況が複雑極まりない状態に発展する。性格や欠点、脆さ、過去のつらい出来事、欲求、欲望——これらすべてを、またこれに限らず他の要素も利用して、主人公と悪役という重要な関係に複雑さと深みを与える絆を作り出してみる。

共通の目標を与える。主人公と悪役が同じ目標を追求していると、書き手にとって都合のよいことがいろいろと可能になる。第一に、両者をライバルとして戦わせ、どちらかを勝たせることができる。第二に、夢を追いかける理由や方法は異なっても、目標は共通しているなら、互いを理解し合い、気持ちを通い合わせることができる。

● 悪役は救いがたい存在とは限らない

必ずしもそうでなければならないわけではないが、読者の関心を引くという理由から、留意しておいたほうがよいアドバイスである。ほとんどの悪役は自分の生き方を改めたりしない。それどころか、悪役は自分の目標達成に異常に固執し、歪んだ道徳観を**持っているから**強くいられる。ヒーローがいくら頑張っても悪役を改悛させられない事実こそが、悪役をより厄介な存在にする。

しかし、どこか救い出せそうなところがある悪役には脆さがある。そういう悪役が180度変わるつもりなら、自分の欠点を認め、自分を変える決心をしなければならない。脆さを持った悪役は読者にとって魅力的だ。脆さのせいで悪役がどう転ぶのか予測がつかなくなるからである。それに、私たちは「人は変われるものだ」と思いたい。それがたとえ悪人中の悪人であってもだ。それほどの悪人が救われるのなら、誰もが救われると思えるからだ。映画『スター・ウォーズ』のダース・ベイダー、ドラマ『ブレイキング・バッド』(2008-2013) のウォルター・ホワイト、映画『美女と野獣』(1991) の野獣はどれもみな救われた悪役で、私たち自身や世界に希望を与えてくれるような存在である。悪役でも救われる可能性を残しておくのは、書き手にとって得策かもしれない。

以上、現実味があり、悪人らしく厄介で、悪役という肩書を持つにふさわしい敵を書き手が作り出すには、実に様々な点を考慮しなくてはならない。悪役を書くときは、ヒーローを書くときと同じように時間をかけて考えながら書こう。そうすれば、ストーリーを面白くし、読者の関心をそそり、ヒーローが張り合ってみたいと思う悪役が出来上がるはずだ。

クライマックス：苦闘の頂点

話の展開は、優れたストーリーの重要な構成要素になっている。ストーリーは普通静かに始まり、主要な登場人物たちが紹介され、設定が確立され、読者は主人公の世界に問題があることを垣間見る。それから、ストーリーを前進させるきっかけが起き、主人公に選択肢が与えられる。主人公は自分の平凡な世界を後にし、新しい世界へ足を踏み入れる。ストーリーの後半になると、主人公は自分を充足させられる目標に向かって努力する。途中、自分のやり方や思考が試される多くの対立・葛藤に直面しながら。主人公がもがき苦しむ間に、もっと過激な結果が待ち受けているかもしれない、衝突が起きるのも時間の問題だろうと、成り行きがどんどんと危ぶまれるようになる。緊張感が最高潮に達したところで、主人公がこの目標を達成できるかどうかを決める最終対決が起きる。

これがストーリーのクライマックスである。読者は1ページ目を開いたときから、この最終対決が起きることを知っていて、これを楽しみに、何ページにもわたる長いストーリーを読み進めていたのだ。クライマックスがうまく書けていれば、読者の満足度も高くなるはずで、これをきちんと書くことは極めて重要なのである。

●クライマックスとは何か

クライマックスとは、主人公と敵が繰り広げる最終対決である。両者はここにいたるまでに既に何度か衝突しているかもしれないし、誰もが待ちわびた対決で、ストーリーはこの瞬間に向けて構築されてきた場合もあるかもしれない。ストーリーの構造が異なると、クライマックスが起きるタイミングも異なるが、一般的には、第3幕の後半にクライマックスを持ってくるのが最善だと言われている。これだけの時間があれば、ストーリーをクライマックスに向けて正しく展開させられ、クライマックスで起きた出来事を収束させるのに十分な時間も残っている。

クライマックスの目的は、主人公に成功の最後のチャンスを与えることである。ここにいたるまでに、主人公は数えきれない対立や葛藤を経験し、決意のほどや能力を試されてきた。一時は対立・葛藤に耐えきれなくなったこともあったが、問題が深刻化し、危機感が増すたびに、主人公は外的な目標（主人公が変化のアークをたどっている場合は内的な目標）に向かって着実に前進してきた。しかし、クライマックスに達した今、主人公は最大の試練、すなわち敵との最終対決に挑む。主人公が自分を証明するにはこれが最後のチャンスだ。ここで負ければ、一巻の終わりになる。したがって、クライマックスはどちらが勝者になるのかを確定させなければならない。

クライマックスは、主人公がこれまでの旅路で学んだことを披露する機会でもある。スキルを習得する、自分の弱みだと思い込んでいた部分が実は強みであることがわかった、長い間信じ込んできた嘘を遂に否定する、新たな考え方を取り入れるなどの経験をして、クライマックスの間にそれが主人公に有利に働くはずなのだ。このとき、主人公の心の旅路と実際の旅路はしばしば合流する。なぜなら、主人公が経験した変化と自分自身について学んだ教訓こそが、主人公の外的な目標の達成に欠かせないものだからである。書き手がこのクライマックスを巧みに書ければ、内的変化と外的変化が同時に起きることで、ばらばらだった出来事がぴったりとつながり、読者にとって満足のいく締めくくりになる。

最後に、クライマックスはストーリーを前進させたきっかけを反映していなければならない。創作コンサルタントのマイケル・ヘイグは自身の著書『Writing Screenplays That Sell（売れる脚本の書き方）』[*1]で次のように述べている。

> 脚本の冒頭での設定とその結果が対比をなすように、ストーリーのクライマックスはストーリーを前進させたきっかけを反映している。きっかけはストーリーの前進を**開始させる**。つまり、ヒーローを新たな状況へと連れ出すことで、ヒーローは旅路を歩みはじめ、どこへ向かうのかは読者には見えている。クライマックスは、ヒーローの外的動機（ストーリーの目標）を解決することで、その旅路を**終わらせる**。

三幕構成のストーリーでは、ストーリーを二分する中間点に、見えない蝶番（ヒンジ）のような仕掛けがある。小説家ジェームズ・スコット・ベルはこの中間点を鏡にたとえている。なぜなら、この中間点以降の出来事は、それ以前の出来事を反映しているからだ。このような構造になっていると、クライマックスはストーリーのはじまりとつながり、冒頭のページで始まった主人公の旅路を終わらせることができる。

ここで、うまく書けているクライマックスの構成要素は何だったかを復習しよう。

1　主人公と敵の最終対決で、勝者が一人決定する
2　きっかけ（契機）を反映する
3　主人公はこれまでに学んだことをクライマックスで使う
4　（どちらが勝者になっても）勝者は自分の目標を達成する

では、一般によく知られているクライマックスの場面をいくつか例に挙げ、それがどのような効果を生んでいるのかを説明しよう。

映画『グラディエーター』（2000）：剣闘士マクシムスは自分の家族を殺害したコモドゥスを闘技場で殺す。マクシムスは家族の仇を果たすと死に、あの世で家族と合流する。

映画『コールド マウンテン』（2003）：エイダ、インマン、ルビーの3人はティーグと地方義勇隊を倒す。エイダとルビーは平和に暮らし、ブラック・コーヴ農園で自分たちの生活を築く。

映画『スター・ウォーズ エピソード4／新たなる希望』（1977）：ルーク・スカイウォーカーはデス・スターを破壊するため、ジェダイの訓練を活かし、帝国軍を弱体化させ、敵（ダース・ベイダーも含め）を追いやる。平和と安全が再び銀河系に戻る。

クライマックスという重要な場面を書く方法は書き手の数だけ存在する。しかし、有効なクライマックスには上述の要素があることを覚えておくと、大抵の読者を満

足させられるものを書けるはずである。もちろん、例外は常にあり、ルールにぴったりと沿わないストーリーや、思いもよらない形でルールに沿うストーリーは存在する。

●静かなクライマックス

クライマックスというと、壮大な衝突や派手な言い争いが起きると私たちは思いがちだ。確かに、スリラーやスポーツの物語、法廷ドラマなどではそうだが、時代小説の場合は、締めくくりに争いが必要というわけでもない。たとえば、小説『高慢と偏見』のクライマックスは、リジー〔エリザベスの愛称〕とミスター・ダーシーがただ散歩に出かけるところから始まる。もう2人は言い争いもしない。その代わり、過去の過ちを認め合い、互いへの愛を告白し、結婚を決意する。

静かなクライマックスだが、その目的は達成している。この散歩は2人が敵対者として最後に対立する場面として描かれ、第3幕のちょうどいいところで起きる。リジーは自分の高慢な性格を致命的な欠点だと認めることで、その欠点を克服し、ミスター・ダーシーと真の幸せを見つける。そして、彼女がミスター・ダーシーを夫に選ぶ場面は、初めて彼と会ったときに、あんな人とは絶対に関わりたくないと決意した場面を反映している。

恋愛小説のプロットでは、カップルがとうとう争い合うのをやめ、一緒になるというわかりやすいクライマックスが多く、大抵は2人の会話や抱擁、口づけが描かれる。あるいは、このチャンスを逃しては永遠に恋の相手を失うかもしれないと相手を追いかけ、遂に追いついたとき、意味ありげな眼差しで互いを見つめる場面で終わったりもする。もちろん、2人が駆け落ちをして結ばれるなどの大事件や、真にロマンチックな意味での性的な「クライマックス」で終わることもある。だが、大抵は静かに起きる。クライマックスの目的を達成している限り、静かでも問題はない。

●主人公は勝つが、目標は達成しない

クライマックスでキャラクターは敵を倒すものの、自分が望んでいたものは手に

入らないというストーリーを読むのは、常に興味深いものである。この甘苦いクライマックスは読者に複数の感情を抱かせるために複雑で、読者は気持ちを整理するために最後の出来事をじっくりと考える。

しかし、これはどういう仕組みなのだろうか。主人公は敵を負かすが、自分の目標を叶えられないとはどういうことなのだろうか。大抵の場合、主人公は間違った目標を追いかけていて、それが主人公が本当に必要としたもの、または望んだものではなかったことを意味する。

映画『あなたが寝てる間に…』(1995) の主人公ルーシーは、人生に失望している孤独な若い女性で、家庭を持ちたいと思っている。そんな彼女の身に突然いろいろな出来事が降りかかり、いつも遠くから憧れの目で見ていたピーターと婚約することになる。ピーターの家族を知り、ゆっくりと彼を好きになるにつれ、ルーシーは婚約をすれば家庭を持つ夢が叶えられると思うようになる……。ところが、ピーターの弟ジャックに出会い、ルーシーの気持ちは2人の男性の間で揺れるが、ピーターと婚約すれば今より幸せな人生が手に入ると考え、行動は起こさない。しかし、結婚式の当日になってルーシーはピーターを捨て、本当はジャックを愛しているのだと告白する。これが彼女の新たな、正しい目標になる。

主人公が間違った目標を追いかける筋のストーリーにおいては、主人公のあらゆる思い込みを解くために、真実が露呈する瞬間が必要になる。ルーシーの場合は、それがクライマックスの最中に起き、ジャックと婚約するという結末まで彼女の目標は達成されない。

多くの場合、キャラクターの気づきはもっと早い段階で起きる。キャラクターは間違った目標に向かって進んでいた自分に気づくと、自分の正しい目標に軌道修正して、物事は通常通りクライマックスに向けて進んでいく。映画『キューティ・ブロンド』(2001) の主人公エル・ウッズは、自分をふった婚約者ワーナーを追いかけてハーバード大学に入学し弁護士を目指す。ところが第2幕で、エルはワーナーの思い上がった基準に自分を合わせるのは無理だと気づき、彼を追いかけるのをやめ、ハーバードのロースクールを卒業して弁護士になり、重要な訴訟で勝つことに意識を集中させる。

どちらの主人公も間違った目標の追求に時間を浪費するものの、最終的には自分の欲しい物を手に入れている。だが、それほど話がうまくいかない場合もある。キャラクターが本当に達成すべき目標に気づいても、それを追求する時間は残されておらず、新たな目標に向かって歩みはじめる場面でストーリーが終わることもあれば、追求しているのは間違った目標だと気づいても、どれが正しい道なのかわからないままストーリーが終わることもある。キャラクターは正しい目標を達成しないかもしれないが、いずれの場合も、キャラクターは自分自身について何かしらの真実を発見し、心に平穏を見いだしている。こうすれば、キャラクターは内的な目標を達成し、ひいてはそれが自分自身へ意識を向けることになり、「キャラクターは自分で道を切り拓いていくから大丈夫だろう」と読者に安心感を与えるはずである。

●敵対勢力と闘うストーリー

対立・葛藤の中では「キャラクターvsキャラクター」型が最も一般的だが、敵対勢力と闘う主人公が登場するストーリーも多い。闘う相手が社会やテクノロジー、自然、超自然現象、またはキャラクターの自己であったりするシナリオでは、敵が人間の姿をしているとは限らない。映画化もされている小説『若草物語』のジョー・マーチは変化や成長と、映画『ビューティフル・マインド』のジョン・ナッシュは統合失調症と、そして映画『シンドラーのリスト』(1993)のオスカー・シンドラーはナチスと闘っている。キャラクターが実体のないものと闘っている場合、クライマックスの場面をどう書けばよいのだろうか。

それには、実体のない敵を体現するキャラクターを作るのである。たとえば、ジョン・ナッシュはストーリーの最後のほうまで、パーチャー、チャールズ、マーシーという彼にしか見えない人格に悩まされ、実際に彼らと口論して過ごしている。また、オスカー・シンドラーはナチス・ドイツ軍全体を相手にすることはできないから、ナチス親衛隊の将校アーモン・ゲートを相手に闘っている。

実体のない敵と戦うストーリーを書いているなら、その観念的な敵を体現するキャラクターを作ろう。主人公はこのキャラクターと対立・衝突し、最終的には倒すのである。

主人公と本命の敵との闘いが最終巻まで決着がつかないシリーズ作品を書いているときにも、この手が使える。最終巻にいたるまでの各巻で、本命よりも弱い敵をスパーリング・パートナーとして導入して主人公を鍛えさせ、各巻のクライマックスでこの敵と対立させるとよい。

●クライマックスのサブプロットはどうなるのか

サブプロットはメインプロットと同じように、はじまり、中間、終わりのある構造になっているが、メインプロットより小さなスケールで書かれ、割かれている時間も短い。つまり、各サブプロットには独自の（より小さな）クライマックスが必要になる。その小さくとも重要な出来事はどのタイミングで起きるべきなのだろうか。

具体的に、『羊たちの沈黙』ではどのようになっているか見てみよう。

メインプロット：クラリス・スターリングは優秀なFBI捜査官になることで過去を乗り越えようとする。

サブプロット1：ハンニバル・レクターは解放され、自由の身になりたい。

サブプロット2：バッファロー・ビルは新たなアイデンティティで生きていきたい。

ストーリーのクライマックスはメインの対立・葛藤の解決に集中しなければならないので、一般に、サブプロットのクライマックスはメインのものとは別に起きるのが最善である。『羊たちの沈黙』では、暗い地下室で、クラリスとバッファロー・ビルが対決するところがメインプロットのクライマックスになっている。この場面で、クラリスはバッファロー・ビルを殺し、卓越したFBI捜査官になるという目標を達成する。レクター博士のサブプロットのクライマックスは、このメインのクライマックスの前に起き、大勢の犠牲者を出すことになる不吉な流血騒ぎを起こしたレクター博士が、勝者の笑みを浮かべて脱獄して終わる。

しかし、ストーリーのクライマックスがメインの対立・葛藤とサブプロットを同時に解決することは可能で、そうすれば、別々の場面を2つ用意する必要がない。『羊たちの沈黙』はそうなっていて、クラリスがバッファロー・ビルを殺害するとき、彼女は彼が新たなアイデンティティで生きる可能性を消すと共に、自分がFBI捜査官として卓越した能力を持っていることを証明する。メインとサブの両方のプロットがひとつのクライマックスの場面で収束しているのだ。

クライマックスが何なのか、クライマックスで何を達成すべきなのかが、これで理解できたのではないかと思う。クライマックスはキャラクターのストーリーの最後の大きな山場であるから記憶に残るべきで、できる限り強い、読者を引きつける場面にしなければならない。そこで、クライマックスを書く上ではずしてはいけない点だけでなく、避けるべき点も考える必要がある。付録Bに、クライマックスで起きがちな問題とその解決方法をまとめた、便利なチェックリストを用意しているので、そちらも参考にしてもらいたい。

●あまりにも早く収束する

クライマックスという重要な場面こそ、読者が待っていた瞬間である。読者はこの場面に敵が現れたときから、遂に主人公との対決のときが来たと思っているのだから、自分の想像通りのことが起きてくれないと困る。それなのに、クライマックスがあまりにも早く収束しては、楽しませてもらうつもりでいた読者もがっかりで、書き手に文句のひとつも言いたくなるだろう。

クライマックスの収束が早すぎるかもしれないと不安を感じているなら、批評してくれそうな人に草稿を読んでもらい、意見を聞いてみよう。必要なら、主人公を不利に立たせる、怪我をさせる、主人公が取り乱しそうな情報を知らせるなどして、クライマックスの場面を肉付けしてみる。つまり、主人公を不利な状況に陥れ、敵を有利な立場に立たせてみる。勝つためには主人公がもっと頑張らなければならない状況であれば、敵との対立はもっと長く続くし、クライマックスがうまく書ければ、読者の満足度も高くなるはずだ。

●クライマックスが終わらない

読者がいらいらとしながらページをめくる――あの音が聞こえたら、クライマックスの場面がなかなか終わらない、だらだらと書いている証拠だ。このクライマックスの瞬間を楽しみに待っていたのは読者だけではない。書き手も「とうとうここまで来たか」と感無量になり、ストーリーを手放しにくくなる。自分が作り出した愛すべきキャラクターは、この最後の大きなステップを踏んで進化を遂げるはずなのだから、書き手のあなたはそうなるべく書ききる必要がある。ただし、このクライマックスの場面が長くなりすぎて、話のペースが落ち、読者を失望させないようにしなければならない。

クライマックスをちょうどいい長さにするには、他のどの場面でもやってきたように、綿密にプランを練るのがいちばんだ。キャラクターたちに何を言わせる必要があるのか、何が起きるべきで、どの順番で物事は起きるべきなのかを決めてから書く。そしてまた、草稿を人に読んでもらい、クライマックスに関する問題を指摘してもらう。草稿を読んでくれた人たちが、クライマックスの壮大な闘いの場面が長すぎると苦言した場合には、不要な箇所をばっさりと削ぐ。ペースと緊張感を落とさずに、長い説明部分や不要な対立・葛藤、独白、間を埋めるためだけの文章があれば削除し、場面の目的を満たすのに必要な文章だけを残す。

●ありきたりすぎる

書き手なのだから、あなたはクライマックスがどのように終わるのかは知っている。主人公は勝つか負けるかのどちらかなのだ。読者のほうも、ストーリーがここまで進んできたのだから、結末がどうなるのかは察しがついている。とはいえ、主人公が勝つか負けるかが読者にわかるようではいけない。それはなぜか。状況がどれほど悲惨だろうと、何が起きるのかが読者にばれてしまうようでは緊張感がないからだ。それに、うまく書けているクライマックスは緊張感に満ち満ちているはずである。

キャラクターはクライマックスにいたるまでに成長し、敵と対等に闘えるところまで変化してきたはずなのだ。キャラクターが変化のアークをたどってきたのなら、自分の致命的欠陥が何なのかを知り、その克服に向け適切に努力してきたはずである。それでもまだキャラクターには弱点も不安もある。恐怖心は和らいだだろうが、完全にはなくなっていないだろう。主人公であるキャラクターが最終の闘いに挑むとき、書き手はこの弱点や不安をしっかりと表面化させて緊張感を維持し、読者に「ひょっとしたら」とある程度の疑いを持たせるようにする。敵が有利になるように、クライマックスが起きる場所をうまく利用できないか、あるいは、敵がキャラクターを心理的に攻めるとしたら、どう攻めるのかを考える。最終の闘いが始まったとたんに仲間を失う、タイムリミットが迫っている、失うものが大きすぎるなどの理由からキャラクターが弱気になる姿も描こう。

クライマックスで主人公が簡単に勝利するなら、単に敵が弱すぎる可能性もある。敵は力強く、威圧的であるべきだ。主人公をすくませなくてはいけない。主人公はこの最終対決にいたるまでにいくつかのことを学び、強くはなっているが、(敵を完全に失墜させるというよりは)あくまでも敵と対等なレベルに達しただけだ。主人公がクライマックスの場面に悠々と現れ、やすやすと敵を追い払うようだと、敵に問題がある可能性が高く、敵を書き直す必要がある。

●曖昧な結果

クライマックスをうまく書くための必須条件のひとつを思い出してもらいたい。主人公は最終的に勝者か敗者のどちらかにならなければならない。誰が勝ったのかはっきりしないのでは、クライマックスの場面が目的を果たしていない。クライマックスが終わったのに、主人公がストーリーの目標を達成したのかどうかが読者に明確に伝わっていない場合も同じだ。この2点は必ず明らかでなければならない。この2点を必ず満たすようにしよう。

●重要性が足りない

クライマックスは文学用語としても確立されている。ストーリーを通して様々な対立・葛藤や挫折がエスカレートし最高潮(頂点)を迎える。この頂点は分岐点でもあって、ここからストーリーは解決に向かっていく。

だからといって、過激にする必要はない。『高慢と偏見』において、リジーとミスター・ダーシーが互いへの愛を告白し、結婚の意志を表明したクライマックスの場面は、この2人の多くのそれまでのやりとりほど喧嘩腰ではない。しかし、2人が遂に愛を確かめ合った重要な場面であるため、これまでのどの場面よりも力強い。これよりも前に2人が互いへの好意を示し、結婚を前提に交際しようと約束し合っていたとしたら、このクライマックスではうまくいかなかっただろう。ジェイン・オースティンは最大限の努力をして、ストーリーの中でこのクライマックスを最も有意義な場面にしたのである。

●デウス・エクス・マキナ（救いの神が突然降臨する）

「主人公が簡単には勝てないようにしよう」と書き手がハードルを上げすぎると、意図していなかったのに、主人公はこれ以上逃げられないところまで追い詰められ、やがて絶体絶命のピンチに立たされる。すると、力強い助っ人や何かが思わぬところから登場する「デウス・エクス・マキナ」と呼ばれる、救いの神が降臨する仕掛けを用意してしまう。たとえば、タイムマシン、巨大な鷲、突然の嵐などの気候現象、または神そのものが現れ、主人公を救出するのだが、そうしてしまうと、主人公の主体性が奪われる。自分の問題を自分で解決できない、責任逃れをする主人公を読者は応援する気にはなれない。書き手は読者が求めるものを書き、クライマックスで主人公を救出したい誘惑に駆られても抵抗すること。

＊1 Hauge, M. (2011). “Structure.” In *Writing Screenplays That Sell: The Complete Guide to Turning Story Concepts into Movie and Television Deals*. pp. 109. HarperCollins.

人間関係の対立・葛藤の解決を急がない

人間は対立・葛藤が苦手なものだ。それを避けるために大変な回り道をし、それでも避けきれなくなると、不快のあまり、さっさと解決して前進しようとすることもしばしばである。あなたのキャラクターもそんな一人かもしれず、（たぶん）あなたのストーリーを台無しにするつもりはなくても、対立・葛藤をあまりに早急に片づけようとして、結局はストーリーを空中分解させてしまう。

●対立･葛藤は未解決のまま進める

ストーリー全体を通して緊張感を保つことの重要性と、対立・葛藤が緊張感を高める方法をこれまで説明してきた。キャラクターが人間関係の問題を自分で手際よく対処したのでは、緊張感は一気に失われてしまう。キャラクターがそうしてはいけないわけではないのだが……失敗したほうがストーリーにとっては大変都合がいい。書き手が時期尚早だと思っているのに、腹立たしいほど成熟したキャラクターが他人とのいざこざにもう向き合いはじめているときは、それを阻止するための方法がいくつかある。

誤解だった

友人や愛する人と揉めたあと、よくよく聞いてみると単なる誤解が原因だった、そんな経験を何度も繰り返したことはないだろうか。もし両者が最初から簡潔かつ明確に意図を伝えていたら、どれほど楽だっただろうか。誤解と曖昧な意思疎通が対立・葛藤の原因になることは非常に多い。もしもキャラクターが早まって敵との問題を解決しようとしているなら、その問題は誤解から始まったことにしよう。また、キャラクターに曖昧な物の言い方をさせると、相手は話し手の意図とは違った意味に解釈する可能性がある。逆に、キャラクターのほうが思い込みをしているなら、間違った方向へキャラクターを導くことができるはずだ。

責任を認めようとしない

対立・葛藤が起きると、キャラクターはそのせいで自分がどんな思いをし、どれほどの誤解を受けたかに意識を向けがちだ。しかし、揉め事が起きるときは、どちらにもある程度の責任があるのが普通だ。一方よりも、もう一方に非がある場合でも、仲違いを修復するには、両者が立ちどまって深呼吸し、もっと別の反応ができたはずだ、もっと相手を思いやるべきだった、もっと努力すべきだったと自分の非を認めることが必要だ。もしどちらかが責任を認めようとしないなら、2人の和解交渉は物別れに終わるかもしれない。

感情的になって相手に詰め寄る

誰もが経験することだが、問題があることも、何とかしなければいけないのもわかっているが、気持ちが傷ついている、混乱している、あるいは単に腹の虫がおさまらない場合がある。自分の感情が落ち着くまで待たず、気持ちの整理ができていないのに相手に食ってかかっても、うまくはいかない。

キャラクターのほうから相手に詰め寄る場合は、傷つけられた気持ちに火が付いて激昂するような会話のやりとりを考えよう。キャラクターに衝動的に反応させ、事態を悪化させるような言動をさせる。そのせいで新たな対立・葛藤が生まれ、キャラクターがその対処に追われて、もっと面倒な話し合いをするはめになる状況を作ろう。

新たな問題が勃発する

おそらく、キャラクターは自分の問題を解決すべく、やるべきことはすべてやっている。意思疎通は明確で、自らの責任も認め、感情的にならないよう自制もしている。だから物事はとんとん拍子に進んでいる。何かが起きて、新たな問題が発生するまでは。

この転調が映画『ア・フュー・グッドメン』(1992)の一場面で巧みに描かれている。主人公のダニエル・キャフィ中尉は弁護団を率いて、グァンタナモ米軍基地へ向かい、数人の米軍高官と会見する。エゴが強く、権威ある立場にいる高官たちは、この弁護団が担当する殺人事件について不満を持っているが、彼らの協力なしでは調査は先に進めない。キャフィ中尉はとげとげしい雰囲気を和らげるため、何とかしようとする。努力の結果、高官らとの昼食は和やかに進み、中尉は基地を去る前に、ジェセップ大佐にある書類を渡してほしいと願い出る。しかし、大佐はそれを断る。そこでまた雰囲気が気まずくなり、中尉らの努力は無駄に終わってしまう。

この技法を使うと、キャラクターは最初の対立・葛藤を和らげることに**ほぼ**成功する。張り詰めていた緊張感は緩みはじめるが、何かが起きて、また一気に高まる——これがこの技法の利点だ。書き手はキャラクターに一瞬勝たせるものの、その直後に思わぬところからキャラクターを攻撃して圧力をかける。そうすれば、読者に「この先どうなっていくのだろうか」と推測させ続けることができる。

性格が衝突する

人はそれぞれ。コミュニケーションのとり方も違えば、行動も人との関わり方も違う。性格的に合わない人が出てくるのも当然だ。雰囲気を明るくしようと人をからかうと、相手が怒りっぽい人だと怒らせることもあるし、感情を表に出さない人が言葉少なに返事をすると、受け身または非協力的だと思われる可能性もある。性格が正反対で引きつけ合わないときは、互いに神経を逆なでし合う可能性が高いので、そこから対立・葛藤が始まるだろう。

共通の土台がない

ある問題に取り組むためにチームに入ったのに、自分の考えややり方があまりにも他の人たちと違いすぎて、一緒にはやっていけないことがある。たとえば、王国の転覆を目論んでいる2人のキャラクターがいるとする。この王国の国民の一部が不当に扱われているのに、誰も気に留めていないように思えると、2人は意気投合する。はじめのうちは、2人とも世の中を変えたいという共通の思いがあるので足並みが揃っていたが、「どうやって」世の中を変えるのかを話し合っているうちに意見が食い違ってきた。主人公は同志を集めて国王に訴えようと提案するが、もう1人は冷笑し、今は刀を磨き、反乱を起こす時なのだと主張する。両者の価値観や理想があまりにもかけ離れていると、共通の目標を持っているだけでは、両者の違いは埋められないかもしれない。

偏見や苦い過去がある

2人のキャラクターの間に苦い過去があり、それを長く引きずっていればいるほど、状況はより複雑になる。キャラクターは最近ある人と衝突し、それを何とかしなければならないのだが、その人とは過去にもいさかいがあって嫌な感情を抱いている。先入観が邪魔をして、キャラクターは問題をあるがままに見ることができずにいる。

まずは、読者のために場面を設定し、キャラクターが過去に相手と大喧嘩や衝突をしたことがあって、それを今も引きずっていることを読者に知らせる。キャラクターの独白を用いて、キャラクターが相手に対して決めつけをし、偏見を抱いている様子を表現する。それから、2人を偶然に引き合わせて和解を促すが、互いに先入観があって過去の出来事を引きずっているので、仲直りどころか、また仲違いをするのである。

おざなりな努力で問題解決に挑む

キャラクターが必ずしも問題を解決したいわけではない場合は、正直なところ、対立・葛藤への対応に「気乗りしない」状態が現実的である。もしかすると、キャラクターは第三者に言葉巧みに乗せられて、あるいは脅されて、相手との和解に臨んだだけなのかもしれないし、何か別の理由があって解決には乗り気でないのかもしれない。このような状況だと、キャラクターはおざなりに努力するだけなので、必ず失敗する。そのせいで緊張感が長引くだけでなく、さらに対立・葛藤を招くようないさかいが起きるはずだ。

回避

対立・葛藤を長く引きずると言えばこれ。最も明らかで現実的な技法を最後にとっておいた。大抵の人は対立を嫌い、それを避ける方法を探す。問題を避けてばかりいるとどうなるかを私たちは知っている。問題は悪化して絡まった糸は解けなくなり、修復はより困難になることさえある。

キャラクターはどんなことをしてでも問題と向き合おうとしないので、対立を避ける行為そのものが対立・葛藤を引き起こす。真実味を引き出せて、さらに問題を生み出す傾向がある点で、この技法は成功率が高い。回避がキャラクターの性格にしっくりくるなら、是非とも利用してみよう。

●対立・葛藤を一時的に解決する

キャラクターに問題を部分的にしか解決させないのも、和解を遅らせるもうひとつの手だ。問題は完全には解決されていないのだから、もう一日、そしてまた一日と放置する。その間、キャラクターの心の中では嫌な気持ちが募り、周囲は相手の肩を持つので、目標はなかなか達成しない。こうした要素はすべてストーリーを面白くさせる。キャラクターが問題解決を先延ばしにする可能性が高いのなら、キャラクターにそうしてもらうように行動の流れを考えよう。

笑いで緊張を和らげる

ちょっとした緊張感を和らげ、人をひとつにするのに笑いは効果的である。キャラクターは気まずい状況に直面すると、つい雰囲気を変えようとして人を笑わせるようなことを言う。過去にユーモアや笑いに救われた経験があるならなおさらだ。しかし、キャラクターに突っかかってきた相手を一時的に大人しくさせるだけなので、対立・葛藤の解決法としては短期的である。問題は依然としてそこにあり、いずれはそれに向き合わなければならない。

時間を稼ぐ

話し合いの席に着くことに合意する前に、もう少し時間が欲しいと申し出て時間を稼ぐという戦略である。法廷ドラマでは、主人公が証拠集めに奔走したり、証人の到着を待ったりするのに休廷や休憩を要請する。他のストーリーだと、キャラクターが自分で状況を何とかしようとしたり、嫌な会話を先延ばしにしたりするために話し合いの延期を画策する。

この戦略は対立・葛藤を持続させながらも、タイムリミットを課すので、緊張感を高める効果を生む。キャラクターは相手と対決せずにすむようになったわけではなく、延期を求めることで対決の日が決まってしまう。キャラクターが自分の経験と勘だけを頼りに行動しているなら、プレッシャーを感じているはずで、状況が悪化する前にどうにかしなければならない。

注意をそらす

スリラーやアクションの多いストーリーには欠かせない技法で、キャラクターの注意をそらし、目の前のもっと差し迫った脅威に対応させるには非常に効果的だ。したがって、貴重な時間を稼ぐことができる。

『ブレイキング・バッド』のシーズン3で、主人公のウォルター・ホワイトは（またもや）絶体絶命のピンチに陥る。今回は、DEA（麻薬取締局）の捜査官である義理の弟ハンクに、自分が麻薬製造に関わっている事実が発覚しそうになる。そこで、ハンクの妻が大きな事故に遭ったと嘘をでっち上げる。病院から偽の電話を受け取ったハンクは、慌ててサイレンを鳴らしながらその場を去り、ウォルターはピンチを脱し、2人の対決は後回しになる。

「注意をそらす」方法は大小様々にいろいろな形をとる。キャラクター自らが仕組んだ場合もあれば、自然に何かが起き、それをキャラクターが自分に都合よく利用する場合もある。いずれにしても、その信憑性が高ければ、生き生きとした緊張感を持続させることができる。

嘘に嘘を重ねる

緊張感が薄れてきたのではないかと思ったら、キャラクターに小さな嘘をつかせて言い逃れをさせよう。たとえば、適当な嘘をついて手抜きをする、事務所から現金をくすねる、友人の秘密を漏らすなど。キャラクターは「自分がやりました」と白状して結果を受け入れるより、嘘をついて責任を逃れようとする。それが嘘だと気づかない相手は、腹を立てていたのに、仕方がないと怒りをひっこめるか、あるいは、自分を責めることすらあるかもしれない。しばらくの間は穏便に収まっているが、数々の嘘がばれると、対立・葛藤は再燃し、相手からの報復が待っている。キャラクターはどつぼにはまるはずだ。

キャラクター・エイジェンシー：主人公を運転席に座らせる

まず、重要な訴訟で勝って自信を深めたい女性のストーリーを考えてみよう。物事はうまくいっていた。ところが、事実調査の進め方がおかしいという理由で、彼女は弁護士事務所から解雇される。最終的には許されて再雇用されたものの、今度は雇っていたベビーシッターに辞められ、子どもの面倒を見てくれる人がいなくなる。訴訟は重大な時期に差し掛かっているというのに、今度は彼女自身が病に倒れ、仕事を続けられなくなる。

興味深いプロットになりそうではある。様々な障壁に阻まれて、このキャラクターは自分の目標を達成できずにいる。書き手にとってこれは好ましい状態だ。しかし、このプロットは今ひとつ。なぜなら、このキャラクターは自分の力でストーリーを前に進めていない。ストーリーを前進させているのは出来事で、この女性は自分の運命をまったくコントロールできていないようなのだ。

そこで、この女性を運転席に座らせてみる。彼女の名前はエリン。

エリンは生活をやりくりするため、近所に住む弁護士に自分を秘書として雇ってほしいと頼み込む。秘書になった彼女は、一見重要そうには見えないファイルの中に辻褄の合わない情報を発見する。上司の許可を得て、少し調べてみることにしたのだが、この上司との間に誤解が生じる。上司はまさか彼女が1週間も事務所を留守にして調査をするとは思ってもみなかったのだ。そこで彼女を解雇したのだが、間もなく、彼女の調査のおかげで大変な人権侵害がまかり通っている事実が発覚し、エリンは事務所に呼び戻される。ところが、今度はベビーシッターに辞められてしまう。慌てて代わりを探し、隣に住む男を雇うので、このピンチは長くは続かない（これをきっかけにエリンはこの男と恋愛関係になる）。エリンが担当する訴訟はいよいよ重大な時期に差し掛かるのだが、ここで彼女は致命的な病に倒れる。それでも彼女は仕事をあきらめず事務所へ通う。遂に判決が出て、エリンは勝訴の知らせを事務所で耳にする。

どちらも『エリン・ブロコビッチ』（2000）のストーリーを要約したものだが、2番目のプロットは、主人公にハンドルを握らせている。問題や障壁にぶつかるたびに、エリンは選択し行動することで、ストーリーを前進させ、目標にじりじりと近づく。

これが「キャラクター・エイジェンシー」の骨子である。

簡単には定義づけられないが、煎じ詰めると、「キャラクター・エイジェンシー」とは、キャラクターが様々な選択肢の中からひとつを選び出し、ストーリーの中の出来事を前進させる力を指す。対立・葛藤が起きると、キャラクターはそれにただ反応するだけではなく、行動をとる。キャラクターが自分で行動を選択すると、次に何が起きるのかが自ずと決まってくるのだ。

行為主体性（エイジェンシー）は重要だ。これがないとキャラクターのストーリーにならない。キャラクターがストーリーの中にいても、事を起こして加速させ、自分の目標に向かって積極的に動いていなければ意味がない。何も起こさないのにストーリーの結末を変えられるはずがない。そもそもなぜキャラクターはストーリーの中にいるのだろうか。

実はインターネット上で、インディアナ・ジョーンズと彼の行為主体性について議論が交わされている。そこで話し合われている説がある。それは詳しく説明すると、次のようになっている。映画『レイダース／失われたアーク《聖櫃》』(1981）のクライマックスと、そのあとに聖櫃が消えてなくなる事件は、インディがその場にいてもいなくても起きたのではないか。インディの決断はどれも、あらすじにまったく影響を与えてはおらず、彼は数々の選択をとったが、大掛かりなストーリーから考えると、彼の選択は重要ではなかったのではないか、という説だ。

この作品をけなすつもりはまったくない。すばらしい映画で、インディアナ・ジョーンズは20世紀を象徴する、忘れられないヒーローの一人である。だが、行為主体性を持たない主人公が登場するストーリーで成功しているものが少ないのには理由がある。キャラクターが自分事なのに傍観しているようでは、ストーリーが読者とは共鳴しないし、説得力や刺激に欠ける。書き手は『レイダース／失われたアーク《聖櫃》』や『ハンガー・ゲーム』のような例外的な作品を書かない限り、主人公を運転席に座らせ、障壁や急カーブをうまくかわしながら、フィニッシュラインまで到達できるようにしなければならない。

とはいえ、具体的には、どうしたらいいのだろうか。

●選択肢を使う

『対立・葛藤類語辞典 上巻』で、対立・葛藤、選択肢、結果のサイクルについて詳しく説明した。要約すると、これはストーリーに対立・葛藤が導入され、キャラクターが与えられた選択肢の中からどれかを選んだ結果、次が起きるという循環を指し、このサイクルはストーリーを通して何度も繰り返される。キャラクターは目標に向かって自分を前進させる選択をとることもあれば、逆に目標に背を向けることもある。いずれにしても、キャラクターは自分の身に何が起きるのかについて発言権を持っている。

書き手が導入する対立・葛藤のシナリオと、そこから派生する選択肢によって、そのストーリーの中でキャラクターに行為主体性が与えられるかどうかが決まる。書き手はこの点を念頭に置いて、キャラクターがどこへ向かう必要があるのかを、キャラクター自身が決められるような（または決められないような）対立・葛藤を使おう。

●どの場面にも目標を含める

変化は一晩では起きない。キャラクターが成功するには、そのキャラクターを最終目標に向かわせる小さな一歩を何度も踏み出させる必要がある。だからこそ、ストーリーにはいくつもの場面があり、どの場面にも場面ごとの目標が必要なのだ。

たとえば、主人公が警察官だとしよう。誘拐されたある人物を救い出すのがこの主人公の全体的な目標なのだが、彼の警察官としての事件解決方法には疑わしい点が多い。はじめのうち、主人公はこの事件についてまだ詳しくは知らない。したがって、誘拐犯発見へと主人公を導いていくための目標が各場面に含まれている。場面ごとの目標は、「被害者を最後に見た隣人に聞き取り調査をする」とか「主要容疑者を取り調べる」といった程度のものになる。それに、主人公ではこの事件を解決できないだろうと思っている上司がいるので、この上司を説得する必要もあるだろう。

もしあなたのキャラクターに行為主体性が欠けているのなら、場面ごとの目標がはっきりと定義されていないのかもしれない。キャラクター自身が自分が何を目指しているのかがわかっていないと、選択肢が与えられても意味がない。主人公は決断を下すだろうが、どこへ向かえばいいのかわからないのだから、あちこちかけずり回るだけになるだろう。目的もなくさまようキャラクターには行為主体性がない。書き手はきちんと場面ごとのキャラクターの目標を知っておくべきだ。

●どの場面にも対立・葛藤が必要

書き手として、キャラクターが各場面で何を目標にするのかがわかり、その目標はストーリー全体の目標に向かって進むキャラクターの旅路に関係していると確信が持てたところで、目標達成を困難にする対立・葛藤を追加しよう。もちろんそれによってストーリーは面白くなるのだが、その対立・葛藤に対するキャラクターの反応も必要になる。

先ほどの警察官の例に戻ると、主人公は容疑者を取り調べる必要がある。容疑者が弁護士を立てたいと言えば、取り調べをしても回答を得るのが難しくなるだろう。主人公はこれに対し、どう反応するだろうか。容疑者に向かって「弁護士など必要ない」と説得にかかるだろうか。暴力を使って容疑者を脅すだろうか。容疑者のブリーフケースに盗聴器を仕掛け、取り調べをせず（違法な手段で）情報を入手するだろうか。

対立・葛藤はキャラクターがどの方向に向かうのかを決める機会を与えるため、どの場面にも必要だ。警察官である主人公が容疑者に対し暴力を用いるか、ゆすりを使うかを決めれば、容疑者から何らかの回答は得られる。ところが、主人公が心を入れ替え、倫理的に行動しようとするなら、容疑者からは回答が得られず、誘拐された人を救い出すという内的目標から遠のいてしまい、あとの場面で挽回しなければならない。キャラクターがどのように反応するか、何を選択するか、どういう選択肢を与えられているのかによって、キャラクターの運命は決まっていく。

●キャラクターに選ばせる

対立・葛藤だけではキャラクターに行為主体性は与えられない。キャラクターの人生に何かが起きても、キャラクターに選択肢が与えられていない場合、つまり、キャラクターが強制されて他人の考え方を採用する、または、ある行動の流れに従わなければならない場合、他の誰かがキャラクターの人生を支配していることになる。もしもあの警察官である主人公が誘拐事件を担当するよう命じられたのが政治的な理由からで、警察の上層部がこの事件をある方向へ誘導したいと考えているなら、彼らが主人公の行動を指図しているはずだ。そうだとすると、どんな対立・葛藤を導入しても、主人公は上司の言いなりにしか行動しないので、結果は既に決まっている。「イエス」としか言わない人や追従型の人間は普通いい主人公にはならないので、権力などに抑えつけられている設定にして、キャラクターを抵抗させ、常軌を逸した行動をとらせる方法を考えよう。

超自然現象が絡んだストーリーでも同じ問題が起きる。モンスターや魔術師、半神半人など、超自然的な能力を持った者は、人間よりも強い。母なる自然と対峙する場合を考えてみても、人間の主人公が地震や津波を乗り越えられるはずなどないのである。

基本的に、尋常でない力や手段を持った敵は、主人公の行為主体性を失わせる可能性を持っている。この点を念頭に置き、主人公が決断を下せる立場に置く方法を考えよう。

その好例が小説『指輪物語』の第1部『旅の仲間』にある。サウロンの指輪を破壊する旅に出た仲間たちは、山を越えなければならない。ところがサウロンは魔力を使って吹雪を起こし、この山越えを困難にする。仲間たちはあきらめて安全な場所へ戻ることをせず、嵐の中、「赤角山道を通ることはできないから、どの道を進むべきか」と話し合う。そして、フロドが「この山を去るなら、モリアを通るしかない」と決断を下す。

書き手が一歩間違えば、吹雪に見舞われたキャラクターたちが行く先を失い、あちこちを放浪することになっていただろう。ところが、作者のトールキンはそうはさせず、キャラクターたちに選択の機会を与えた。この場面の後に続く章で描かれているように、フロドが決断を下したあと、様々な試練（結果）が待ち構えているのだが、その試練はキャラクターたちに自分たちの進む道を選ばせることを可能にしている。

●ストーリーのテーマを使う

どのストーリーにも大抵はテーマがあり、キャラクターはそのテーマと闘っている。テーマに関わる対立・葛藤のシナリオでは、キャラクターは自分にどんな選択肢が与えられているのかと慎重に考えなければならない。それゆえ、自分で道を切り開いていくことになる。

映画『ウォール街』(1987) は「強欲」というテーマをうまく利用して成功している。この映画に登場するバド・フォックスは証券会社の営業担当として働きはじめたばかりだが、大金持ちになりたいという欲望を持っている。主人公のゴードン・ゲッコーが言うように、強欲はよいことなのか、それとも、人を完全に堕落させる力があるから悪いことなのか。この映画の脚本を書いた人たちは、強欲さが物を言うシナリオや選択肢を数多くストーリーに盛り込んで、バドにその答えを模索させている。バドは自分の利益になる情報を得るために違法行為に手を染めるのか。崇拝し信用しているからという理由でゴードンにインサイダー情報を流してもいいのか。その情報をもとにゴードンは行動するのだが、ゴードンの行為に対し、バドは何かしらの責任を負うのか。

ストーリーのテーマを利用してシナリオを作り出すと、そのシナリオで描かれる対立・葛藤や選択は、キャラクターが敏感になっていることに触れる。したがって、キャラクターは個人的な問題について決断を下し続けることになる。様々な問題が持ち上がり、キャラクターは考える。道徳や倫理に関わる問題なのだから、それにどう答えるかによって自分が本当はどういう人間なのかが決まるのだ。キャラクター自身の根幹に関わる問題なのだから、他人に口出しさせてはならない。一時的に他人に揺さぶられることはあっても、長い間そうさせてはいけない。

●キャラクターがしっかりと形作られていることを確認する

キャラクター・エイジェンシーの利点のひとつは、読者がキャラクターを知ることができる点である。読者はキャラクターが決断を下すたびに、その価値観や恐れ、目標、動機を知り、キャラクターの反応を通して、その性格や感情の幅を知る。読者がキャラクターを身近に感じれば感じるほど、キャラクターとの絆は強くなり、読者はキャラクターに成功してもらいたいと思うようになる。

しかし、それはキャラクターが定まっている場合の話だ。キャラクターがいくら行為主体性を持っていても、決断をしたりしなかったり、その仕方も行き当たりばったりだと、キャラクターは行きたい方向へは進めないし、読者もキャラクターとのつながりを感じられない。ここでもまた、書き手がキャラクターを隅から隅まで知ることが不可欠になる。キャラクターを形作るのは簡単ではないが、選択肢が与えられたときには決断を下して行動し、自分自身を前進させられるキャラクターが完成し、読者にそのキャラクターをいとしく思ってもらえたとき、書き手の努力は報われる。

対立・葛藤導入時に書き手が陥りやすい問題

対立・葛藤について多くのことを学んだが、そろそろまとめに入ろう。そこで、対立・葛藤というストーリーテリングの要素に関して、書き手がしばしばぶつかる問題を考えてみよう。問題のいくつかは既に深く掘り下げて説明したので、以下は、書き手が陥りやすい問題を避けるためのチェックリストとして利用してもらいたい。

●つまらない対立・葛藤

対立・葛藤が今ひとつうまく機能していないとしたら、それは非現実的か、退屈なのかもしれないし、読者と共鳴していないのかもしれない。以下によくある原因をいくつか挙げるので、心当たりがあるかどうか考えてみよう。

リスクがまったくないか、ほとんどない。対立・葛藤のシナリオそれぞれに、キャラクターをストーリーの目標に向かわせる（または背を向けさせる）選択肢が含まれている場合、キャラクターが正しい決断を下せるように誘導しなければならない。それには、キャラクターが対立・葛藤をうまく切り抜けないと代償が高くつくように、リスクを使って誘導する。ところが、書き手はキャラクターが越えなければならない障壁をあまりにも低く設定しがちだ。リスクが十分でなかったり、キャラクターを動かさなかったり、低すぎてないも同然のとき、キャラクターは前進する気にはならないので、対立・葛藤が無意味になってしまう。この問題を避けるには、キャラクターにとって大切な何かが失われる危険をちらつかせるとよい。

対立・葛藤がわざとらしい。はらはらどきどきするような対立・葛藤のシナリオを用意すれば、ストーリーが面白くなり、質が向上すると書き手が思っていると、この罠に陥りやすい。そのようなシナリオをよく読み返せば、思いがけない妊娠や殴り合いの喧嘩、テロ攻撃など不要だと気づくかもしれない。わざとらしい対立・葛藤を含んだシナリオだとストーリーに合わないので、無理を感じるはずだ。理にかない、ストーリー全体を貫く対立・葛藤にぴったりと合うシナリオだけを導入するようにしよう。どうしても大事件や大惨事が必要なら、とってつけたような感じを与えたり、読者を驚かしたりしないように、なめらかに設定すること。

● 対立・葛藤が招くペースの問題

ストーリーが長引いて読者がうとうとしていないだろうか。ペースの問題には様々な原因があり、もしかすると対立・葛藤を誤用しているせいかもしれない。

対立・葛藤が多すぎる。私たち書き手はみな（架空の）対立・葛藤を大いに好む。自分が操り人形の糸を引っ張っているのだから、対立・葛藤は**私たち**を傷つけない……と思っている。だが、その思い込みは間違っている。対立・葛藤が多すぎると、関連しているとは思えないエピソードがだらだらと続き、必ずしもひとつのシナリオが自然に次のシナリオを呼ぶ展開にはならない。結果的に、ストーリーはしっかり一方向へ進まずに、あちらこちらへとさまよってしまう。それに、対立・葛藤が多すぎると、緊張感が続きっぱなしで、ストーリーの展開が常に激しく、読者に負担をかけすぎる。中心的な対立・葛藤またはサブプロットを引き立てる対立・葛藤のシナリオだけを選び、読者に一息つかせよう。これで、ストーリーをわかりにくくさせている原因、読者を疲弊させている不必要な出来事を間引きやすくなるはずだ。

独りよがりな内省が多い。逆に、キャラクターが物思いにふけりすぎるのも問題だ。キャラクターは自分が直面している問題の解決方法や、決断しなければならないこと、自分が本当にしたいことなど、重要な事柄を心の中で考えているのかもしれないが、物思いにふけっている間、キャラクターは行動しない。思考は受動的な行為なので、そういう場面が続くとストーリーのペースは落ちる。

ここでもバランスをうまくとることが重要になる。内省の場面がどれくらい必要なのかに関して正解はないが、行動が8割、内省が2割と、8対2の比率を目指すようにするとよいだろう。キャラクターが頭の中で思いをめぐらしている箇所を注意深く見直し、不要ならば削除しよう。

キャラクターが物思いにふけっている間に何かをさせるのも手だ。ベッドに横たわった状態で人生について考え込ませずに、テーブルの前に座らせたり、窓の外を眺めさせたりして、キャラクターを動かす。とてつもないことをさせる必要はない。職場へ向かって歩いている間や、子どもが朝ごはんを食べたあとの片づけをしている間などに、ふと考え事をさせるだけでよい。このような日常的な行為を選べば、キャラクターを動かし、物思いにふけっている場面を少し活気づけることができるので、読者もそれほど停滞感を感じないだろう。

●メロドラマ

ソープオペラ〔アメリカなどでテレビ放映される連続ドラマ〕はめろめろのメロドラマで知られている。浮気や殺人、裏切り、記憶喪失のオンパレードで、死んだはずの人がぴんぴんして現れ、愛人とは子どもまで作る。メロドラマはソープオペラではうまくいく。そういうジャンルの作品だし、観客が期待するのもそれなのだ。だが、小説は別だ。小説の読者は共感できるストーリーと現実味のあるキャラクターを望む。芝居がかった言動でもある程度なら読者に受け入れられるが、あまりにもわざとらしい対立・葛藤だと、メロドラマになりすぎて読者は嫌う。

この罠に陥らないようにするには、第一に、書き手のあなたが選んだ対立・葛藤がストーリーに合っていることを確認する。内容が扇情的な場合は特にだ。シナリオを選んだ理由は、刺激が強いからなのか、それとも個人的に関心を持っているからなのか。「旬」だからなのか、流行しているからなのか。衝撃的だからなのか。対立・葛藤は常にキャラクターやストーリーに貢献しなければならないことを肝に銘じておこう。キャラクターの決意や道徳心を試す、自分のスキルを試す機会をキャラクターに与える、ストーリーをある方向へ向かわせる決断をキャラクターに下させるなど、対立・葛藤は何らかの目的を果たしていなければならない。大きな対立・葛藤を選んでも、それがキャラクターの成長やメインのプロットを支えていないのなら、そろそろその場面を書き直したほうがいい。

対立・葛藤自体が問題でないのなら、それに対するキャラクターの反応に問題がある可能性がある。大きな対立・葛藤には大きな反応が必要だ。感情的で反応をはっきり示すキャラクターもいるから、そういうキャラクターは当然派手な反応を示す。何よりもまず、キャラクターの感情の幅がどれくらい広いのか、その感触を摑むためにも、キャラクターを知り、その反応が性格に合っているようにしよう。

次に、場面を通してのキャラクターの感情の運びを見てみよう。キャラクターの心がずっと同じではいけない。場面の初めにキャラクターが抱いた感情は、やがて別の感情に変わっていくはずだ。幸福はショックへ、フラストレーションは興奮へ、怒りはあきらめへといった具合に。キャラクターの感情が変わりつつあり、その浮き沈みが描かれるのだから、ペースは停滞しない。

ところが、書き手の筆に勢いがつき、言葉があふれ出てくるとき、キャラクターの感情を忘れがちになる。ストーリー上の出来事を書くことにとらわれるあまり、その出来事へのキャラクターの反応を書く努力を怠ってしまう。その結果、場面のクライマックスにいたるまでは何が起きても無反応だったのに、クライマックスで突然激しい感情を見せるキャラクターが出来上がる。これを避けるには、人間の感情が絶えずどのように変転するのかを理解すること。一般に、いらだちはフラストレーションになり、そして怒りになり、やがて激怒へと変わっていく。感情の自然な移り変わりを知っておくと、現実味のあるキャラクターの反応を書きやすくなり、恐ろしいメロドラマの罠にはまらなくなるはずだ。

●複雑すぎるプロット

対立・葛藤を慎重かつ意図的に何層にも重ねてひとつのストーリーにするとなると、留意点が多くなる。うまく書こうとして書き続けると、やりすぎになりやすく、具材をたくさん放り込みすぎてシチューを台無しにしてしまうようなもの。ストーリーがごちゃごちゃとしてわかりにくくなっていると感じたら、あるいは、メインの対立・葛藤とそのサブプロットを追いにくくなっていたら、複雑に書きすぎた可能性がある。書き手のあなたが混乱しているのなら、読者も必ず混乱する。プロットをシンプルにしよう。

まずは、サブプロットを率直かつ客観的な目で見直し、メインのストーリーラインを支えていない、関係のない箇所を削除する。この部分がページを無駄に費やし、話をわかりにくくさせている。この作業だけでも、不要に複雑になっている箇所を減らせるので、かなりすっきりするはずだ。

次に、場面ごとに同じ作業を繰り返す。この場面はキャラクターをストーリー全体の目標に向かわせているだろうか、サブプロットを前進させているだろうか。そうでないなら、その場面は無用の長物。削除するか書き直そう。

こうした確認作業は単純だが、決して容易ではない。隙間を埋めるためだけに書いた文章と重要な文章を見分けるのはなかなか難しい。不要な箇所を特定できても、それをストーリーから削除するとなるとなおさらだ。それでも苦労を重ねたあとには、非常に納得のいく結果が生まれやすい。無駄な箇所を削除するときは容赦なく、自分のいとしい文章であっても、恐れずにばっさりと切り捨てよう。

筆者から最後に

ストーリーの中で対立・葛藤は様々な役割を果たす。キャラクターに選択肢とその帰結を提示し、キャラクターの背中を押しながら成長と進化への道を歩ませ、個人的な成長を促すのも、ストーリーの構造基盤をなすのもみな対立・葛藤で、ストーリー全体を補強し下支えする緊張感を高めたり緩めたりする。

したがって、対立・葛藤のシナリオはよく考えて選ぶことが重要であるし、ストーリー全体と場面ごとに適した強弱のものをそれぞれに選ぶべきだ。必ず、核となる対立・葛藤につながるシナリオのみを選び、各場面に異なる種類の対立・葛藤を足して多面的にする。

この類語辞典の項目はカテゴリー別に分類されているので、選択肢を絞り、求めている対立・葛藤を見つけやすくなっている。探しているものが見つからない場合は、『対立・葛藤類語辞典 上巻』も開いてみよう。

また、思いがけない事件が起きる余地も残しておこう。ある場面で主人公が予想だにしなかったことが起きるとしたら、それは何だろうか。仲間に裏切られるのか、突然不利な状況に立たされるのか、それとも、主人公をはるかに凌ぐ強敵が現れるのか。こうした予想外の驚きをストーリーに織り込んで、キャラクターに用心を怠らせず、読者に身を乗り出すように読ませよう。

『対立・葛藤類語辞典』の上下巻で、書き手の皆さんが抱いている対立・葛藤についてのあらゆる疑問に答えたいのは山々だが、すべてに答えることはできない。執筆作業も書き方を学ぶことも終わりのない旅なのだから。これからも読むことを忘れず、疑問を持ち、自分に挑戦し、文章を磨き、よりすばらしいストーリーを創作できるよう、努力を続けてほしい。これからも書き手の皆さんを応援し続けます！

コントロールの喪失

- 悪天候
- 思いがけない妊娠
- 家族が死ぬ
- 強制退去
- 景気の後退／突然の不況
- 怪我をする
- 強盗
- 孤児になる
- 子どもを見失う
- 詐欺に遭う
- 定められた道を強いられる
- 事情聴取される
- 自動車事故に巻き込まれる
- 自分に子どもがいたことが発覚する
- 切望しているものを得られない
- 誰かを置き去りにしなければならない
- 捕まる
- 取り残される
- パートナーが借金を重ねる
- パニック発作が起きる
- 引越さなければならない
- ペットに先立たれる
- 家賃が上がる
- 流産する
- 罠にはめられる
- 悪い知らせを受け取る

悪天候

〔英 Bad Weather〕

具体的な状況

- 突然の嵐に見舞われ、雨風をしのぐ場所もない
- 自分の結婚式など、重要な行事がある日に悪天候に見舞われる
- 土砂崩れが起き、道路がふさがれる
- 雨が降り続いて川が氾濫しそうになり、川を渡るのが危険になる
- 高速道路を運転しているのに濃霧のせいで視界が悪くなる
- 竜巻や台風に巻き込まれる
- 吹雪に見舞われ、燃料や食糧が底をつきかける
- 路面が氷結し、移動が不可能になる
- 悪天候が収まるまで、人のいない辺鄙な場所にとどまる
- ラジオやインターネットが使えず、気象情報が手に入らない
- 悪天候のせいで約束事を守れなくなる
- 旅を再開できるまで、宿泊費と飲食代を払わなければならない
- 不慣れな場所で見知らぬ人たちと一緒に避難しなければならない
- 結婚式が延期になる

引き起こされる軽度の問題・困難

- 損害を防ぐために、外に置いてある物にすぐに覆いを被せるか移動させるかしなければならない
- 窓に板を打ち付ける、薪を蓄える、ろうそくやランタンを集めるなどして災害に備えなければならない
- フラストレーションや不安を感じる、または心配になる
- (濡れっぱなし、食糧が底をつくなどで) 冷静でいられなくなる
- 交通渋滞や飛行機の遅れなどのせいで、足止めを食らう
- レースで幸先の良いスタートを切るなどして優勢だったのに、その優位性を失う
- 悪天候で視界が悪い中、車や船で移動していたところ障害物にぶつかる
- 予定をキャンセルまたは変更しなければならない
- 悪天候で移動がより危険になる
- 政治集会やスポーツの試合などの開始時刻を変更する必要がある

起こりうる悲惨な結果

- 助けを求めてもなかなか救助隊が来られない辺鄙な場所で負傷する
- 嵐の中で道に迷う
- 竜巻、山火事、火山噴火などが起きている近くで避難する
- 道路の状態が悪く、自動車事故を起こす
- 大雪が降り積もり、十分な物資がない状態で家の中に閉じ込められる
- 洪水発生地域で立ち往生する、川に流されてしまう可能性のある橋の上でガス欠になる、山火事に巻き込まれるなど、心もとない状況に置かれる
- 危機から逃れる間に愛する人たちと離ればなれになる
- 強風で木が車の上に倒れるなど、自分の所有物や家屋が損壊する
- 近くで建築中だった児童養護施設が嵐の被害を受け、建設が遅れるなど、重要なプロジェクトに遅れが出る
- 悪天候が去り、愛する人が行方不明になっていることが発覚する

結果として生じる感情

動揺、懸念、敗北、自暴自棄、決意、失望、フラストレーション、ホームシック、希望、

短気、緊張、圧倒、パニック、無力感、屈服、自己憐憫、あやふや、心配、気がかり

起こりうる内的葛藤

- 自分で何とかしたいが、何もできずに無力感を味わう
- 悲観的になり、恐れも感じているが、他の人たちを落ち着かせるために自分の気持ちを隠す
- 風向きや雲行きなどを読んで、瞬時に決断しなければとあせる
- 危険に遭遇する可能性があっても前進するか、この場にとどまるかのリスクを比べて悩む
- 自分のリーダーシップや優位性を維持するため、危険を顧みず行動したい誘惑に駆られる
- 危険から逃げ出したいが、他の人たちを救わなければならない
- 自分の身を守りたいが、他の人たちを助けるのが当然なのではないかと葛藤する
- 誰もが我先に行動したいのはわかっているから、何とかして自分が有利になりたい
- 守りきれないのはわかっていても、それでもなかなか割り切れない。たとえば、自宅を全焼させるであろう火事と闘うのをあきらめ、安全な場所へ逃げるべきなのはわかっているが、なかなかできない、など

状況を悪化させうるネガティブな特性

支配的、臆病、せっかち、衝動的、物質主義、大げさ、うっとうしい、神経質、完璧主義、悲観的、向こう見ず、心配性

基本的欲求への影響

▸▸ 帰属意識・愛の欲求

危険な自然災害に巻き込まれて悲劇が起きた場合、愛する人の安全を守れなかった自分が、残された家族たちに責められる可能性がある。そうすると、さらに深く心が傷つき、孤独のせいで心の痛みも増すだろう

▸▸ 安全・安心の欲求

異常気象には、自宅や職場、家業、自家用車、財産など、自分を安心させてくれる物を破壊する力がある。こうした物が失われると、安心して暮らせなくなるだけでなく、新しく建て替えたり、購入し直したりしなければならないため、経済的に苦しくなる可能性がある

▸▸ 生理的欲求

自然災害で危険な目に遭うと、命の危機にさらされたり、生きていくのに必要な物が破壊され、生きるのに必死になったりすることが考えられる

対処に役立つポジティブな特性

柔軟、おだやか、慎重、決断力がある、規律正しい、おおらか、もてなし上手、勤勉、影響力が強い、知的、内向的、面倒見がいい、粘り強い、雄弁、哲学的、積極的、世話好き、臨機応変、責任感が強い、賢明、倹約家

ポジティブな結果

- 先回りして考え、将来に備えることができるようになる
- 出遅れたために危険や大惨事に巻き込まれずにすむ(鉄砲水が起きて戦闘に参加できず、命拾いをしたなど)
- 一緒に避難していた人と揉めたが、仲違いを解消して親密になる、または共通点が見つかる
- 悪天候のおかげで、幸運にも敵の目論見が崩れる
- 立ち往生したおかげで、重要案件についてある人の決心を翻させる時間ができた
- 災害時に何らかの貢献をし、能力が認められる

思いがけない妊娠

〔英 An Unexpected Pregnancy〕

具体的な状況

- 10代の少女
- わが子が巣立ったあとの女性
- 性的虐待を受けた女性
- 既に子どもをたくさん抱えている女性
- 貧困家庭の女性
- 夢の仕事に就いたばかりの働く女性
- 一時解雇されたばかりの夫を持つ女性
- 子どもの父親が誰かわからない女性

引き起こされる軽度の問題・困難

- つわりなどの不快な症状
- どうするかを決めるまで妊娠を隠さなければならない
- 妊娠を人に告げなければならず、噂の的になる
- 重要な予定（高校の卒業、旅行など）を延期しなくてはならない
- 自分の親元へ引越さなければならない
- 将来どうなるかがわからないので、昇進など将来有望なチャンスをあきらめる
- 友人や知人たちに決めつけられ、批判される
- 未婚の母になることは家族の信仰に反するため、中絶を考える
- 中絶を検討するが、それについて相談できる人が誰もいない

起こりうる悲惨な結果

- 頼れるものが何もない
- つわりがひどすぎたり、体調に異常が現れたりして、寝たきりになる、入院する、または職を失う
- 自分の親やパートナーに拒絶される
- 赤ん坊の安全のため、自分に必要な薬であっても服用をやめなければならない
- がんの診断が下るが、赤ん坊が生まれるまで治療を開始できない
- 性暴力に遭って妊娠し、カウンセリングが必要なのに受けられない
- 著名人であるため、中絶の決意に対し世間から非難を浴びる
- 中絶を選んだため、自分の家族に勘当される、または教会から破門される
- 中絶手術を受けたが、敗血症などの命に関わる疾患を併発する
- 妊娠中に異常が見つかり、赤ん坊または母親の命が危険な状態になる
- 中絶を選ぶが、その後一生後悔して苦しむ
- 自分の意思に反して赤ん坊を生み育てるよう強制される

結果として生じる感情

不安、懸念、拒絶、意気消沈、自暴自棄、決意、打ちのめされる、怯え、決まり悪さ、危惧、罪悪感、屈辱、孤独、むら気、圧倒、パニック、後悔、不本意、悲しみ、自己憐憫、恥、衝撃、脆弱、気がかり

起こりうる内的葛藤

- 道徳上のジレンマに陥り、どうしていいかわからない（中絶する、赤ん坊を生み育てる、養子に出すなど）
- 経済的に心配になる
- 他の人に妊娠が知れたら、何を言われるのか、どう思われるのかが心配でたまらない
- 不安で仕方なくなり、パニック発作に悩まされる
- ホルモンバランスが崩れ、感情の起伏が激しくなる
- 妊娠を隠す必要があるが、真実を打ち明けたい
- 誰にも妊娠のことを告げず、一人で重荷を背負わなければならない

- 道徳的に間違っていると感じていることや、したくないことをするように圧力をかけられている
- 苦境に立たされ、赤ん坊に対して複雑な気持ちを抱くようになる

状況を悪化させうるネガティブな特性

無気力、幼稚、つかみどころがない、不真面目、無知、衝動的、優柔不断、無責任、大げさ、うっとうしい、神経質、悲観的、甘ったれ、気分屋、協調性が低い、執念深い、意気地なし

基本的欲求への影響

▸▸ 自己実現の欲求

大きな夢を持っているのに思いがけず妊娠すると、自分の計画を保留にしなければならないし、おそらくそれは無期限に延びる可能性がある。仕事の充実感や創造力を働かせて得られる満足感がないと、人生に不満を抱いてしまうかもしれない

▸▸ 承認・尊重の欲求

他人に「お前は恥だ」と言われたり、自分の選択を非難されたりすると、あっという間にこの欲求が満たされなくなるはずだ

▸▸ 帰属意識・愛の欲求

自分のパートナーや親など大切な人たちから見捨てられたり、距離を置かれたりすると、支えを最も必要とするときに孤立無援状態になるかもしれない

▸▸ 安全・安心の欲求

妊婦の安全が脅かされる状況は多く存在する。たとえば、妊娠中に異常が見つかり入院が必要になる、または寝たきりになる、合併症を併発して赤ん坊の健康が危ぶまれる、家から追い出される、仕事を失う、赤ん坊の父親に手ごわい敵がいて、母子の命が狙われるなど

▸▸ 生理的欲求

かつてほど出産は危険ではなくなったが、状況によっては依然としてリスクがある。母親が精神や身体の健康に問題を抱えていたり、簡単に医療を受けられない地域に住んでいたり、妊娠中に重い合併症を併発しても治療が受けられなかったりすると、出産は危険になる

対処に役立つポジティブな特性

野心家、おだやか、独立独歩、忠実、面倒見がいい、思慮深い

ポジティブな結果

- 必死に子育てをしながら、自分が成長し成熟する
- 自分で何でもできるようになる
- 自分の信念を貫けるようになる
- 他人のニーズを優先できるようになる
- 思っていたよりも自分に能力があることに気づく

NOTE

親になることとは、自分の人生を根底から変えるほどの非常に大きな責任を負うことである。妊娠を予定していなかった、または望んでいなかった場合だと、大きな混乱にまで発展し、母親や父親になる人、祖母や祖父になる人にあらゆるトラブルを巻き起こし、ストーリーの中のいろいろな登場人物にも様々な影響がおよぶ。ストーリーにこの種の対立・葛藤を足すことを考えているのなら、「具体的な状況」にあるような人物たちが予期せぬ妊娠をする状況を考えてみよう。

家族が死ぬ

〔英 A Family Member Dying〕

具体的な状況

- 大怪我や事故で家族を失う
- 愛する人が自殺する
- 家族が殺害される
- 親や兄弟姉妹が自然死する
- わが子が病死する
- 妻、または姉や妹が出産時に死亡する

引き起こされる軽度の問題・困難

- 自分一人で子どもを育てなければならない
- 葬儀（火葬や埋葬）の準備や手続きをする必要がある
- 家族の死を人に知らせなくてはならない
- 予想外の治療費や借金がかさむ
- 故人の財産（土地、年金、保険など）を処理しなければならない
- 故人が遺言や家族信託を残していなかった事実が発覚する
- 決めなければならないことがいろいろとあり、残された家族と揉める
- 家族を失ったのに、他の人たちを支える必要がある
- （死んだ家族が著名人だった場合）報道陣に追い回される
- 自分が同意していない遺言を執行しなければならない
- 噂やぎこちない会話、質問に対応する
- 遺言に自分の名前が含まれていないことが発覚する

起こりうる悲惨な結果

- 破産手続きをしなければならない
- 家族を奪った致命的疾患が遺伝性のものである事実を無視する
- 悲しみから抜けきれず、子どもたちがきちんと死に向き合えるようにしてやれない
- 「家族が死んだのはお前のせいだ」と他の人たちから責められる
- 法的責任を問われる
- 故人について、自分の人生が変わるような衝撃的事実が発覚する
- 精神的なよりどころを失う
- （警察、医療制度など）重要だと思っていた組織や制度を信用できなくなる
- 故人の資産を狙う強欲な親戚と争う
- 故人が極悪犯罪に関与していた事実が発覚し、残された家族が社会ののけ者になる
- （自分が故人の死に関与していて）他殺の疑いがあると判断される
- 家族を失った悲しみに耐えきれず、薬物やアルコール、自己破滅的な行為に走る

結果として生じる感情

怒り、苦悩、混乱、拒絶、意気消沈、打ちのめされる、不信、疑念、危惧、悲嘆、罪悪感、孤独、圧倒、無力感、後悔、安堵、自責、自己憐憫、恥、衝撃、陰気、驚き、疑惑、同情、あやふや

起こりうる内的葛藤

- 他の人たち（子ども、繊細な家族など）に何と言えばよいのかわからない
- 家族の死を信じられない気持ちになる、またはその死を受け入れようとしない
- 悲しみのあまり落ち込んで苦しむ
- 自分を苦境に立たせた故人を恨む
- 自分が故人に言ったこと、または言わなかったことを悔やむ
- 家族の死にうまく向き合えていないのではないかと自分の力量を疑う
- 家族の死を経験し、自分もいつまでも生きていられるわけではないと考えるようになる
- 家族の死が不当だと感じる場合は特に、疑念を覚える、または何もかも信用できなく

なる
- 故人に十分なことをしてやれなかったと自分を責めて苦しむ
- 故人に対してとった行動を後悔する
- 死んでくれてよかったと安堵を感じた自分に恥を覚える
- 家族の死に関与した人をなかなか許せない
- 人には言いづらい故人の秘密を知っているが、口外してよいものかどうかわからない
- 故人に対して何も感じないが、それを隠すために悲しむふりをしなければならない

状況を悪化させうるネガティブな特性

依存症、反社会的、支配的、いい加減、失礼、貪欲、無責任、嫉妬深い、被害者意識が強い、大げさ、病的、うっとうしい、悲観的、恨みがましい、自滅的、迷信深い、疑い深い

基本的欲求への影響

▸▸ 自己実現の欲求

悲しみに明け暮れている、または新たな責任を負って忙殺されていると、自分のやりたいことや好きなことを追求する時間や気力はなくなり、しばらくお預けになる

▸▸ 承認・尊重の欲求

（実際に責任があるかどうかは別にして）愛する人の死に責任を感じていると、自分に価値などあるのだろうかと疑問に思うはずだ

▸▸ 帰属意識・愛の欲求

他に頼れる人がほとんどいないときにたった一人の身内を失うと、支えてくれる人もなく、成り行きに任せて生きるしかなくなる可能性がある

対処に役立つポジティブな特性

柔軟、芯が強い、共感力が高い、ひょうきん、独立独歩、影響力が強い、大人っぽい、面倒見がいい、客観的、楽観的、きちんとしている、忍耐強い、臨機応変、責任感が強い、スピリチュアル、協力的、お人好し、利他的

ポジティブな結果

- 友人や家族、地域の人たちに支えられる
- 死も人生の一部だと受け入れる
- 以前より自立し、逆境を跳ね返す自分の力に自信が持てるようになる
- 故人の遺志を継いでいるうちに満足感が芽生える
- 宗教的信仰心や精神的信念を再確認する
- 必要な変化（引越、新しい人間関係、転職など）を自分のプラスになるよう利用する
- 残された家族や友人との関係を深める
- 命には限りがあることを再認識したおかげで、チャンスを掴み、よりオープンに人を愛するようになる
- 故人が味わった苦しい思いを他の人たちがせずにすむように、問題を社会に認知してもらえるような活動やそのための資金集めを始める
- 自分に何らかの責任はあるものの、過失ではなかったことが明白になる
- （故人との関係が険悪だった場合）「もうあれは終わったことだ」とけじめをつけられるようになる

強制退去

〔英 Being Evicted〕

具体的な状況

- 自分の住まいを失う
- 貸しビルや店舗から退去させられる

引き起こされる軽度の問題・困難

- 人前で強制退去させられ、恥ずかしい思いをする
- 友人や家族の家に一時的に世話にならなければならない
- 自分の信用が傷つけられる
- 強制退去を阻止するため、書類を提出して弁護士に依頼しなければならない
- 思いがけない費用がかさむ（弁護士代、倉庫代など）
- 自分の持ち物は友人宅や倉庫に預けてあるため使えない
- 新しい住まいを探さなければならない
- アパートの敷金を失う
- 自分の家財道具が差し押さえられる
- 自分の個人の評判や事業の評判が傷つく
- （新しい住まいが職場から遠く離れている場合）別の仕事を探さなければならない
- 子どもが転校しなければならない
- 頼りにしていた隣人や近所付き合いを失う
- 自分の家財道具を移動させる手段を探さなければならない
- 新しい住まいではペットが飼えないので、新しい飼い主を探さなければならない
- 新しい住まいが前のアパートよりひどいが、慣れなければならない
- 新しい店舗または事務所を探すのに苦労する

起こりうる悲惨な結果

- 家主や管理会社と揉めて殴り合いになる
- 家族のところに同居させてもらえない
- 強制退去は誰かの卑劣な計画の一部であることが発覚する
- 従業員を一時解雇しなければならない
- 事業が傾く
- 破産手続きをしなければならない
- 訴えられる
- 治安の悪い地区に引越す
- 車で寝泊まりする生活を強いられる
- 不安症やパニック障害を発症する
- 依存症が悪化する
- 子どもに安全な住まいを用意できず、親権を失う
- ホームレスになる
- 以前の住居、または事務所や店舗が安全な状態ではなかったため、大怪我をする、健康を損なう、または死亡する

結果として生じる感情

根に持つ、防衛、反抗、拒絶、意気消沈、決まり悪さ、フラストレーション、罪悪感、憎しみ、屈辱、自信喪失、怖気づく、圧倒、無力感、後悔、反感、あやふや、復讐、脆弱、気がかり、価値がない

起こりうる内的葛藤

- 家族に住む場所を用意してやれない自分に恥を覚える
- 強制退去につながったと思える自分の経済的判断を悔やむ
- 将来が見えず、怖くなる
- 強制退去につながった状況に腹立たしさを覚える
- 自分を強制退去させた人物や組織に復讐してやりたい
- 家主を説得し、強制退去せずにすむ方法ばかりを考える
- 自分を強制退去させた人が誰だろうとなかなか許すことができない

- 何か別の対処ができたのではないかとばかり執拗に振り返る
- 不正な状況に直面して無力感を覚える、または希望が持てない
- (悪いことが重なり、その上強制退去までさせられた場合) 絶望に屈しそうになる

状況を悪化させうるネガティブな特性

依存症、不正直、いい加減、不真面目、とげとげしい、無知、頑固、不安症、理不尽、無責任、恨みがましい、寡黙、協調性が低い、非倫理的、執念深い、暴力的、激しやすい

基本的欲求への影響

▸▸ 自己実現の欲求

住まいや経済的安定を失えば、それを取り戻すのが最優先になる。つまり、自分の夢や大好きなことは後回しになる

▸▸ 承認・尊重の欲求

住まいや商売を失うと、自分の評判や自尊心が傷つくだけでなく、地域社会での地位も揺らぐかもしれない

▸▸ 帰属意識・愛の欲求

明らかに誰かのせいで強制退去させられた場合、その人との関係は悪くなるだろう。退去後に友人宅や親戚の家に一時的に住まわせてもらうことになれば、それもトラブルにつながる可能性がある

▸▸ 安全・安心の欲求

自分の住居がないと、誰かに襲われるか、病気になるかもしれない不安を抱えることになる。経済的にも苦しくなる可能性が高い

対処に役立つポジティブな特性

柔軟、芯が強い、自信家、協調性が高い、勇敢、クリエイティブ、如才ない、おおらか、勤勉、楽観的、きちんとしている、粘り強い、雄弁、積極的、臨機応変、責任感が強い、賢明、倹約家

ポジティブな結果

- 以前よりもよい住居や店舗が見つかる
- 賃貸契約書にもっと注意深く目を通すようになる
- 家計や自分の行動にもっと責任を持つようになる
- 助けが必要なときに、自分は友人や家族、地域社会に支えられていると感じる
- 道義に反した家主に法の裁きを受けさせる
- 以前よりも充実感が持てる仕事を見つける
- 引越先で子どもが以前よりもよい保育や教育を受ける
- 通勤が短くなる
- 家族や恋人、親しい友人などにしばらく同居させてもらい、または前よりも家賃が安くなり貯金する
- 依存症や精神疾患に向き合うため、助けを求めるようになる

景気の後退／突然の不況

〔英 A Recession or Economy Crash〕

具体的な状況

- 不安定な政情、自然災害の発生や感染症の流行などが原因で、観光に深く依存している地域の観光産業が壊滅状態になる
- 世界的規模のパンデミックが起き、景気が後退する
- 株市場が暴落し、投資していた国民が大損を被る
- 戦禍が広がり、経済が不安定になる
- 大きな自動車工場が閉鎖する、魚がとれなくなって漁業が打撃を受けるなどで、地元住民の多くが失業し、職を求めて町を離れなければならなくなり、地元の労働力が失われる

引き起こされる軽度の問題・困難

- 失業し、就職の見通しも悪い
- 新しい仕事に就くため、生きていくために新しいスキルを身につけなければならない
- もう1つ仕事を増やし、家族との時間や自分の関心事に費やす時間が減る
- 家計に関して愛する人と頻繁に口論になる
- 友人や家族に借金を申し込まねばならない
- 必需品以外の物品の物流が滞り、電子機器や人気の玩具などの贅沢品や消費財が不足する
- 予算を見直し、払えなくなったもの（子どもの歌レッスン、約束していた休暇旅行など）をカットする
- 経済的ピンチを乗り切るために友人や家族に頼らなければならない
- 人生計画や将来に期待していたことを変えざるを得なくなる
- 自分または家族の健康や安全が脅かされるのではと恐れる

起こりうる悲惨な結果

- 最悪のタイミングで突然の出費がかさむ（入院費や、事故で車の修理費が急に要るなど）
- 自宅の価値が下がり、市場価値より銀行からの借入金のほうが大きくなる。
- 飲料水や食料、燃料などの必需品が手に入らなくなる
- インフレ率が手取り収入の伸び率を上回る
- 地元の商店が店じまいをする
- 貯金を使い果たし、自己破産を経験する
- 自分よりも経済的に困窮している他の家族の面倒を見る
- 長年努力と犠牲を払って営んできた事業を畳む
- 愛する人が医薬品や治療を必要としているが、その費用を捻出してやれない
- 世の中に絶望する人が増えて治安が悪化し、強盗に遭う
- 体調が悪くなる
- 状況の変化についていけずに無力感が募り、鬱になる
- 絶望している人間を食い物にする者たち（人身売買の仲介人、詐欺師など）に利用される
- 収入がないのに支払日が迫り、プレッシャーから逃れるため自殺を考える
- 暴力が蔓延し、戦争に発展する

結果として生じる感情

怒り、不安、懸念、根に持つ、気づかい、自暴自棄、不信、落胆、幻滅、危惧、憤慨、圧倒、無力感、屈服、自己憐憫、衝撃、あやふや、心配、気がかり

起こりうる内的葛藤

- 世の中が変化した事実をなかなか受け入れられない
- （失職して家族を養えない場合）恥に苦しむ
- 気持ちが圧倒されて、日々の責任を果たせ

なくなる
- 経済事情をよくしたいあまり、誘惑に駆られて違法な活動に加わる、または自分の道徳規範に反する仕事に就く
- 希望が持てず投げやりになっているのを悟られないよう隠さなければならない
- 他の人たちがもっと苦しんでいるのに自分のことで手一杯で罪悪感を覚える
- 重責から逃れたいが、そう思った自分を臆病者だと感じる
- コネや財産、運があるおかげで不況を乗り切っている人たちを恨む

状況を悪化させうるネガティブな特性
依存症、浪費家、不真面目、衝動的、無責任、物質主義、悲観的、わがまま、甘ったれ、心配性

基本的欲求への影響

▸▸ 自己実現の欲求
不況で生活に困っていると、生計を立てるために個人の満足感を犠牲にし、あまり気乗りのしない仕事に就かざるを得ないだろう

▸▸ 承認・尊重の欲求
自分の自尊心が仕事や地位に密接に絡んでいるのにそれを失うと、自分に自信が持てなくなり、他の人たちも自分を高く評価しなくなるのではないかと恐れる

▸▸ 帰属意識・愛の欲求
ライフスタイルを変えざるを得なくなると、家族間に摩擦が生じる可能性がある。そうなると、家族への帰属意識や愛情に悪影響が出るだろう

▸▸ 安全・安心の欲求
必需品が欠乏したり、社会不安が起きたりすると暴力が蔓延し、自分の安全と安心が脅かされるだろう

▸▸ 生理的欲求
自分または愛する人が生きていくのに必要な物（食糧、医薬品、手術、安全な飲料水など）を手に入れることができないと、死んでしまうことも考えられる

対処に役立つポジティブな特性
柔軟、冒険好き、おだやか、規律正しい、効率的、几帳面、楽観的、きちんとしている、臨機応変、天才肌、倹約家

ポジティブな結果
- 苦境から学んだ教訓のおかげで、再び経済が安定したとき、もっと充足感の持てる生活を送れるようになる
- 不況の間に必需品を売る商売を始め、それが成功する
- 不況時に役立つ才能やスキルを活かし、仕事が多く入るようになる、または他の人にはまねのできない手段で経済的不安を乗り切る
- 自分のライフスタイルを簡素化し、それに喜びを見いだす
- 経済が回復したときに賢い投資が実り、裕福になる
- 不況の影響を被った家庭を助けるうちに充足感を覚えるようになる
- 不況に直面した結果、キャリアを転向したり、引越したりして、再び不況の波に直撃されないように考え方を改める
- 不況のあおりをあまり受けない持続可能なライフスタイルに移行する

怪我をする

〔英 Being Injured〕

具体的な状況

- 濡れた床で滑って転ぶ
- 階段から落ちる
- 道具の使い方を誤り、怪我をする
- エクササイズをやりすぎて筋肉を痛める
- スポーツをしていて怪我をする
- 動物または人に襲われる
- 酒に酔って怪我をする
- 安全基準が守られていなかったせいで負傷する
- 自動車事故で負傷する

引き起こされる軽度の問題・困難

- (自分に非がある場合) 愚かだったと恥じ入る
- 医者や理学療法士に何度も診察してもらう
- 怪我が回復するまで仕事または学校を休む
- 健康保険の申請書や法的書類を提出しなければならない
- 怪我が回復するまで他人に頼らなくてはならない
- 怪我の合併症が原因で回復により時間がかかる
- どういう怪我で、どのような治療があるのかを知っておかなければならない
- 子どもの面倒を他で見てもらえるよう手配しなければならない
- 自分が支払える範囲の治療方法を探さなければならない
- (不正行為があった場合は) 警察の質問に答える、(職場で怪我をした場合は) 安全監視員と人事部の質問に答える
- 予定していたことができなくなる
- 怪我が回復するまで家族の面倒を見ることができない
- 通院しなければならない

起こりうる悲惨な結果

- 他の人に非があるのに自分が責められる
- 負傷に犯罪行為が絡んでいて訴訟費用を負担しなければならない
- 人に面倒を見てもらわなければならないのに、頼れる人がいない
- 人のいない場所で負傷する
- 愛する人が住む町や治療が受けやすいところへ引越す必要がある
- 怪我のせいで仕事を続けられなくなる
- 十分な治療を受けられない
- 治療費がかさみ、支払えない金額になる
- 人生が一変するほどの大きな後遺症が残る
- 怪我が原因で命に関わる合併症を併発する
- 流産する
- 慢性的な痛みに苦しむ
- 鎮痛剤に依存するようになる
- 同じ事故で家族も負傷または死亡する

結果として生じる感情

不安、根に持つ、敗北、拒絶、意気消沈、打ちのめされる、不信、弱体化、決まり悪さ、危惧、フラストレーション、悲嘆、罪悪感、謙虚、短気、劣等感、自信喪失、無力感、後悔、自己憐憫、衝撃、あやふや、価値がない

起こりうる内的葛藤

- 他人に頼らなくてはならないので罪悪感に苦しむ
- 負傷したときの状況に関連したトラウマが残る
- 事故につながった自分の選択に恥を覚える
- 自立して暮らせなくなり葛藤する
- 自分の価値を疑う
- 怪我をしてから自分を特別扱いする人々を嫌う
- 事故に遭ってから不安症を発症し、仕事や

学業などに影響が出る
- 怪我をきっかけに恐怖心が芽生える、または恐怖症を発症する
- 怪我のせいで人生に悪影響が出ている事実をなかなか受け入れられない
- 生存者であることの罪悪感に苦しむ

状況を悪化させうるネガティブな特性

依存症、支配的、臆病、せっかち、衝動的、頑固、不安症、男くさい、大げさ、病的、うっとうしい、完璧主義、悲観的、向こう見ず、恨みがましい、自滅的、うぬぼれ屋、意気地なし、引っ込み思案

基本的欲求への影響

▸▸ 自己実現の欲求

怪我をすると自己実現の欲求を満たすことが難しくなる。怪我のせいで今まで楽しんでいたことをできなくなったのであればなおさらだ。夢をあきらめなければならない場合も、悲観的になって苦い思いをするだろう

▸▸ 承認・尊重の欲求

怪我のせいで以前はできていたことがうまくできなくなると、よい自己像が保てなくなるはずだ

▸▸ 安全・安心の欲求

怪我のせいで自立して生活できなくなり、愛する人に頼りきりになると、その人が信用できなくなったときに安心できなくなるかもしれない

▸▸ 生理的欲求

人のいない場所で怪我をすると、それが命取りになることも考えられる

対処に役立つポジティブな特性

柔軟、野心家、分析家、感謝の心がある、芯が強い、勇敢、規律正しい、勤勉、影響力が強い、客観的、楽観的、忍耐強い、粘り強い、積極的、臨機応変、責任感が強い、賢明、スピリチュアル

ポジティブな結果

- 怪我に耐え、様々な障壁を乗り越えるようになる
- 怪我のおかげで、よりよい仕事の道を進むようになる
- 人を助けたいと思うようになる、または慈善活動に関わるようになる
- 怪我や怪我に絡んだ様々な問題について啓蒙活動をする
- 他人からの助けを受け入れるようになる
- より慎重に、責任を持って行動するようになる
- 苦境に直面して信仰を見いだす
- 生存者の会を見つける
- 人生を今までとは違った目で見るようになる

強盗

〔英 A Break-In〕

具体的な状況

- 自宅に空き巣が入る
- 車上荒らしに遭う
- 職場に強盗が入る
- 倉庫や離れに空き巣が入る

引き起こされる軽度の問題・困難

- 貴重品を失う
- 安全を感じられず、侵害された気持ちになる
- 強盗に壊された物（ドアや窓、金庫など）を修理しなければならない
- 強盗に入られたあと（割れたガラス、壊された家具、落書きなど）を片づける
- セキュリティ対策の見直しと調整が必要になる
- 警察へ被害届を出す、または保険会社へ損害品明細書を提出する
- 自宅の修理が終わり、安全に暮らせるようになるまで別の場所へ引越す
- 物を盗まれたため、買い直さなくてはならない
- 子どもたちを慰める必要がある
- 家族が心配やストレスを感じ続けないようにと、家族の前では気丈に振る舞う
- 悪気はないが「ああすればよかったのに」とおせっかいな発言をする隣人に対応する
- 眠れなくなる

起こりうる悲惨な結果

- （強盗が入ったときに居合わせた場合）大怪我をする
- かけがえのない大切な物が盗まれる
- 安全に気をとられてばかりで、自分（および家族）の人生を楽しめなくなる
- 破産手続きをしなければならない
- 事業を失う
- 犯罪を目撃したことで狙われる
- 個人情報が盗まれ、自分や愛する人たちが危険にさらされる
- 秘密を知った強盗にゆすられる
- （個人情報が狙われていた、報復の機会を狙っていたなど）自分が犯人に狙われていた事実を知るが、犯人はまだ捕まっていない
- 近縁者の仕業であることを示唆する証拠が見つかる
- 家族またはルームメイトが殺害される
- 自己防衛で侵入者を殺害する

結果として生じる感情

怒り、不安、懸念、裏切られる、打ちのめされる、不信、幻滅、怯え、弱体化、危惧、罪悪感、憎しみ、自信喪失、圧倒、パニック、疑心暗鬼、無力感、後悔、不本意、反感、衝撃、恐怖、復讐、脆弱、気がかり

起こりうる内的葛藤

- 他人を信用できなくなる
- 強盗につながった可能性のある自分の行い（犯罪歴のある人たちと付き合っていた、危険人物に借金をしていた、壊れていた鍵やヒンジを修理しなかったなど）を恥じる
- ある人の過失のせいで強盗が入ったため、その人を許せない
- 強盗が入ったとき、自分が家を留守にしていたことに罪悪感を覚える
- 心的外傷後ストレス障害（PTSD）に悩まされる
- ちょっとしたことで強盗に入られたときの記憶が蘇る
- 強盗に入られないよう、もっと安全対策をしておくべきだったのではないかと悶々とする
- 犯人を知っているので、告発するかどうか

で悩み苦しむ

- 法に頼らずに復讐し、正義を勝ち取りたい
- 強盗に入られたとき、自分が違う行動をとっていたらこれほどの被害はなかったのではないかと悶々とする
- また同じことが起きるのではないかという理不尽な恐怖や被害妄想を味わう
- 強盗が入ったときに自分がとった選択のせいで、他の人が重傷を負った、または殺害された
- （犯人は空腹で食べる物が欲しかった、精神疾患を患っていたなどの理由から）犯人への同情と、法の裁きを受けさせ自分の安全を守りたい気持ちが葛藤する
- 事件のことは忘れたほうがいいと言われるが、忘れられない

状況を悪化させうるネガティブな特性

無神経、強迫観念が強い、挑戦的、浪費家、忘れっぽい、だまされやすい、無頓着、無責任、男くさい、物質主義、大げさ、妄想症、協調性が低い、執念深い、暴力的、激しやすい、引っ込み思案、心配性

基本的欲求への影響

▸▸ 自己実現の欲求

親やリーダーなど、保護者の役割を担っている場合、自分がいるのに強盗が起きてしまい、自分は保護者として不適格なのではないかと悩むかもしれない

▸▸ 承認・尊重の欲求

自分が強盗の被害に遭っただけでなく、自分の行動のせいで強盗が起き、愛する人たちを危険な目に遭わせた場合は特に、自信が揺らぐ可能性がある

▸▸ 帰属意識・愛の欲求

犯人を知っている場合、間違った相手を信用していた事実に気づき、自分には人を見る目がないのではないかと疑うかもしれない。そうなると、他の人と有意義な人間関係を持とうとしなくなることが考えられる

▸▸ 安全・安心の欲求

自分のスペースが侵害されたため、自分は安全だと思えなくなる

対処に役立つポジティブな特性

柔軟、慎重、協調性が高い、勇敢、独立独歩、公明正大、大人っぽい、情け深い、几帳面、客観的、注意深い、忍耐強い、積極的、世話好き、臨機応変、責任感が強い、賢明

ポジティブな結果

- 周りに危険がないか以前より注意するようになる
- 悪いことが起きないように安全対策を講じるようになる
- 自分の経験を活かし、同じように強盗被害に遭った人たちを助ける
- もっと安全な場所に移り住む、または職場を変える。
- 強盗に入られて動揺している同居の家族または恋人を支え、絆が深まる
- 異常な物質的所有欲を捨て、物を持つことに対して健全な考え方をするようになる
- トラウマの治療を受けるようになる
- 犯人が捕まり、法の裁きを受ける

孤児になる

〔英 Being Orphaned〕

具体的な状況
- 親または後見人が死ぬ
- 親に捨てられる
- 親または後見人が突然姿を消す
- 親または後見人が刑務所に送られ、子どもを自治体に引き渡す
- 子どもが難民になる
- 自治体が子どもの保護をする

引き起こされる軽度の問題・困難
- 頼れる家族や親戚がいない
- 児童養護施設に入れられる
- 新しい住居や町に引越し、転校しなければならない
- 親または後見人についてのつらい真実を知って傷つく
- 今までとは違う社会経済的状況に慣れなければならない
- 新しい家のルールを学ばなければならない
- 里親の実子たちに冷たくされる
- 新たな環境では好きなことや趣味が続けられず、あきらめなければならない
- 友人たちと音信不通になる
- 新しい言語を学ばなければならない
- 新しいルールに慣れ、順応しなければならない

起こりうる悲惨な結果
- 裕福で権威のある家に生まれたのに孤児になり、他の人にチェスの駒のように利用される
- 新たな人間関係を築きたがらない
- 頼れる人、話を聞いてくれる人がいない
- 間違った人を信用してしまう
- （10代の若さで）借金や訴訟を抱え込む、または家族の恥を背負う
- 自分の文化的アイデンティティを失う
- 兄弟姉妹から引き離される
- 虐待がまかり通っている家庭に預けられる
- 現実から目を背けるために、薬物やアルコールに依存する、または有害な行為に手を染める
- 弱い立場に立たされているので、（人身売買の仲買人、非行グループのメンバーなどに）狙われる
- 逃亡してホームレスになる
- 孤児は不吉または厄介者とみなされ、社会ののけ者になる
- 自殺を考える

結果として生じる感情

怒り、不安、根に持つ、混乱、拒絶、意気消沈、不信、危惧、悲嘆、ホームシック、自信喪失、孤独、ネグレクト、圧倒、疑心暗鬼、無力感、反感、自己憐憫、恥、衝撃、あやふや、脆弱、価値がない

起こりうる内的葛藤
- 他の人間関係でも好きな人を失ったり、自分が捨てられたりするのではないかと恐れる
- 他人を信用できなくなる
- 真実を隠すため、他の人に嘘をつきたい衝動に駆られる
- 人間関係は取引だと信じ込んでいる
- 他人に向かって執拗に自分の価値を証明したがる
- 自分に恥を感じたり、自分を責めたりする
- 親に捨てられたのは普通のことなのだと信じ込む
- 新しい人間関係を築くときは安心させてくれる言葉が何度も必要になる
- 自分でコントロールできないことばかりで苦しむ

- 他人とは健全な境界線を引きたいが、人に受け入れてもらいたくてたまらない
- 自分の親または後見人に対し怒りを覚える
- 生存者であることの罪悪感に苦しむ
- 人に拒絶されたくなくて、拒絶のリスクを避ける
- 人と深い関係を結ぶことや、人に対して責任を持つことを恐れる
- ショックや心の痛み、深い悲しみにうまく向き合えない

状況を悪化させうるネガティブな特性

依存症、反社会的、皮肉屋、だまされやすい、不安症、被害者意識が強い、病的、うっとうしい、神経質、妄想症、悲観的、恨みがましい、自滅的、甘ったれ、暴力的、激しやすい、意気地なし、引っ込み思案、心配性

基本的欲求への影響

▸▸ 承認・尊重の欲求

自分は欠陥のある人間だ、自分には価値がないと思っている場合は、不健全な手段で他人から愛されようとするかもしれない

▸▸ 帰属意識・愛の欲求

また人に見捨てられるのではと恐れているために、人間関係を築いても維持をするのが難しいこともある。親に捨てられたあとに有害な人たちに囲まれて暮らしている場合は、他人を寄せ付けない、人とは一定の距離を置いて付き合うなどして自分を守っているかもしれない

▸▸ 安全・安心の欲求

孤児になると生活が一変するので、安心できず、自分が危険にさらされていると感じるはずだ

▸▸ 生理的欲求

身寄りがいないと、行政の介入なしでは食べ物も水も手に入らず、路上生活を強いられるかもしれない。虐待をする大人や、情緒不安定な大人が養育人になると、命の危険を感じる可能性もある

対処に役立つポジティブな特性

柔軟、用心深い、芯が強い、勇敢、共感力が高い、独立独歩、大人っぽい、情け深い、注意深い、楽観的、世話好き、積極的、臨機応変、責任感が強い、賢明、正義感が強い、スピリチュアル

ポジティブな結果

- 行方不明になっていた親を捜し出し、再会を果たす
- 行方不明の親に何が起きたのかを知り、胸がすっきりする
- 他の人たちにとって忠実な友人になる、家族のような存在になる
- 里親の家族と意味と実りのある関係を築く
- 兄弟姉妹と再会する（同じ家に預けられる、一緒に養子として引き取られるなど）
- 責められるべきは自分ではないことに気づき、根拠のない罪悪感が消える
- 人に頼らず自立できるようになる
- ポジティブな人間関係の価値に気づく
- 自分の親や後見人が犯した罪を繰り返さない
- 大人になってから、親のいない子どもたちのために相談役や里親になり、彼らを擁護する。

子どもを見失う

〔英 Losing a Child in a Public Place〕

引き起こされる軽度の問題・困難

- すべてを中断して子どもを捜す
- 親の不注意だと周囲の人々に決めつけられる
- 他の子どもたちにも協力してもらって捜さなければならない
- かばんが重くて、子どもを捜すのに邪魔になる
- 不慣れな場所で子どもを捜さなければならない
- 警備員や店のマネージャーを大急ぎで捜し、迷子の案内を放送してもらう
- 言語がわからない
- 恥ずかしいほど大げさな反応を示す
- 不安症の兆候（考えがまとまらない、めまいなど）が出て、子ども捜しがより困難になる
- 子ども捜しに協力してもらうために、他の人たちに急いで説明しなければならない
- 一緒にいる人たちに、つい八つ当たりする
- その場で慌てて選択しなければならず、判断を誤る

起こりうる悲惨な結果

- 子どもが見つかるが緊急治療が必要になる（投薬治療、翌日に手術を受けるなど）
- 動揺のあまり動けなくなり、子ども捜しが続けられない
- 取り乱してしまい、預かっている他の子どもたちにトラウマを与える
- 悪天候や惨事が起きて警察に連絡をとるのが難しくなるなどの理由で、子ども捜しがより困難になる
- 迷子捜しをしているのに、付き添いの他の子どもにも手がかかる
- 協力しようとしている警察や他の人たちに暴言を吐く
- （配偶者、幼い兄弟姉妹の面倒を見ているはずだった10代の子など）人をひどく責め立て、修復できない亀裂が入る
- （子どもがすぐに見つからない場合）アドレナリンが長時間放出されっぱなしで体調が悪くなる
- 警察に怪しまれるような反応を示す
- 子どもの服装など詳細を間違って伝えてしまい、捜索が余計に難しくなる
- 間違った人を誘拐犯呼ばわりする
- パニック発作や脳卒中などを起こして倒れる
- 子どもが誘拐される
- 子どもの遺体が発見される
- 子どもの行方がまったくわからなくなる

結果として生じる感情

苦悩、いらだち、不安、絶望、自暴自棄、決意、打ちのめされる、決まり悪さ、危惧、フラストレーション、罪悪感、戦慄、ヒステリー、緊張、圧倒、パニック、恥、衝撃、恐怖、苦しみにもがく、心配、脆弱

起こりうる内的葛藤

- 自分のせいではないのに責任を感じる
- 子どもなのだから仕方がないとわかっていても子どもに腹が立つ
- 最悪の事態を想定しないで、ポジティブに考える努力をする
- 他の人たちの手前、取り乱さないようにしているが、心の中はパニック状態になっている
- とりあえず何をすればいいのかわからなくなって、体が動かない
- 様々な感情が駆けめぐり、その感情をどうしていいのかわからない
- 子どもがいなくなるまでの経緯を思い出そうとするが、記憶が疑わしい

- 何かをしなければという思いでいっぱいだが、今はもう警察に任せるしかないと頭ではわかっている

状況を悪化させうるネガティブな特性

反社会的、冷淡、支配的、失礼、つかみどころがない、せっかち、衝動的、無頓着、理不尽、大げさ、神経質、妄想症、独占欲が強い、注意散漫、自滅的、協調性が低い、激しやすい、心配性

基本的欲求への影響

▸▸ 自己実現の欲求

子どもが長期にわたって行方不明になると、自分をよい親（または祖父母、姉など）だと思っていたのに、それが崩れてしまうだろう。子どもを捜し出すこと以外は何も考えられなくなり、自分にとって有意義な目標も好きなことも一切棚上げになるはずだ

▸▸ 承認・尊重の欲求

子どもを見失えば、少なくともある程度は自分に非があると思うのが普通で、自分の能力や信用度を疑いはじめるようになる。自分が悪いと他の人たちに思われている場合は、周囲からの評価も下がるだろう

▸▸ 帰属意識・愛の欲求

迷子になった子どもの親（または両親）の反応にもよるが、彼らとの大切な関係が修復不可能なほどに損なわれ、自分には支えてくれる人も、愛してくれる人もいないと感じるかもしれない

▸▸ 安全・安心の欲求

たとえ子どもが無事見つかっても、子どもを見失った経験を引きずり、心の平安が吹き飛ばされるかもしれない

対処に役立つポジティブな特性

分析家、大胆、おだやか、協調性が高い、礼儀正しい、効率的、熱心、注意深い、楽観的、粘り強い、臨機応変

ポジティブな結果

- 怪我もなく、すぐに子どもが見つかる
- 居場所を突きとめ、誘拐犯から子どもを救う
- 同じ経験を繰り返さないよう、今後はもっと気をつけるようになる
- 捜索に協力してくれた人たちに仲間意識を感じるようになる
- 誘拐犯が捕まり、被害が最小限に抑えられる
- 子どもと過ごす時間を大切にしようと誓う
- 他の親に対して以前ほど決めつけをしなくなる

NOTE

人混みの中で子どもを見失うことほど親にとって恐ろしい悪夢はない。遊園地やスーパーマーケット、ショッピングセンター、公営プールやビーチ、交通量の多い街中などで子どもと離れると、最悪のシナリオがすぐに浮かんでパニック状態になる。そんな経験をしたい人は一人もいない。姿を消したのがわが子であっても、自分が預かっている子であってもだ。

詐欺に遭う

〔英 Being Scammed〕

具体的な状況

- 知らない人からメールが届き、ログイン情報や銀行の口座番号を書いて返信してしまう
- 投資話を持ちかけられ、渡した金が詐欺師のポケットに入る
- 国勢調査員を装った人が電話をかけてきて、個人情報を聞き出す
- 大学の授業料など高額の出費を補うための政府補助金がもらえるとだまされる
- ネズミ講式の投資を持ちかけられる
- イベントで偽造チケットをつかまされる
- 存在しないチャリティに寄付してしまう
- 自費出版専門の出版社から本を出すことにしたが、出版社にだまされ、費用を払ったのに本が出ない
- 困っている親戚になりすました人から電話を受け、言われるがまま送金する
- プロフィール写真の撮影用に前金を払ったが、その会社が「倒産」して代金が返ってこないなど、サービスや商品を購入したのに物が届かない、またはサービスを受けられない
- 宝くじに「当選した」ので銀行口座番号を教えてほしいと言われ、教えてしまう

引き起こされる軽度の問題・困難

- クレジットカードを作り直したり、銀行口座を開設し直したりと面倒が起きる
- パスワードの変更や、メールアカウントの削除をしなければならない
- 詐欺に遭ったことを人に話さねばならず、恥ずかしい思いをする
- 詐欺の被害金額が戻ってこないため、出費を抑えなければならない
- 予定していた購入や休暇を遅らせる
- 詐欺の被害届を出すときや、相手を起訴するときに、恥を思い出す
- 被害額を相殺するため、投資していたものを早く売却して現金化しなければならない
- (個人情報が盗まれたため) 自分が自分であることを何度も証明するはめになる

起こりうる悲惨な結果

- (法の裁きが下りない場合は) 司法制度に嫌気が差す
- 詐欺に遭った事実が人に知れ、威信や名声を失う
- 自分の信用格付けが下がる
- 詐欺の被害に遭い、愛する人に経済的に助けられたが、それが原因で関係に摩擦が起きる
- 貯金を全額失う
- 大学の授業料や結婚式のためにとっておいた金を失う
- 個人情報が悪人に売られ、事態が複雑になる
- (もう1つ仕事を始める、子どもが転校を余儀なくされ友人を失う、引越さなければならないなど) 経済的に困窮し、今まで通りの生活ができなくなる
- 二度と詐欺に遭いたくないと、テクノロジーを拒絶する
- 定年退職をあきらめ、仕事に戻らなければならない
- 世界観が変わり、人の善性を疑うようになる
- 助けを必要としているのが愛する人であっても、自分の金を狙っているのではないかと動機を疑い、けちになる
- 人に利用されたせいで自分の夢をあきらめる
- 再び詐欺に遭わないよう、電力会社の送電網に頼らず、自家発電で生活を送るようになる
- 鬱になり、前進できなくなる

結果として生じる感情
怒り、苦悩、不安、裏切られる、根に持つ、混乱、敗北、防衛、反抗、意気消沈、絶望、自暴自棄、打ちのめされる、不信、憎しみ、戦慄、屈辱、圧倒、パニック、無力感、激怒、後悔、自己嫌悪、自己憐憫

起こりうる内的葛藤
- 人を信用できなくなる
- 将来が不安になり、今まで経験したことがないほど時間に余裕を感じられなくなる
- 詐欺に遭った経験を心の中で何度も振り返り、恥に打ちのめされたような思いをする
- 自分の判断力に自信が持てなくなる
- 世の中をひがみっぽく冷笑的に見るようになる
- いつも確信が持てず、優柔不断になる
- 何事に対しても考えすぎ、隠れた動機や企みがあるのではないかと探る
- リスクをとるのを嫌がり、すべてに慎重になる

状況を悪化させうるネガティブな特性
依存症、だまされやすい、衝動的、無頓着、無責任、知ったかぶり、物質主義、妄想症、悲観的、自滅的、わがまま、自己中心的、甘ったれ、小心者、うぬぼれ屋、暴力的、激しやすい、意気地なし、不満げ

基本的欲求への影響
▸▸ 自己実現の欲求
内にこもり、常に恐れが先立ってリスクをとろうとしなくなると、より幸せに満足できるような機会が訪れても、それを逃すかもしれない

▸▸ 承認・尊重の欲求
なぜ自分はこれほどまでにだまされやすく、他の人たちには見えた兆候を見逃したのかと自分を責め、自尊心を傷つける可能性がある

▸▸ 帰属意識・愛の欲求
詐欺に遭って貯蓄が激減し、愛する人たちから経済的支援を受けた場合、彼らが憤慨し、関係が悪化することが考えられる

▸▸ 安全・安心の欲求
詐欺に遭って貯蓄が失われただけでなく、将来も不安になった場合、安心感が持てなくなり、悪意がなくても相手が嘘をついているのではないか、自分はだまされるのではないかと疑ってかかるかもしれない

対処に役立つポジティブな特性
柔軟、慎重、規律正しい、勤勉、忍耐強い、世話好き、臨機応変、責任感が強い、賢明、倹約家

ポジティブな結果
- 詐欺の兆候に気づき、だまされなくなる
- 他の人たちに詐欺の手口を知らせ、自分と同じ目に遭わないようにする
- 詐欺を働いた相手を訴え、法の裁きを受けさせる
- ソフトウェア設計などのスキルを活かし、詐欺を抑止し発見するためのツール等を開発する
- 後悔や自責の念を断ち、人生において前向きになれる物事に意識を集中させるようになる

NOTE
詐欺とは故意に人から何かをだまし取ろうとする行為である。金銭をだまし取るのが一般的だが、他の貴重品が狙われる場合もある。キャラクターが被害に遭いそうな詐欺の例を「具体的な状況」でいくつか紹介する。

定められた道を強いられる

〔英 Being Pushed Toward a Specific Destiny〕

具体的な状況

- 家業を継ぐように期待されている
- ある学校に進学し、特定の職業を目指すよう親から圧力をかけられている
- 王家に生まれ、君主の座を継承する立場にある
- ある人と結婚するよう他の人たちに強制される
- 予言が現実になることを期待されている

引き起こされる軽度の問題・困難

- 自分がしたいことをあきらめなければならない
- 事細かく管理され、何もかもが決められている
- 常に人に見られ、監視されている
- 自分は決められた道を進むのだと期待している人たちに抵抗しなければならない
- 他人の考えに従うことを拒否し、人からの支え（心の支え、経済的支援など）を失う
- 自分の将来について、愛する人たちと喧嘩または口論になる
- 罪悪感を覚える言葉を常に向けられる
- 親に期待された道ではなく自分で自分の道を選んだがために、配偶者が責められる
- 公に嘲笑や非難の的になる
- 自分に期待していた人たちを怒らせる
- 他の人に自分の運命を託さなければならない

起こりうる悲惨な結果

- 自分が誰と付き合うかの選択権が自分にない
- 親の言いなりになり、親の選んだ人と付き合って不幸せになる
- 親からの圧力に屈せず反発し、親子関係に亀裂が入る
- 期待に沿わなかった罰として経済的支援を断ち切られる
- 王家を継ぐ運命だったのに、王家を批判して継承権を放棄し、危険が身に迫る
- 利害関係者たちから中傷される
- 家族が家業または後継者を失う
- 愛する人たちと疎遠になる、または見捨てられる
- 暴力で脅される、または危害を加えられる
- 妥協するくらいならホームレスのほうがましだと、家を出て路上生活をする
- 自分は不適格者であることを証明するため、わざと自滅行為をする
- 身動きがとれなくなったような気持ちがして、鬱病を発症する
- プレッシャーを乗り越えようとして有害な行為に走る
- 自殺する

結果として生じる感情

不安、根に持つ、葛藤、反抗、拒絶、意気消沈、絶望、不満、弱体化、危惧、フラストレーション、罪悪感、孤独、圧倒、無力感、不本意、反感、屈服、自己嫌悪、恥、苦しみにもがく

起こりうる内的葛藤

- 選択の自由が欲しいが、そういう気持ちを持つのは身勝手ではないかと悩む
- 自分の望むことと他人が望むことに挟まれ、身を引き裂かれるような気持ちになる
- 八方ふさがりに感じる
- 条件付きでしか愛されていないことに苦しむ
- 自由になりたいが、自分の決断を正当化しないといけないと感じる
- 自分には声も力もないと感じる
- 義務とは何か、それによって個人の選択がどの程度狭められるべきなのかと悩む
- 自分の価値を蔑ろにされ、物として扱われ

ていることに苦々しさを覚える
- 自分自身に忠実でいたいが、本当の気持ちや考えを隠さなければならない
- 自分にプレッシャーを与えている人や、家系や予言などの見えない力を恨む
- 人を巻き込みたくないから、子どもや配偶者を持ちたくない

状況を悪化させうるネガティブな特性

支配的、不正直、不誠実、だまされやすい、とげとげしい、偽善的、衝動的、優柔不断、怠け者、被害者意識が強い、反抗的、恨みがましい、意地っ張り、卑屈、小心者、寡黙、非倫理的、意気地なし

基本的欲求への影響

▸▸ 自己実現の欲求

進みたくない道を歩まされている限り、自分が本当に望んでいることを実現するのは不可能に近い

▸▸ 承認・尊重の欲求

宿命から逃げられない自分に弱さを感じ、自分には道を切り開くだけの強さがないかのように思い込む可能性がある

▸▸ 帰属意識・愛の欲求

家族などに言われるがまま行動していると、親密な関係になった恋人にも、自分と同じように悲惨な、または危険な未来がその人に訪れるのを恐れ、恋人との関係を長続きさせられないかもしれない。同様に、家族の意見に従うことに慣れているため、愛情あふれる関係に関して歪んだ考えを抱き、愛は何かの対価として得るものだと間違った思い込みをしている可能性がある

▸▸ 安全・安心の欲求

自分の運命から逸れて別の道を進もうとすると、他の人たちに狙われ、危害を加えられることも考えられる

対処に役立つポジティブな特性

柔軟、冒険好き、芯が強い、自信家、勇敢、クリエイティブ、決断力がある、如才ない、正直、独立独歩、勤勉、影響力が強い、楽観的、思慮深い、雄弁、秘密を守る、積極的、臨機応変

ポジティブな結果

- 「自分の考えをはっきりと言えるようになろう」と他の人たちを励ます
- 親の言いなりになっていたらありえなかったほど、自分で選んだ道で成功する
- 期待に応え続けなければならないサイクルを断ち切る
- 自分と同じプレッシャーに苦しんでいる人たちを守る
- 本当にやりたいことを見つけ、それに秀でるようになる
- 個人の自由を制限する制度に光をあてる
- 親に直接訴えているうちに、親の支配が度を超えていたことに気づいてもらえ、親子関係が崩壊する一歩手前で関係を救えた
- 外からのプレッシャーに屈するのではなく、自ら選択して家を継ぐと決意する

事情聴取される

〔英 Being Taken in for Questioning〕

具体的な状況

- 事故または犯罪を目撃し、警察に通報しなければならない
- 友人または親族が殺害され、最後にその人を見たのはいつかなどと質問される
- 犯罪の現場付近にいたため尋問される
- 交通違反の取り締まりにひっかかり、警官に質問される
- 供述に不明な点があり、もう一度警察に出頭を求められる
- 親しい友人またはビジネスパートナーが犯した罪について質問される
- 自分の教授が性的虐待をしていた疑いを持たれて調査されているため、警察や大学からの質問に答える

引き起こされる軽度の問題・困難

- 仕事に遅れる
- 警察で事情聴取を受ける間の子どもの預け先を手配し、その費用を払わなければならない
- 友人と出かける約束や予定があったのに行けなくなる
- 友人または愛する人の有罪を示す証拠を提供しなければならない
- 警察を信用できなくなる
- なぜ自分が刑事捜査に関与しているのか、事情を他人に説明しなければならない
- 噂の的になる
- 緊張のあまり犯人のように見えたり、供述を怪しまれたりする
- （過去に警察といざこざがあった場合は）尋問が引き金となって過去の嫌な記憶が蘇る
- 運転中に警察に呼びとめられ、約束の時間に間に合わなくなる

起こりうる悲惨な結果

- どなり続けられて憔悴し、供述の細部で辻褄が合わなくなり疑われる
- 目撃した内容を正直に言わず、嘘がばれる
- 無実なのだが、うっかりと別の違法行為について言葉を漏らす
- 取調官が自分の言葉を逆手にとり、真実ではない話をでっち上げる
- 危険な裁判の主要な証人に選ばれ、法廷で証言するよう圧力をかけられる
- 自分を黒だと思い込んでいる取調官に事情聴取される
- 事件に関与している何者かに自分や家族が脅迫される
- 無能なまたは非倫理的な弁護士がつく
- 自分を貶めようとするメディアによって過去が暴かれる
- 悪事を働いた過去があるため、愛する人たちに今回もやったと思い込まれる
- （警察本部に生意気な態度で現れる、警察官に賄賂を渡そうとするなど）まずい判断をして事態を悪化させる
- 逮捕され、起訴される
- 罪を逃れたのをいいことに、犯罪行為を続ける

結果として生じる感情

動揺、怒り、不安、混乱、反抗、自暴自棄、怯え、決まり悪さ、危惧、狼狽、罪悪感、怖気づく、緊張、無力感、反感、冷笑、うぬぼれ、唖然、あやふや、心配、脆弱、気がかり

起こりうる内的葛藤

- 間違ったことは何もしていないのに怯える
- 何が起きたのかを思い出そうとするが、自分の記憶を疑う
- 自分の判断または犯罪への関与を後悔する

- 犯罪を防げなかったことに対し罪悪感を覚える
- 弁護士を要求したいが、そうすると怪しく見えるのではないかと恐れる
- 取り調べを受けているせいで、自分に対して悪評が立つのではないかと心配する
- なぜ自分が尋問されているのか理解できずに苦しむ
- 真実を述べたいが、口外できない情報がある
- 供述内容を変えろと要求され、その脅しに屈してしまいそうになる
- 常に人に見張られているような妄想に襲われる
- 目撃内容を正直に話せない事情があるが、説得力のある虚偽の証言ができない
- 自分の犯罪の痕跡をしっかりと消したかどうか悶々とする
- 自分の人格を疑う
- 自分が証言台に立てば、他人の人生を狂わせることになると重荷を感じる

状況を悪化させうるネガティブな特性

無神経、無気力、挑戦的、支配的、不正直、失礼、つかみどころがない、忘れっぽい、衝動的、無頓着、大げさ、偏見がある、愚直、寡黙、協調性が低い、暴力的

基本的欲求への影響

▸▸ 自己実現の欲求

自分は道徳規範に従って行動しているのに、罪を犯した人間が法の裁きを受けずにすんだ場合、自分の価値観や信念体系を疑うかもしれない

▸▸ 承認・尊重の欲求

友人や愛する人たちが早合点して「どうせお前がやったんだろう」と決めつけると、自分への評価は低くなるはずだ。また、不正行為で調査されている企業に勤めている場合など、有罪者と近しい関係にあるせいで、自分の評判が損なわれることも考えられる

▸▸ 帰属意識・愛の欲求

友人や家族が事情聴取に応じた自分に反対している場合や、自分に口止めをしようとしている場合は、彼らとの関係に亀裂が入るかもしれない

▸▸ 安全・安心の欲求

加害者が暴力的または自暴自棄で、真相を隠すためならどんなことでもするつもりであると、自分や家族が危険にさらされる可能性がある

対処に役立つポジティブな特性

分析家、おだやか、慎重、自信家、協調性が高い、礼儀正しい、如才ない、謙虚、従順、注意深い、楽観的、勘が鋭い、粘り強い、雄弁、責任感が強い、賢い

ポジティブな結果

- すべての訴えに対し無罪になる
- 犯人逮捕につながる情報を提供する
- 自分が通報または証言したおかげで、被害が広がらなかった
- 正義を守ろうとする警察の仕事ぶりを見て、警察を尊敬し直す
- 司法制度に不平等または不正な部分を見いだし、それを変えようと努力する
- 犯罪を目撃したために危険を感じ、身を守るための策を講じる

自動車事故に巻き込まれる

〔英 Getting in a Car Accident〕

具体的な状況

- （洪水、大雪など）荒れ模様の天気が原因で事故が起きる
- 最悪のタイミングで車が故障する（ボンネットが跳ね上がって運転手の視界の邪魔をする、ブレーキを踏んでも反応しない、電気系統に問題が起き、火花が散って車が燃えるなど）
- （嵐の中、木の枝が飛んでくる、前を走るトラックの荷台から荷物が落下するなど）物が飛んできてぶつかる
- タイヤが破裂してコントロールを失い、車がスピンしはじめる
- 歩行者または動物にぶつかりそうになり、よけきれずに道からはずれる
- 無謀な運転、不注意運転、飲酒運転をしている人にひかれる

引き起こされる軽度の問題・困難

- 事故に遭い、時間に遅れる
- 事故のせいで遅刻して他人に迷惑をかけ、その人たちとぎくしゃくする
- 警察とレッカー車が到着するまで待たなければならない
- 事故の責任を認めようとしない相手と揉める
- 運転手同士で話をつけようとしているのに、同乗者が喧嘩腰またはせっかちで、話がややこしくなる
- 偏見を持っている、無能、または無情な警察官に事情聴取される
- 保険料が高くなる
- 車が壊れたので他の交通手段を一時的に探さなければならない
- 車の修理代がかかる
- 事故を経験した子どもが怖がり、安心させなければならない
- 打ち身、切り傷、擦り傷などの軽傷を負い、不快感に悩まされる
- 事故で自分の車がダメージを受けたため、今までのように安心して快適に乗れなくなる
- 自分に有利な証言をしてくれる目撃者を探さなければならない
- 親や配偶者に「お前が悪い」と思い込まれて責められる

起こりうる悲惨な結果

- （逮捕状が出ている、強制送還を恐れているなどの理由で）警察を避けて事故現場から逃げる
- 相手の運転手とその同乗者が責任を逃れるために嘘の供述をする
- 自分のせいではないのに責任を負わされる
- 重要な会議があるのに事故のせいで間に合わない
- 保険に入っていない人にぶつけられる
- 相手の運転手に訴えられる
- 保険会社が法律の抜け穴を利用して、損害賠償金を払おうとしない
- 自分の車が大破し、移動の手段がなくなる
- 仕事を休めないときに長期入院をしなければならない
- 怪我が原因で、今の仕事を続けられなくなる
- 高額な治療費がかさむ
- 慢性的な痛みが起きるようになる
- 怪我の後遺症が一生残る、または人生を一変させるような怪我をする
- 事故で犠牲者が出る

結果として生じる感情

怒り、苦悩、いらだち、期待、不安、愕然、懸念、打ちのめされる、失望、落胆、疑念、怯え、危惧、狼狽、フラストレーション、戦慄、短気、怖気づく、パニック、無力感、屈服、

衝撃

起こりうる内的葛藤

- 自分のせいではないが罪悪感を覚える
- 警察や事故の相手と話しているうちに、自分の事故の記憶を疑うようになる
- （体が思うように動かなくなった、車が大破して公共交通機関を利用しなければならないなど）事故のせいで起きた変化をなかなか受け入れられない
- 事故の責任は相手にあるので、相手に対し怒りや激怒を覚える
- 保険会社に賠償金の支払いを拒否されて落ち込み、途方に暮れる
- 事故を忘れて前進することができない
- 「あのときああしていたら」とそればかり考える
- 事故後、心的外傷後ストレス障害（PTSD）や運転恐怖症に苦しむ

状況を悪化させうるネガティブな特性

依存症、挑戦的、失礼、せっかち、衝動的、知ったかぶり、被害者意識が強い、病的、執拗、神経過敏、妄想症、向こう見ず、恨みがましい、協調性が低い、執念深い

基本的欲求への影響

▸▸ 自己実現の欲求

大きな自動車事故で負傷したり、事故が原因で精神的疾患に悩まされたりすると、ある夢をあきらめるはめになり、他の何かに気持ちを向けなければならなくなるだろうが、このような状況は受け入れがたいかもしれない

▸▸ 承認・尊重の欲求

事故のせいで目立つ傷跡が残ったり、身体的なハンディキャップを負ったりすると、他人にどう思われるかが心配になるかもしれない

▸▸ 安全・安心の欲求

大きな事故を経験すると安全だと思えなくなり、特に運転中に脆い気持ちになるかもしれない。また、事故のせいで経済的に困窮すると、生活が一変して不安を感じるようになることも考えられる

対処に役立つポジティブな特性

柔軟、感謝の心がある、大胆、おだやか、芯が強い、如才ない、客観的、注意深い、楽観的、賢い

ポジティブな結果

- 事故の責任を問われたが、ダッシュボードのカメラに証拠映像が残されていて、嫌疑が晴れる
- 事故後は、大切な物事をあって当然だと思わなくなる
- いくら物を所有していても、そんなことは重要でないのだと思い知る
- 新しい車を購入しなければならなくなり、ずっと欲しかったワンランク上の車を手に入れる
- 事故後に様々な検査を受けた結果、深刻な疾患が早期発見される
- 自動車会社に勝訴し、賠償金を手にする

NOTE

自動車事故に巻き込まれると、軽傷ですむ場合から命を失う場合まで、実にいろいろな結果が待ち受けている。事故の責任がキャラクターにある場合、状況がさらに複雑化するので、そちらは、上巻の「自動車事故を起こす」の項目を参照のこと。自動車事故に巻き込まれるとどういう問題が起きるのか、シナリオのアイデアを探りたい場合は、この項目を参考に。

自分に子どもがいたことが発覚する

〔英 Discovering One Has a Child〕

具体的な状況

- 元配偶者や元恋人に、別れの直前に妊娠していたのだと知らされる
- 突然目の前に現れた人物が自分の息子または娘だと名乗る
- 家系調査をしたら、知らない子孫の存在が発覚する
- 父子鑑定を受けるように言われ、実際に受けてみると自分の子どもであることが判明した
- 死産したと言われていた子どもが実は生きていることを知る
- （既往歴を調べる、経済支援を求めるなどの理由で）昔の恋人に何年も経ってから連絡をとってみたら、自分の子どもがいた
- 母親が死亡し、役所から父親に通知が届き、子どもの存在を知る

引き起こされる軽度の問題・困難

- 本当にわが子なのかを確認するため、当時の状況を調べるはめになる
- 将来が不安になって眠れなくなる
- 職場や学校で集中できなくなる
- （腹痛、体重減少、不安症など）ストレス絡みの軽い症状が出る
- どう対処すべきかを考えるまで、秘密にしておかなければならない
- わが子と対面してぎこちなさを感じる
- 子どもを受け入れるため、人生の優先順位を考え直す必要がある
- わが子が生まれた状況をめぐり、様々な噂や誤情報を耳にする
- 父子鑑定を受ける
- 元配偶者または元恋人と困難な話し合いをしなければならない
- 友人や家族が自分を見損なう
-

起こりうる悲惨な結果

- 子どものための新たな経済的義務を負うことになるが、支払えない
- 隠し子がいたことが発覚し、今の配偶者とぎくしゃくする
- わが子と関係を築くため、自分の生活を一変させる必要がある（引越、転職など）
- 浮気をしていた過去がばれる
- 妊娠が発覚したので、有害な元配偶者または元恋人との関係を見直さなければならない
- 自分の他の子どもたちが隠し子についていい顔をしない
- その子は自分の子ではないとわかっているが、証明できない
- わが子には身体的ハンディキャップがあり、介護や世話は自分にはできないと感じる
- 子どもは復讐のために「事実を知らせに来ただけ」で、親子関係が欲しいわけではない
- 子どもから許しを得られない、子どもとつながりを持てない
- 子どもを歓迎したのに、母親に連れ戻されてしまう
- その子と愛情あふれる関係を築いたのに、やはりわが子ではなかったことが判明する
- 元配偶者または元恋人の策略に自分と子どもが振り回される

結果として生じる感情

怒り、不安、裏切られる、根に持つ、混乱、軽蔑、拒絶、意気消沈、不信、屈辱、苦痛、ヒステリー、自信喪失、怖気づく、圧倒、後悔、自責、反感、衝撃、懐疑、脆弱

起こりうる内的葛藤

- わが子の存在を知って他のことに集中でき

なくなり、悪いことばかり考える
- こういう状況に自分をいたらしめた人生の選択肢を後悔する
- その子の親になる能力が自分にはないのではないかと悩む
- 今の配偶者に隠し子のことを言わなければならないのはわかっているが、怖くてできない
- その子が本当に自分の子なのかと疑う
- どうしていいかわからなくなり、優柔不断で身動きがとれない
- わが子である証拠は十分に揃っているのに否定する
- 親になりたいが、自分が機能不全な家庭環境で育ったため、自分の親と同じ過ちを繰り返すのではと恐れる
- 子どもの人生に関与しないと決め、そんな自分を正当化したい誘惑に駆られる
- 子どもとの関係を築こうとしなかった自分に恥を覚え、自己嫌悪に陥る

状況を悪化させうるネガティブな特性

冷淡、幼稚、挑戦的、支配的、残酷、皮肉屋、防衛的、不正直、とげとげしい、無責任、手厳しい、怠け者、偏見がある、恨みがましい、自己中心的、低俗、愚直、執念深い、激しやすい

基本的欲求への影響

▸▸ 自己実現の欲求

親になる重責を負うには、これまでの生活を大きく変える必要があり、自分の夢ややりたいことを追求するのをあきらめなくてはならないだろう

▸▸ 承認・尊重の欲求

もっぱら誠実だと世間から尊敬されている人ならば、浮気や一晩限りの情事で子どもを作った過去が知れ渡ると、自分の社会的地位が失墜する可能性がある

▸▸ 帰属意識・愛の欲求

状況によっては、愛する人たちに決めつけられ、拒絶され、悪人扱いされるかもしれない。自分もその存在を知らなかったわが子が一緒に暮らすとなると、今の家族たちとの関係に摩擦も起きるだろう

▸▸ 安全・安心の欲求

これほどの大きな生活の変化に対応できない場合、経済的にも精神的にも不安定になる可能性がある

対処に役立つポジティブな特性

柔軟、おだやか、芯が強い、自信家、共感力が高い、ひょうきん、太っ腹、温和、気高い、もてなし上手、謙虚、大人っぽい、面倒見がいい、楽観的、世話好き、臨機応変、責任感が強い、スピリチュアル、協力的、倹約家

ポジティブな結果

- わが子と健全な関係を築く
- 元配偶者または元恋人との関係を修復する
- 親になるセカンドチャンスを手にする
- （家族がいなかった場合）家族ができる
- わが子がいると知り、大人としての責任が持てるようになり、他人を優先するようになる
- （物をため込む習慣を克服する、依存症に向き合う、双極性障害の治療を受ける決意をするなど）親として適格な人間になろうと決意する
- わが子の人生を劇的に好転させることができる

NOTE

この項目では、知らないうちに何年も前に子どもができていた事実が発覚する状況を扱う。子どもができたが、まだ生まれていないシナリオを検討する場合は、「思いがけない妊娠」の項目を参照のこと。

切望しているものを得られない

〔英 Not Achieving a Coveted Goal〕

具体的な状況

- プロのスポーツチームに入団できない
- 夢の仕事が他人の手に渡る
- 子どもに恵まれない
- 行きたかった大学の入学許可がもらえない
- 選挙で負ける
- 恋人関係を続けられない
- 有名な大会や競技会で2位になる
- 紹介がないと入れないグループに拒絶される
- 学位を取得する前に退学になる
- 事業が傾く
- 償いをすることができない

引き起こされる軽度の問題・困難

- 計画または自分の期待を調整しなければならない
- 目標達成のために投資した金を失う
- 何をやっても不満で仕方がない
- 情けない思いをする
- 負けたことを人に伝えなければならない
- 目標追求に費やした時間が無駄になったと思い込む
- 他の人たちを失望させた責任を感じる
- 目標を達成できた人たちを羨む
- 自分が欲しかった物を手に入れた友人の近くにいると、自分が無様に思える
- これまで追求してきたものに絡んだ人やイベントを避けるため、自分の習慣を変える
- 「勝たなければならなかったわけでもないしね」「そのうちもっといいことがあるって」など、善意のつもりなのだが役に立たない慰めの言葉を聞かなければならない

起こりうる悲惨な結果

- 夢中になってやっていたことや趣味で感じた喜びが感じられなくなる
- 大きな夢を描いたり、リスクをとったりしたがらなくなる
- 無関心になり、目標を達成しようとしなくなる
- アイデンティティが目標と結びついていたため、自分が何者なのかがわからなくなる
- 神を責め、信仰心を失う
- ひどい自信喪失に陥って自尊心も失い、今後の目標が狂ってしまう
- 自分が有名にも金持ちにもならないことに気づいた、うわべだけのパートナーに捨てられる
- 達成が不可能なほど非現実的な成功像を抱いている
- 力ずくで自分が目標にしていたものを奪おうとする
- 他のことへ気持ちを向けられない
- 気持ちを紛らわすために、自己破滅的になって依存症を発症したり、不健全な付き合いをしたりする
- 心の傷になる
- パニック障害または不安症を発症する
- 鬱になる

結果として生じる感情

受容、怒り、苦悩、裏切られる、根に持つ、混乱、敗北、防衛、拒絶、意気消沈、絶望、決意、打ちのめされる、幻滅、不満、疑念、決まり悪さ、悲嘆、罪悪感、自信喪失、切望、パニック

起こりうる内的葛藤

- 自信喪失や不安定な気持ちと格闘する
- 目標を達成できていたとしたら、または、もっと違う方法があったのではないかとばかり考える
- 苦しみと闘う

- 他の人たちを失望させたことに責任を感じる
- 拒絶状態になり、前進すべきときが来てもそれを拒む
- 夢を捨てきれない
- 深く悲しむべきなのだが、そんな必要はない、目標が叶わなかったのは大したことではないと一蹴したい気持ちになる
- 他の人たちが払った犠牲を自分が踏みつけにしているかのような罪悪感を覚える
- 「あれは一回限りのチャンスだったから、自分が幸せに感じることは二度とない」と思い込む
- 前進したいが、どうしたらよいのかわからない

状況を悪化させうるネガティブな特性

無気力、皮肉屋、愚か、不安症、理不尽、嫉妬深い、執拗、完璧主義、恨みがましい、自滅的、執念深い、引っ込み思案

基本的欲求への影響

▸▸ 自己実現の欲求

自分の幸福とアイデンティティが目標に結びついている人は、他のことではなかなか満足しないだろう

▸▸ 承認・尊重の欲求

目標の達成にある種の能力や一定の才能が求められる場合、目標を達成できないと自分の能力を疑い、自尊心に悪影響が出るだろう。同様に、他の人たちが自分の才能を誇りに思っていた場合は、その人たちに尊敬されなくなる可能性がある

▸▸ 帰属意識・愛の欲求

目標を達成できなかったせいで、友人や家族に批判され、背を向けられた場合、自分の帰属意識が脅かされるはずだ

▸▸ 安全・安心の欲求

目標を達成していたら経済的にも安定し、健康で安全でいられたのであれば、別の目標達成方法を見つけるまでは、安全・安心の欲求が満たされなくなるだろう

対処に役立つポジティブな特性

柔軟、野心家、感謝の心がある、芯が強い、自信家、規律正しい、謙虚、勤勉、楽観的、粘り強い、天才肌、奔放

ポジティブな結果

- 自分の弱点に気づき、それをなくそうと努力する
- 成功とは何かを考え直す
- 一番にはなれなくても、憧れの職業に近い仕事に就く（スポーツのコーチになる、音楽を教える、レポーターやコメンテーターになるなど）
- 今まではがむしゃらだったが、歩みを緩め、あまり多くのことに手を広げないでいるうちに充足感を得られるようになる
- 自分の価値を決めるのは天賦の才能だけではないことに気づく
- 別の目標に軸足を移し、それに向けて積極的に活動する
- 成功が個人の価値を決めるわけではないことに気づく

誰かを置き去りにしなければならない

〔英 Having to Leave Someone Behind〕

具体的な状況

- 生きるか死ぬかの状況で、負傷者を置いていかなければならない
- カルト集団または誘拐犯から逃げるため、他の被害者たちを置き去りにする
- 家族全員を連れて行く資金がなく、単身で危険な母国から逃げる
- 自然災害が押し寄せ、その場を離れたがらない友人を置いて逃げる
- 愛する人のどちらかを選ばなければならない不可能な決断を迫られる（ソフィーの選択）
- 危険な場所を去る最後の船や飛行機に、全員を乗せるだけの空きがない
- 虐待がまかり通っている家から、幼い兄弟姉妹または子どもを置いて逃げる
- 負傷した同胞が（足手まといになるからと）前に進むのを拒むので、置き去りにしなければならない
- 後退する軍隊が負傷兵を置き去りにしなければならない
- 兵士として召集され、配偶者と子どもを置いて戦争に行く

引き起こされる軽度の問題・困難

- （火をおこす、星を頼りに移動する、狩りをする、物々交換をする、窮地に立ったときに誰か説得して脱するなど）置き去りにされた人が担っていた仕事を自分はできないため、不便が生じる
- 置き去りにされた人のことを恋しがる
- 置き去りにされた人の財産がなくなる
- 置き去りにされた人の人脈を利用して助言、金銭的支援、情報などを得ていたが、それを入手できなくなる
- 交替で見張りをし、作業を分担し、協力し合って食糧を確保した相手がいなくなる
- 相手を見捨てて行動を共にしなくなったため、計画を変更しなければならない
- 助言を受けたり、戦略の相談をしたりできなくなる
- 眠れなくなる、または食べられなくなる

起こりうる悲惨な結果

- 見捨てられた人の家族に事情を説明しなければならない
- 仲間を置き去りすることに不服な同胞を説得しなければならない
- 置き去りに反対した人たちに責められる
- 置き去りにしたのは間違いだったことが発覚し、後悔にさいなまれながら生きなければならない
- 仲間を置き去りにした罪悪感や恥と格闘しながらも、他の人たちを率い続けなければならない
- 人を置き去りにしたことが原因で、夜驚症や心的外傷後ストレス障害（PTSD）の症状に苦しむ
- 見捨てられた人が生き延び、置き去りにした自分を決して許さない
- 見捨てられた仲間がその後（敵に捕まった、拷問を受けた、一人で重病に苦しんだなど）ひどい目に遭ったことを知る
- 見捨てられた仲間が死ぬ
- 生き残るために仲間を見捨てたのに、自分も死ぬ

結果として生じる感情

怒り、苦悩、防衛、意気消沈、絶望、打ちのめされる、落胆、疑念、怯え、悲嘆、罪悪感、戦慄、孤独、圧倒、パニック、無力感、後悔、自責、屈服、悲しみ、自己嫌悪、恥、苦しみにもがく

起こりうる内的葛藤

- 後悔と悔恨の念に圧倒される
- 置き去りにする以外に選択肢があったのではないかと執拗に振り返る
- 生存者であることの罪悪感に苦しむ
- 置き去りにすることが明らかに正しい選択だったとしても、戻って一緒に連れて行きたい誘惑と格闘する
- 逃げおおせた安堵と、仲間を置き去りにしたことへの恥がないまぜになる
- 自分を許せない
- 自分の直感や決断を疑う
- 反感を持っていたから、あの人を見捨てたのではないかと自分を責める
- 悲しみに打ちひしがれたいのに、そうできない
- 人前で正気を保つのに苦労する
- 疑いを持っているのに、置き去りの判断は正しかったと自信を持って明言する必要がある
- 人を率いるのが怖くなる
- 置き去りになった仲間を救いたくても共倒れになるだけなので、他の人たちにそうさせないよう、「あいつは既に死んでいた」などと嘘をつかなければならない

状況を悪化させうるネガティブな特性

依存症、冷淡、臆病、皮肉屋、防衛的、優柔不断、不安症、病的、向こう見ず、自滅的、引っ込み思案、心配性

基本的欲求への影響

▸▸ 自己実現の欲求

罪悪感や疑念、自己嫌悪にさいなまれていると、そうした感情から抜け出せなくなり、自分の夢や好きなことに向かって前進できなくなるかもしれない

▸▸ 承認・尊重の欲求

人を置き去りにするという恐ろしい決断をせざるを得なかったせいで、自分は価値のない人間で、許すに値しないと悩みがちになるはずだ

▸▸ 安全・安心の欲求

あとで精神疾患を患うと、心の平安が蝕まれていくかもしれない

対処に役立つポジティブな特性

分析家、芯が強い、決断力がある、熱心、客観的、積極的、責任感が強い、賢い

ポジティブな結果

- 誰かが犠牲を払ってくれたおかげで、自分や他の人たちが助かる
- 振り返って考えると苦渋の決断だったが、正しい選択でもあったことに気づく
- 見捨てられた人の愛する人たちから許しを得る
- 自分自身を許せるようになる
- あの人の犠牲を無駄にしない人生を送ろうと決意する
- あの人の犠牲を世に伝え、世間に英霊への感謝を促す
- 自らの体験をもとに、同じ過ちが繰り返されないよう戦争や紛争の人的損失を世に伝えて啓蒙する

NOTE

人生には不幸にも自分が何かを選択した結果、誰かを置き去りにすることがよく起きる。なぜそうなるのかは多くの要因によるのだが、この項目では、どうしても置き去りにせざるを得ない状況を扱う。

捕まる

〔英 Being Captured〕

具体的な状況

- 誘拐される
- 人質にとられる
- 敵に捕まり、捕虜になる
- 警察に逮捕される
- 脱出するが再び捕まる

引き起こされる軽度の問題・困難

- 家族や友人、自分を日々慰めてくれていたものを恋しがる
- 自分が捕まったことを愛する人に知らせるすべがない
- 負傷する、精神的苦痛を味わう、または意気消沈する
- 自分がどこにいるのかがわからない
- 眠れない
- 愛する人たちが自分の居場所や自分に何が起きたのかを知らない
- 拘束者の気を緩ませるために関係を築く必要がある
- 拘束者が誰なのか、その動機は何なのかを探ろうとする
- 拘束者が入手しようとしている情報を守る必要がある
- 脱出する方法を探さなければならない
- 他の人たちの士気をくじくプロパガンダの謳い文句を強制的に作らされる
- 解放と引き換えに拘束者に身代金を払わなければならない
- 拘束者に関する情報を摑むが、それを利用できる人に渡せない

起こりうる悲惨な結果

- 反抗して負傷する
- 解放されたくても、それに必要な資源（身代金、影響力など）がない
- 友人や愛する人も捕らわれている事実が発覚する
- 解放してもらうため、または愛する人を守るために機密情報を漏らす
- 救出者の手の届かない、厳重に警備された場所に移される
- 受けなければならない治療があるのに、それを拒まれる
- 心的外傷後ストレス障害（PTSD）を発症する
- 成功の可能性はわずかしかないが脱走を図る
- 食べ物や飲料水、衣服、体を休める場所などを与えてもらえない
- 情報を吐き出させるための拷問を受ける
- 何かの実験台にされる
- 性暴力を受ける
- 殺害される

結果として生じる感情

不安、裏切られる、根に持つ、葛藤、混乱、敗北、防衛、反抗、意気消沈、絶望、自暴自棄、疑念、危惧、ホームシック、短気、怖気づく、孤独、パニック、無力感、苦しみにもがく、あやふや、脆弱、用心

起こりうる内的葛藤

- 拘束者に自分が恐れていることを探られないよう必死になる
- 孤立無援のつらさやさみしさと格闘する
- 精神が錯乱する、または錯乱しそうになる
- 希望が持てなくなり苦しむ
- 必要な物や自由を手に入れるために自分の道徳観または安全を犠牲にすべきかどうか悶々とする
- 生き残るために道徳規範を犠牲にしなければならず、罪悪感を覚える
- 無力感を覚えるが、他の人質たちを励まし

続けるために、自分の本心を隠さなければならない
- 自分の解放のために払う犠牲（身代金の支払い、極悪な政治犯の解放など）を考えると身を引き裂かれる思いがする
- 拘束者から聞いた情報（愛する人たちについて、母国の状況についてなど）が正しいかどうかがわからない
- 絶望に屈しそうになる
- 尋問中に嘘をつきたくなるが、拘束者が既にどれだけの情報を知っているのかがわからない
- 心的外傷後ストレス障害（PTSD）を一人で乗り越えなければならない
- 他の人質と親しくなりたいが、いずれ殺されるかもしれない、またはどこかへ連れ去られるかもしれない人と親しくなるのは気が引ける

状況を悪化させうるネガティブな特性

挑戦的、支配的、臆病、不誠実、愚か、だまされやすい、とげとげしい、衝動的、無頓着、妄想症、悲観的、強引、反抗的、向こう見ず、自己中心的、非倫理的、くどい、激しやすい、意気地なし

基本的欲求への影響

▸▸ 承認・尊重の欲求

行動が制限されていたり、自分が物として扱われていたりすると、自分に価値があると思っていても、自信が揺らぐ可能性がある

▸▸ 帰属意識・愛の欲求

大切に思っていた人質仲間が殺されて苦しんだ場合は、他の人質と新たに親密な関係を築くのを避けるかもしれない

▸▸ 安全・安心の欲求

捕まると、安全でいられる、予測可能な環境を失うはずだ。強度のストレスを感じ、危険の多い場所に閉じ込められていると、精神的にも参ってしまう可能性がある

▸▸ 生理的欲求

食べ物や水、体を休める場所を与えられずに協力を強いられると、生きていくための基本的欲求が満たされなくなる

対処に役立つポジティブな特性

用心深い、慎重、芯が強い、魅力的、協調性が高い、勇敢、如才ない、規律正しい、控えめ、熱心、気高い、注意深い、忍耐強い、愛国心が強い、勘が鋭い、粘り強い、雄弁、臨機応変、スピリチュアル、利他的

ポジティブな結果

- 何とか脱出に成功する
- 救出される
- 信仰心を新たにする、または信仰心を持つようになる
- 強度のストレスが続く環境で新たな友人を見つける
- 自分の強みを発見する
- 同じように捕らわれるかもしれない状況を避けるようになる
- 不遇な目に遭っている人々や忘れ去られている人々の気持ちが理解できるようになる
- トラウマを経験している人たちを励まして助ける
- 自分には感情を表に出さす、逆境を跳ねのける力があることを知る

取り残される

〔英 Being Stranded〕

具体的な状況

- 辺鄙な場所で車が故障する
- 行かなければならない場所があるのに、交通手段も金もない
- フライトがキャンセルされ、空港で足止めを食らう
- 敵地を脱出しようとしている最中に護衛に見捨てられる
- 出国に必要な書類に記入漏れがあったり、パスポートなどが期限切れだったりして、外国から出国できない
- 見知らぬ土地でグループと離れてしまう
- 自宅から遠く離れた場所にいるときに大惨事が起き、それまで使えていた通信網が遮断される
- （指名ドライバーが酒に酔った、家まで送ってもらうはずの車に乗りそびれる、携帯電話の電源が切れて家に電話できないなどの理由で）未成年が家に帰れなくなる

引き起こされる軽度の問題・困難

- 旅行中に心配になり、どうしていいかわからなくなる
- 待たされている間、幼い子どもたちをあやさなければならない
- 見知らぬ人たちの親切に頼るはめになる
- 予定を立て直さなくてはならず、不便を感じる
- 別の車で帰宅することになり、その到着を待たねばならない
- 予定が狂い、時間にロスが出たことにいらいらする
- （暑さや寒さ、空腹、人混みなどが原因で）身体的に不快を感じる
- 仲の悪い人たちと一緒に取り残される
- 取り残された土地の言語や習慣がわからない
- （パスポート、十分な現金、気候に合った衣服など）必要な物を手に入れなければならない
- 新たな交通手段を確保するために法外な出費を負担するはめになる
- そもそも自分が取り残される原因を作った人と一緒に取り残される

起こりうる悲惨な結果

- 重要な仕事の会議や家族のイベントを逃す
- 危険な場所に取り残される
- （怪我や病気をしている、酩酊している、妊娠しているなど）大変傷つきやすい状態で取り残される
- 出国の手続きができず、外国にいつまでもとどまるはめになる
- 待っている間に、食糧や水、現金、医薬品など必需品が底をつく
- 家族や友人と取り残されていたが、離ればなれになる
- 社会不安が起きている地域に取り残され、人種、宗教、肌の色などを理由に狙われる
- 知らず知らずのうちに目立つことをして狙われる
- どうしていいかわからなくなり、身動きできなくなる
- 間違った人を信用し、その人に助けを求めてしまう
- 強盗または詐欺に遭い、交通手段だけでなく現金や携帯電話なども失う
- 蓄えてあった食糧を盗むなど、大胆な行動に出て捕まる

結果として生じる感情

動揺、怒り、不安、懸念、裏切られる、自暴自棄、決意、失望、不信、落胆、疑念、怯え、危惧、狼狽、罪悪感、ホームシック、短気、

孤独、切望、圧倒、パニック、無力感

起こりうる内的葛藤

- いらいらする
- (自分に実際に非があるかどうかに関係なく) 不意を打たれて足止めを食らったことに対して自分を責める
- 愛する人たちと離ればなれになり心配になる
- 現状打破のため、自信のない自分を叱咤しようとする
- 現状を乗り切るため、道徳的に妥協する誘惑に駆られる
- 自分が取り残される原因を作った人に対する怒りや憎しみで、胸がいっぱいになる
- 何としてでも助けが必要なのに、人を信用できない
- この先どうなるのかと不安に襲われる
- ネガティブな考えをなるべく避け、楽観的に構えようとする

状況を悪化させうるネガティブな特性

無神経、幼稚、皮肉屋、不誠実、いい加減、失礼、愚か、だまされやすい、無知、せっかち、衝動的、執拗、卑屈、小心者、協調性が低い、不満げ、心配性

基本的欲求への影響

▸▸ 自己実現の欲求

一人取り残されれば、家や家族、仕事から離れてしまう。家に帰るまでは一時的に自己実現の欲求を犠牲にしなければならないだろう

▸▸ 承認・尊重の欲求

自分の非で取り残された場合、自分の能力を疑い、自信を持てないはずだ。自分の計画ミスや組織力がないために他人が巻き込まれたとなれば、その人たちから尊重されなくなることも考えられる

▸▸ 帰属意識・愛の欲求

愛する人たちと長期間離ればなれになる場合は、家や家族が恋しくなるかもしれない

▸▸ 安全・安心の欲求

危険な状況に陥っている場合、安全や安心がいとも簡単に失われる可能性がある

▸▸ 生理的欲求

怪我や病気をしている場合や、生き残るのに必要なものがない場合、命の危険を感じるレベルにまで状況が悪化する可能性がある

対処に役立つポジティブな特性

柔軟、冒険好き、用心深い、おだやか、協調性が高い、如才ない、勤勉、注意深い、楽観的、忍耐強い、粘り強い、雄弁、世話好き、臨機応変、正義感が強い、奔放

ポジティブな結果

- 共に取り残されている人たちと、救助が来るまでの待ち時間を最大限に活用する
- 自分を泊めてくれた人たちから貴重な何かを学ぶ
- 足止めになっている国の文化を学ぶ
- 見知らぬ人たちに親切にされ、心を入れ替える
- 家のありがたさをあらためて知る
- わずかな物で生きていく方法を身につける
- 新たなサバイバルスキルを習得する
- (忍耐、寛容さ、機転など) 役に立つ性質を備えるようになる

パートナーが借金を重ねる

〔英 A Partner Racking Up Debt〕

具体的な状況

- 学資ローンを組む
- 与信枠ぎりぎりまで金を借りる
- 賃貸物件を購入するが、逆に貯金をつぎ込むはめになる
- 親戚の事業に投資するが失敗する
- 高利貸しに借金をしている
- 法的トラブルから逃れるために配偶者が弁護士を必要としている
- 傾いている事業を立て直すため、パートナーが返済能力を超えた借金をする
- 成人した子どもが人生の選択を誤り、その子を救うため、パートナーが他人の金に手を付ける
- パートナーが飼いはじめた犬に高額な治療費がかかり、その治療費を勝手に家族のクレジットカードを使って支払う
- パートナーが薬物依存症回復支援施設に滞在し、その支払いのために自宅のローンの条件を変えなければならない
- パートナーが家族の名を汚すような横道にそれたことをし、誰かにゆすられている
- 事業パートナーが会社のキャッシュフローをずさんに管理していた事実が発覚する

引き起こされる軽度の問題・困難

- カードで買い物をしようとしたら、突然カードが拒否され使えなくなる
- カードが拒否され買い物ができず、恥ずかしい思いをする
- お金の管理がずさんなため、パートナーと口論になる
- 借金の状況が実際どれほどひどいのかを確認するため、銀行に電話をしなければならない
- 他にも辻褄の合わない支払いがないか、過去の請求書を調べる
- 他にも隠れて借金をしていないかを調べるため、オンラインの口座に勝手にログインする、またはこっそりとファイルキャビネットを開く
- 予算を組み直す
- クレジットカードを切り刻んで使えなくする
- 定期購読や会員費をキャンセルして出費を抑える
- 出費を避けるため、眼鏡を作るときの検眼など、治療や検査を遅らせる
- かさむ借金を何とかするために、借金カウンセラーに相談に乗ってもらわなければならない

起こりうる悲惨な結果

- 自分だけが知らなかったために、パートナーとの間の摩擦が強くなり信用できなくなる
- パートナーが借金だけでなく他にも裏切り行為をしていた（素性を隠してインターネットで心の浮気をしていたなど）事実が発覚し、関係が悪化する
- パートナーが財務を不正に処理していたため、法的トラブルに発展する
- 退職後の蓄えや子どもの大学進学用の学資まで使い果たされていたことが発覚する
- パートナーが（薬物、ギャンブル、危険な行動などの）依存症を抱えているので、それに対処しなければならない
- 自分の資産が差し押さえられている
- 自宅を売り払い、賃貸暮らしをしなければならない
- 早期退職する予定だったが、働き続けなければならない
- 結婚生活が破綻する
- 高利貸しに脅される
- 恥をしのんで実家に借金を申し込まねばならない

- 家族がパートナーに既に金を貸していて、それも金銭トラブルになっている事実が発覚する
- 何もかも失い、一から再起しなければならない
- 会社を畳み、破産手続きをする

結果として生じる感情

怒り、愕然、裏切られる、根に持つ、混乱、軽蔑、打ちのめされる、不信、危惧、悲嘆、罪悪感、屈辱、苦痛、圧倒、パニック、激怒、不本意、反感、屈服、冷笑、自己嫌悪、自己憐憫、恥、衝撃、評価されない、脆弱、気がかり

起こりうる内的葛藤

- 金銭トラブルの兆候を見逃してはいなかったかと、これまでのやりとりを振り返る（自分を責める）
- 恥を覚える
- 自分のパートナーなのに、知らない人であるような気持ちになる
- 自分以外にこの金銭トラブルを知っている人はいるのか、その人にどう思われているのかと悩む
- 経済的安定を得るためにあらゆる犠牲と努力を払ったのに、水の泡となったような気持ちになる
- 怒りが内面化し、パートナーに任せきりで、すべてを把握していなかった自分を責める
- 助けを求めたいが、誰に助けを求めればいいのかわからない
- 「あのときに戻れたら」と思っている自分を弱虫だと思う
- パートナーを恨み、裏切られたことを忘れて前進できるのかどうかがわからない

状況を悪化させうるネガティブな特性

依存症、冷淡、挑戦的、支配的、不誠実、いい加減、不真面目、貪欲、偽善的、頑固、無責任、手厳しい、物質主義、完璧主義、わがまま、自己中心的、甘ったれ、うぬぼれ屋、暴力的

基本的欲求への影響

▸▸ 自己実現の欲求

経済的に不安定になったため、貯金はすべて生活費に回さなければならなくなる。自分にはもっと意義のある目標があり、その達成には時間と資金がかかる場合、経済状況が安定するまではその目標はお預けになるかもしれない

▸▸ 承認・尊重の欲求

パートナーの借金問題が広く知れわたると、自分が非難されているような気持ちになり、自尊心が傷つくだろう

▸▸ 帰属意識・愛の欲求

パートナーが隠れて借金をしていた事実は、2人の間に信頼がなかったことを示唆するため、どんなに強く結ばれていた2人でも、関係が不安定になる可能性がある

▸▸ 安全・安心の欲求

清算に時間がかかる借金の場合は、カップルの貯蓄を切り崩さなければならないので、生活が苦しくなるだろう

▸▸ 生理的欲求

借金返済の壁があまりにも高くて乗り越えられない場合は、自宅も含め、すべてを失うかもしれない

対処に役立つポジティブな特性

柔軟、野心家、慎重、規律正しい、勤勉、忠実、情け深い、楽観的、きちんとしている、粘り強い、積極的、倹約家、利他的

ポジティブな結果

- 出費を抑え、借金を早く返済する
- パートナーの依存症を克服するため、助けを求める
- 借金カウンセラーの助けを借りながら、借金の返済額を毎月支払える金額にする
- 借金を相殺できるだけの遺産を相続する
- 金銭トラブルが再び起きないように習慣を変え、パートナーとの意思疎通をしっかりする

パニック発作が起きる

〔英 Having a Panic Attack〕

引き起こされる軽度の問題・困難

- 頭が働かなくなる
- 現実から乖離しているような気持ちになる
- さっとその場を去り、人目につかない場所へ移動する必要がある
- 鼓動が激しくなる、汗が出る、震える、吐き気がする、息切れするなど不快な反応が体に出る
- めまいがして歩行が困難になり、方向感覚もわからなくなる
- パニック発作が起きていることを隠さなければならない
- パニック発作のことを知られたら、他の人たちにどう思われるのだろうと心配する
- 弱い人間または怖がりに見られたくない
- 人前でパニック発作が起きて、恥ずかしい思いをする
- 心臓発作が起きたと思い込み、救急車を呼ぶ
- 心臓発作の疑いがあって治療を受け、高額の医療費がかさむ

起こりうる悲惨な結果

- 恐怖心に圧倒される
- 恥ずかしくて助けを求められない
- 次はいつ発作が起きるのかわからない
- 愛する人たちが助けてくれると言っているのに、一人で発作に耐える
- また発作が起きるのを恐れ、せっかくの機会を逃す
- 精神疾患を患った経験がない人たちに非難される
- 仕事や学校でいい成績をなかなか残せない
- 何かを任されても、なかなか完遂できない
- （心理療法が保険の適用範囲外である場合は特に）心理療法を受ける金銭的余裕がない
- 自立した生活ができなくなり、人に頼るようになる
- 仕事の面接中や、スポーツチームの入団テストの前、デート中など、最善の自分を出さなければならないときに発作が起きる
- 弱みを見せたらつけ込まれるに決まっている敵の前で発作が起きる
- また発作が起きるのを恐れるあまり、（運転や外出などの）恐怖症を発症する
- パニック発作が起きる頻度が増え、重度が増す
- 頻繁に発作が起きるので、パニック障害の診断が下りる
- 逃避のために薬物やアルコールを乱用する
- 鬱になる
- 自殺を考える

結果として生じる感情

苦悩、不安、懸念、根に持つ、意気消沈、絶望、自暴自棄、怯え、弱体化、決まり悪さ、危惧、戦慄、屈辱、ヒステリー、圧倒、パニック、疑心暗鬼、無力感、恥、苦しみにもがく、心配、脆弱

起こりうる内的葛藤

- 他の人たちに発作を起こしている姿を見られたくないが、一人で発作に耐えたくない
- 理由もなく恐れているのはわかっているが、その気持ちはとめられない
- （怖がるべきものは何もないのに極端な恐怖心が芽生えるため）自分の脳を信用できなくなる
- 自分の気がおかしくなっているのではと怖くなる
- 与えられた責務をこなせないため、罪悪感または恥を覚えて葛藤する
- （心臓発作だと思い込んでいる場合）病院のベッドに縛りつけられて、罪悪感または恥

を覚える
- 子どもにパニック発作のことについて正直に話しておきたいが、怖がらせたくはない
- 関心があってやりたいことはあるが、自分には無理だと思ってできない
- ある場所を訪ねたいが、また発作が起きはしないかと避けている
- 外に出て行って友人を作りたいが、自分の精神状態を人に知られるのが怖い

状況を悪化させうるネガティブな特性
依存症、支配的、頑固、抑制的、不安症、男くさい、神経質、完璧主義、自滅的、寡黙、協調性が低い、引っ込み思案、心配性

基本的欲求への影響

▸▸ 自己実現の欲求
パニック発作が起きてせっかくのときを台無しにした経験があると、思い切ったことができなくなって安全な道ばかりを選び、夢を叶えることもない、ぱっとしない人生を送ることになる可能性がある

▸▸ 承認・尊重の欲求
人前で、特に好印象を与えたい人たちの前で、パニック発作が起きると恥ずかしい思いをするだろう

▸▸ 帰属意識・愛の欲求
頻繁に発作を経験する人は、人と一緒にいるよりも一人でいるのを好むかもしれない。孤独を強いられて、周囲から遮断されたような気持ちになる可能性もある

▸▸ 安全・安心の欲求
パニック発作に苦しむ人は、実際に恐怖が目の前に迫っていようと、怖いと感じているだけだろうと関係なく、根本的に身の危険を感じている

対処に役立つポジティブな特性
用心深い、分析家、客観的、楽観的、勘が鋭い、粘り強い、積極的、臨機応変、スピリチュアル、お人好し、奔放

ポジティブな結果
- 発作の兆候に気づき、実際に発作が起きる前に策を講じられるようになる
- 発作に耐え抜いた経験から自分に新たな強さを見いだす
- 救いを求めて治療を受けた結果、発作の頻度が減る、または発作がまったく起きなくなる
- 同じようにパニック発作に苦しむ人たちにより共感できるようになる
- パニック障害だと診断されても、充実した人生を送れるようになる

NOTE
パニック発作とは、つらい過去の出来事や、生活の変化からくるストレス、または過去のトラウマを想起させる環境内の何かが引き金となって、突然引き起こされる極度の恐れを指す。明らかな危険や原因もないのに起きることもある。実際に危険に直面したときや、危険があると思い込んだときの身体的反応は強力で、本能的に、体をコントロールできないほど極端な反応を示す。発作は特定の状況下でのみ起きる場合もあるし、パニック障害として繰り返し起きる場合もある。いずれにしても、こうした発作は恐ろしく、「また発作が起きたらどうしよう、人前で起きたらどうしよう」と恐怖心が芽生える。

引越さなければならない

〔英 Having to Move〕

具体的な状況
- 転勤になる
- 経済的事情により引越しする
- 別離や離婚をきっかけに引越しする
- 治安が悪化し、もっと安全な地域へ引越したい
- 老人ホームや医療施設などの特別養護施設へ引越しする
- 自分の住居が使用禁止になる、または安全上の問題が発生して住めなくなる
- 強制退去させられる
- 病気で苦しむ家族のために環境のよい場所へ引越しする
- （敵から逃げる、警察に捕まりたくない、暴力的な元配偶者から逃げるために）遠くへ逃亡する
- 慌てて引越さなければならず、事前通知もなしに急に仕事を辞めるなどして、人に迷惑をかける

引き起こされる軽度の問題・困難
- 時間のあるときに荷物をまとめなければならない
- 引越に腹を立てている子どもたちを鎮めなければならない
- 銀行口座の残高が少なく、引越予算に影響する
- 家を売りに出すが、高額な修繕が必要であることが発覚する
- 家を売りに出したはいいが、迷惑な時間に内見が入って家を出なければならない
- 物を減らすため、大切にしていた物を売らなければならない
- 様々な予約や約束、休暇の予定を変更しなければならない
- 友人や隣人とつらい別れをしなければならない
- 転校しなければならない
- 通勤が長くなる
- 転職しなければならない

起こりうる悲惨な結果
- 不安定な関係を何とかしようと引越したのに、結局別れてしまう
- 子どもが新しい学校を嫌う、またはそこでいじめに遭う
- 新しい仕事が気に入らない（または仕事が見つからない）
- 引越先の家は問題（水漏れ、害虫の発生など）だらけであることが発覚する
- 引越した地区の治安が悪く、住みたくない地域であることに気づく（引越した家のすぐ近くにコカインの密売が行われている家がある、近所に建築中の工場があるなど）
- 老人ホームが安全ではなく、きちんと面倒を見てもらえる場所ではないことが発覚する（ひどい食事が与えられる、介護士が長時間勤務をさせられていている、介護士がいい加減、人と触れ合う活動がない、他人の薬を間違って与えられるなど）
- 犯罪者が隣に住んでいることを知る
- 新しい住宅ローンを払えなくなる
- 引越したばかりのところへ体調を崩し、近くに頼れる人がいない
- 追手を振りきれず、また引越しするはめになる

結果として生じる感情

懸念、葛藤、敗北、決意、失望、フラストレーション、罪悪感、ホームシック、希望、孤独、懐古、あやふや、脆弱、気がかり

起こりうる内的葛藤

- 引越はやりたかったことをあきらめるに等しいのではないかと心配になり、挫折感を覚える
- 愛する人たちや、自分を必要としている人たちから遠ざかることに罪悪感を覚える
- 引越の決断をしたのにまた悩む
- (引越先が今よりも小さかったり、治安が悪い場所だったりする場合) 自尊心が傷つく
- 引越に絡んで変化が多く、不安に駆られる
- 子どもたちが引越先にすぐ慣れるだろうかと心配になる
- ホームシックと格闘する
- 新しい家や場所に不満を感じる
- 家族や友人と離れ、孤独感を覚える
- 将来を案じる
- 過去を振りきったのに、追手がやってくるのではないかと気が気でない

状況を悪化させうるネガティブな特性

支配的、いい加減、忘れっぽい、気むずかしい、せっかち、物質主義、大げさ、神経過敏、悲観的、独占欲が強い、偏見がある、注意散漫、気分屋、協調性が低い、激しやすい

基本的欲求への影響

▸▸ 承認・尊重の欲求

強制的な引越で状況が悪化したり、引越にいたるまでの経緯で自尊心が傷ついたりした場合は、承認・尊重の欲求が満たされずに苦しむだろう

▸▸ 帰属意識・愛の欲求

新しい土地に慣れるのは簡単ではないし、他の人たちとのつながりをなかなか持てない人もいる。孤独でさみしくなれば、自分を浮草のように感じ、これから先もどこかに属すことはないだろうという気持ちになるかもしれない

▸▸ 安全・安心の欲求

治安の悪い地区へ引越さなければならなかったり、犯罪組織のリーダーがのさばっている建物に引越し、彼らの庇護を受ける代わりに金を納めなければならなかったりすると、安全が脅かされる可能性がある

▸▸ 生理的欲求

危険人物から追われている場合や、証人として保護されているのに居場所を悪党に突きとめられてしまった場合は、死が待ち受けているかもしれない

対処に役立つポジティブな特性

柔軟、慎重、熱心、外向的、自然派、面倒見がいい、注意深い、責任感が強い、感傷的、倹約家

ポジティブな結果

- 変化に慣れ、逆境を乗り越えるのは、人生の一部であることに気づく
- 引越先で新しい友人を見つけ、新たな機会にも恵まれる
- 前の家や暮らしに絡んだつらい思い出を手放す
- 人生を新鮮な目で見るようになる
- もっと自立してうまく生きていけるような気持ちになる
- 新しい環境でうれしい驚きを感じる(近隣の人がもっと親切、気候がおだやか、子どもが新しいことに夢中になるなど)
- 自分に対し思い込みや決めつけをしない人々に囲まれてやり直す
- 一緒にいるべきではなかった友人もいたことに気づき、彼らなしで快適に暮らす

ペットに先立たれる

〔英 The Death of a Pet〕

引き起こされる軽度の問題・困難

- 家族で飼っていたペットの死を子どもにやんわりと伝えなければならない
- 喪失を経験したことのない幼い子どもたちに「死ぬとはどういうことなのか」を説明する必要がある
- 家族たちがペットの死を悼むことができるようにしてやる
- 家に残されたペット用品を見ていると悲しくなるので、何とかしなければならない
- ペットの葬儀の手配をする（火葬にするか、剥製にして残すかなど）
- 埋葬のためにペットの遺灰を手にし、喪失感を再び味わう
- （死ぬ前に予約を入れていた動物病院に電話を入れる、ペットを最近見かけないと声をかけてきた隣人に説明するなど）ペットが死んだことを人に説明しなければならない
- 飼っていたペットによく似た動物を見かけ、その生前を思い出す
- （一人で散歩に出かける、一人で寝るなど）ペットのいない生活に慣れなければならない
- ペットを失った悲しみをいつまでも引きずっていてはだめだと他人に批判される

起こりうる悲惨な結果

- 心の準備ができていないのに、新しいペットを飼いはじめる
- 家族の心の準備ができていないのに、愛する人がよかれと思って新しいペットを買ってくる
- ペットが死んだのは自分のせいでもあるため、次のペットを飼うことができない
- 家族間で心を癒すために必要な物が違い、意見が対立する（一人は新しいペットを飼いたがるが、もう一人はまだそういう気持ちになれない）
- わが子がペットの死を受け入れられず苦しんでいる
- 介助犬を失い、自立した生活を送れない
- 悲しみに暮れる家族に不当に責められる
- ペットのために費やした手術費や検査費がかさみ、大きな借金を負う
- 犯罪調査にペットの死が絡んでいて、死んだときの詳細を何度も思い出すはめになる
- 親の命日や流産をした日、離婚が成立した日など、何かを失った日に、または前後にペットが死ぬ
- ペットが大切な人と同じ死に方をする
- 残酷な死に方をした、または暴力の犠牲になったペットを忘れることができない
- 残された他のペットが死んだ仲間を思ってやせ衰える
- 既に精神的に参っていたところへペットが死に、感情の起伏が激しくなったり、自傷行為に走ったりする危険が出てくる

結果として生じる感情

怒り、苦悩、根に持つ、拒絶、意気消沈、絶望、打ちのめされる、不信、落胆、怯え、悲嘆、罪悪感、孤独、切望、懐古、圧倒、自責、悲しみ、衝撃

起こりうる内的葛藤

- ペットの命を救うためにもっとしてやれなかったことを悔やむ
- ペットの死は自分のせいだと責める（正当な理由があってもなくても）
- 延命治療があったのに、その費用を払えなかったことに恥や罪悪感を覚える
- 痛みを伴う治療を受けさせたのに結局死なせた自分の決断をくよくよ悩む
- 子どもを傷つけないようにとペットの死を隠して嘘をつき（犬が逃げた、農場で暮らす

へ

ことになったなどと言った)、身を引き裂かれる思いをする
- 新しくペットを飼いたいが、また悲しい思いをするのかと思うと気が引ける
- (ペットに別れを告げる機会がなかった場合は)ペットが死んだという実感がわかない
- 悲しみたいが、子どものため、または他の家族が嘆き悲しんでいるため、感情を押し殺さなくてはならない
- (たとえ偶発的であっても)ペットの死に関与した家族を許すことができない
- またペットを飼いたいが、金銭的事情で飼えない
- 悲しみから抜け出せない

状況を悪化させうるネガティブな特性

不安症、理不尽、被害者意識が強い、大げさ、うっとうしい、神経質、引っ込み思案

基本的欲求への影響

▸▸ 承認・尊重の欲求

ペットが生きているときに十分な時間を一緒に過ごさなかった、または高額な治療を受けさせてやれなかったなど、自分の判断を後悔している場合は、自尊心を持てなくなるだろう

▸▸ 帰属意識・愛の欲求

人とは距離を置くが、動物とは強い絆を持てる人であれば、ペットが死んだことで、自分にはもう誰もいなくなったと感じて一層苦しむかもしれない

▸▸ 安全・安心の欲求

治安の悪い場所で飼っていたペットがいなくなると、家族の安心感が薄れるかもしれない

対処に役立つポジティブな特性

柔軟、愛情深い、感謝の心がある、おおらか、共感力が高い、外向的、もてなし上手、独立独歩、面倒見がいい、客観的、楽観的、感傷的、正義感が強い

ポジティブな結果

- ペットと過ごした楽しい時間を思い出す
- ペットを可愛がり、よく面倒を見た自分に気づく
- ペットを偲んで、動物愛護団体に寄付をする
- 愛情に満ちた家庭を必要としているペットを引き取る
- ペットが与えてくれる愛情や交友はその喪失にも代えがたいことに気づく
- 死を悲しむのは普通なのだと受け入れ、喪に服す
- ペットに死なれて一人残された恐怖や悲しみはあるが、飼い主のいないペットを引き取り、世話をするのを癒しに感じる

NOTE

ペットは勇気や愛、慰めを与えてくれるので、いなくなると大きな打撃を受けるかもしれない。ペットの死が突然で、飼い主として罪悪感を抱いているならなおさらだ。ちょっとした対立や葛藤が続いていたところにペットの死を迎えると、それがまさに最後の一撃となって、キャラクターは分別を失って取り乱すことも。

家賃が上がる

〔英 Rent Being Raised〕

具体的な状況

- 家賃の値上げを申し渡されていたが、その日が近づいている
- 突然家賃値上げの知らせを受ける
- ルームメイトまたはパートナーが出て行ったため、家賃の負担分が増えて払えなくなる
- 家賃がかなり高い地域に引越さなければならない
- これまで家賃を払わずに暮らしていたが、(親、祖父母、隣人などに) 家賃を請求される

引き起こされる軽度の問題・困難

- 家主と直談判しなければならない
- パートナーと金銭で揉める
- 家賃上昇分をかき集める間、時間稼ぎに言い訳をする、または嘘をつかなければならない
- 新しい家またはアパートを探さなければならない
- 収入を増やすために残業する
- 支出を抑えざるを得ない (毎朝飲むカフェラテをあきらめる、車をやめて自転車で通勤するなど)
- 一人暮らしをあきらめ、ルームメイトと暮らさなければならない
- なかなかいいルームメイトが見つからない
- 一時的に友人の家に世話になる
- すぐに現金が要るので、所有物を売らなければならない
- 愛する人たちに借金を申し込まなくてはならない
- 引越が必要になり、不満な家族を説得する
- さらに1つ (または2つ) 仕事を増やす
- 以前より不便な地区に引越しする (職場や子どもの学校から遠く離れた地区など)

起こりうる悲惨な結果

- 生活費を払えない、または住まいを確保できない親に対し、子どもたちがストレスを感じる
- 家賃が上がったところに、勤務時間まで削減され、家計がさらに火の車になる
- 気の合わないルームメイトと住むことになり、共同生活が悪夢になる
- 機が熟していないのに、パートナーと一緒に住みはじめる
- 生活のために夢や一生の目標を犠牲にしなければならない (奨学金をあきらめ、大学へ進学せずに働いて親を助けるなど)
- 経済的に苦しくて夫婦の間で喧嘩が絶えず、離婚する
- 生活苦からくる無力感を埋めようと、様々なことに口うるさくなる
- 家賃は前よりも安いが、治安の悪い地区に引越しする
- (働いてほしいのに子どもやパートナーに働きたくないと言われる、親が金を貸してくれないなど) 家賃が上がったので経済的に助けてほしいのに支援を拒まれ、その人との関係に亀裂が入る
- 家賃が上がったうえに、失職、給与カット、突然の出費など、悪いことが重なる
- 金を稼ぐためにギャンブルや違法行為に手を染める
- 強制退去させられる
- ホームレスになる

結果として生じる感情

怒り、苦悩、いらだち、不安、懸念、意気消沈、絶望、自暴自棄、決意、不信、怯え、決まり悪さ、危惧、フラストレーション、屈辱、圧倒、パニック、無力感、自己憐憫、恥、衝撃、気がかり、価値がない

起こりうる内的葛藤

- 新しい住まいが気に入らず、落ち着けない
- 家族や自分を養えないため自尊心が傷つく
- 経済的に苦労していない兄弟姉妹に腹を立てるが、そう感じた自分を恥ずかしく思う
- 無力感を覚える
- 家賃を上げた人に怒りまたは憤怒を覚え、その感情を抑えきれない
- 自分の生活が一変したことに不満を覚える
- 物事は決して好転しないと、最初から何も期待しない考え方に陥る
- 今後自分や愛する人たちはどうなるのだろうと常に気を揉む
- 収入を増やすため、道徳的な一線を越えたい誘惑に駆られる
- 家計に貢献しようとしない、または貢献できない家族に腹を立てる

状況を悪化させうるネガティブな特性

無神経、強迫観念が強い、挑戦的、いい加減、失礼、つかみどころがない、気むずかしい、とげとげしい、せっかち、無頓着、無責任、物質主義、大げさ、執拗、恨みがましい、甘ったれ、心配性

基本的欲求への影響

▸▸ 承認・尊重の欲求

前よりも小さな家や、人が住みたがらない地区へ引越したりすると、自分の人生が後退しているように思え、他人にどう思われるのかが心配になるかもしれない

▸▸ 帰属意識・愛の欲求

新しく引越した町で友人もなくやり直すときは、孤独感に苦しみ、帰属意識を感じられないかもしれない。経済的窮地に陥っていると、パートナーとの対立や葛藤も起きて、2人の絆が弱まることも考えられる

▸▸ 安全・安心の欲求

治安の悪い地区へ引越しすると、自分と家族の身に安全・安心を脅かす問題が起きるかもしれない

▸▸ 生理的欲求

住まいを失うと、衣食住がままならず苦労するだろう。職場で仕事の能率が落ちれば、生計を立てていくのも危ぶまれる可能性がある

対処に役立つポジティブな特性

柔軟、冒険好き、分析家、慎重、芯が強い、勇敢、規律正しい、おおらか、勤勉、大人っぽい、楽観的、きちんとしている、積極的、臨機応変、責任感が強い、賢明

ポジティブな結果

- 家主と交渉して互いが妥協できる点を探す
- 新しいルームメイトと恋に落ちる
- 新しい住まいや町でうまく生きていく
- 経済的な計画を立てられるようになる
- 物に囲まれていない質素な生活に満足する
- 必要に迫られ、お金のことに詳しくなる
- 物を減らして生活をシンプルにすることで急に備えるための貯金ができ、生活のストレスを軽減する
- 今までは一人暮らしだったが、人と一緒に暮らす利点を発見する
- 親に家賃を払えと言われたのをきっかけに、家を出て自立した生活をするようになる

流産する

〔英 Having a Miscarriage〕

具体的な状況

- 妊娠が発覚して間もなく流産する
- 子宮内で双子または三つ子の胎児が死亡する
- 胎児が死亡し、分娩を誘発させて胎児を取り出す必要がある
- 長年の不妊治療の結果妊娠したのに流産する

引き起こされる軽度の問題・困難

- 流産したことを人に伝えなければならない
- 詮索するための、または答えにくい質問をされる
- (誰も妊娠のことを知らなかった場合は) 何事もなかったかのように暮らす
- 自分が流産をしたときに姉妹や親友が妊娠する
- 「次は大丈夫」「何事も理由があって起きるのよ」などと善意のつもりの役に立たない助言を受ける
- 回復するまで仕事を休まなければならない
- 気持ちの整理がつくまで仕事または学校を休みたいが、そうすることができない
- しばらくの間妊婦の友人を避けたい
- 心の準備ができていないのに、再び子どもをもうけることへの圧力を周囲から感じる
- パートナーの心の準備ができていないのに、子作りに挑戦したい
- 赤ん坊への贈り物を片づける、または返品しなければならない
- 不妊治療にかけた医療費が無駄になる
- 人前で流産する

起こりうる悲惨な結果

- 誰の助けもなく、一人でいるときに流産する
- 「流産をしたのはお前のせいだ」と責められる
- 家庭を持つことをきっぱりとあきらめる
- 流産のせいで長期入院が必要となり、高額な医療費がかさむ
- 流産のあと、配偶者またはパートナーと別れる
- また不妊治療を受けるだけの経済的余裕がない
- 高齢なので出産はもう無理だとあきらめる
- 母親または父親が鬱になる
- 流産の手当てを受けているうちに自分の命が危険になる
- 流産が心の傷となって残る

結果として生じる感情

怒り、苦悩、根に持つ、敗北、拒絶、意気消沈、絶望、自暴自棄、決意、打ちのめされる、失望、不信、落胆、疑念、決まり悪さ、悲嘆、罪悪感、嫉妬、孤独、切望、無力感、安堵、屈服、自己憐憫、脆弱

起こりうる内的葛藤

- 流産は自分のせいではないかと悩む
- 友人の妊娠に嫉妬や怒りを感じたくないが、どうしてもそういう感情を抱いてしまう
- 自分の信仰心と格闘する
- 自分の流産を喜ぶ人たちがいるのを知っているので苦悩する
- 兄や姉になるはずだった幼い子どもに「どうしたの」と聞かれ、返答に窮する
- もう一度子作りに挑戦したいが、恐れが先立つ
- 流産は自分が親になるべきではないという知らせではないかと思う
- 悲しみに明け暮れる
- (テレビのコマーシャル、友人の妊娠の知らせ、空っぽの子ども部屋などによって) 子どもを失ったつらさを常に思い知らされる

- 自分が流産したのにさほど動揺している様子でもないパートナーまたは配偶者に腹を立てる
- 流産したことを思い出し、罪悪感にさいなまれる
- この妊娠を望んでいなかったので、そう思った罰を受けたのだと感じる
- （ベイビーシャワーをキャンセルした日、出産予定だった日、子どもが生まれるはずだった日が毎年来るたびなどに）何度も流産したことを思い出す

状況を悪化させうるネガティブな特性

支配的、皮肉屋、衝動的、理不尽、嫉妬深い、被害者意識が強い、神経質、執拗、悲観的、自滅的、迷信深い、心配性

基本的欲求への影響

▸▸ 自己実現の欲求

常に子どもを欲しがっているのに、一人もできないと、家族を持つという夢には手が届かないのだと思いはじめるかもしれない

▸▸ 承認・尊重の欲求

自分の価値や自尊心が親になることに結びついている場合、親になるという節目を迎えた人たちと比較して、自分は劣っていると感じる可能性がある

▸▸ 帰属意識・愛の欲求

流産や不妊はストレスを強く引き起こす出来事なので、パートナーとの関係がうまくいっていないのに、これを経験すると2人の関係に深い溝ができるかもしれない

▸▸ 安全・安心の欲求

流産をきっかけに母親または父親の精神状態が悪くなると、安全・安心の欲求に影響が出る

対処に役立つポジティブな特性

柔軟、芯が強い、自信家、おおらか、客観的、楽観的、粘り強い、スピリチュアル

ポジティブな結果

- 流産を経験し、セルフケアの重要性に気づく
- 悲しみから立ち直ろうとする間にパートナーとの関係が深まる
- 自分一人で苦しんでいるわけではないことを知る
- 悲しみを克服するためにセラピーを受け、その恩恵に気づく
- 周囲の人に意見されると思っていたら、助けられたり支えられたりする
- 流産はよく起きる問題なのだと社会に認識してもらうための活動や支援活動をする
- 望まない妊娠だったので、元気を取り戻す
- その後養子縁組を通して自分の夢を実現させる

罠にはめられる

〔英 Being Framed〕

具体的な状況

- 一般市民が無実の罪を着せられる
- 他の従業員の不正行為なのに、自分が咎められる
- 政治家がライバルにはめられる
- 行動規範違反、倫理違反、不正取引などの罪を犯した雇用主に、スケープゴートとして利用される

引き起こされる軽度の問題・困難

- 取り調べを受ける
- 雇用主に休職するよう強要される
- 弁護士代を払わなければならない
- 保釈金を用意しなければならない
- 弁護士、刑事、雇用主などとの話し合いのために仕事を休む
- 自分の無実を証明するため証拠を見つけなければならない
- 友人や家族に自分は無実だと説得しなければならない
- 罰金を払わなければならない
- アリバイがない
- 犯罪歴があるため、無実を主張しても説得力にかける
- 逮捕される
- 有罪判決が出て、怒りを自制できるよう講習を受けさせられるなど、不必要なことをさせられる、または恥ずかしい思いをさせられる

起こりうる悲惨な結果

- 弁護能力も経験もないのに、法廷で自分を弁護する選択肢をとる
- 刑を軽くするため虚偽の自白をする
- 警察から逃げる、または出廷しない
- 無能な弁護士に弁護される
- 解雇される、または退学処分を受ける
- 友人や家族に信じてもらえない
- 自分の評判ががた落ちになる
- 人にはめられたことが決定的となり、トラブル続きの結婚生活が終わる
- 破産手続きをしなければならない
- ある特定のキャリアを追求できなくなる
- 偏見の目で見られるのを避けるため、引越しする、またはアイデンティティを変えるはめになる
- 責任者に復讐を企てる
- 刑務所に送られる
- 自分の家族や友人が狙われる

結果として生じる感情

怒り、不安、裏切られる、混乱、防衛、拒絶、意気消沈、自暴自棄、不信、危惧、屈辱、短気、怖気づく、疑心暗鬼、無力感、反感、衝撃、疑惑、苦しみにもがく、あやふや、復讐、脆弱

起こりうる内的葛藤

- 身の潔白を証明できるかどうか心配になる
- 罠にはめられる原因になった自分の選択を悔やむ
- 自分が本当は弱い人間だから狙われたのだという間違った思い込みをする
- 友人や家族につらい思いをさせていると思うと罪悪感にさいなまれる
- 司法制度を信用すべきか、それとも自分の手で何とかすべきかで迷う
- 「あのとき、ああしていたら」と振り返ってばかりいる
- 自分の運命を左右する人にへつらい、袖の下を握らせたい誘惑に駆られる
- これほどいとも簡単に自分の人生を他人に台無しにされるのかと弱々しい気持ちになり、無力感を覚える
- 自分を罠にはめた相手を見ると激しい怒り

と恨みを覚え、感情を抑えきれなくなる
- 人間の善性を信じてきたのに、その気持ちを裏切られ、むなしく感じる

状況を悪化させうるネガティブな特性

反社会的、無気力、生意気、強迫観念が強い、支配的、不正直、だまされやすい、衝動的、操り上手、悲観的、寡黙、協調性が低い、非倫理的、知性が低い、執念深い、激しやすい、意気地なし

基本的欲求への影響

▸▸ 自己実現の欲求

無実の罪を着せられ、自分の夢を追い求める計画は狂ってしまうだろう

▸▸ 承認・尊重の欲求

罠にはめられると、他人が自分を見る目に直接的な影響が出て、自己像や評判が傷つき、問題が起きるだろう。身の潔白を証明したとしても、受けた傷のすべてが消えるわけではないはずだ

▸▸ 帰属意識・愛の欲求

愛する人や家族が自分の無実を信じていないと、彼らと疎遠になるかもしれない

▸▸ 安全・安心の欲求

（有罪が決まった場合）自由が奪われるため、身の安全を案じるだろう

対処に役立つポジティブな特性

おだやか、芯が強い、協調性が高い、共感力が高い、熱心、正直、気高い、勤勉、影響力が強い、公明正大、従順、楽観的、忍耐強い、粘り強い、雄弁、積極的、臨機応変、責任感が強い、正義感が強い、スピリチュアル、賢い

ポジティブな結果

- ぬれぎぬを着せられたり、冤罪の被害を受けたりした人々を擁護するようになる
- クリティカルに物事を考えるようになり、情報を額面通りには受けとめなくなる
- 潔白が証明され、司法制度を再び信頼するようになる
- そばで自分を支えてくれた人たちとの関係が深まる
- 損害賠償を請求して勝ち取る
- 自分の社会的地位や自分が置かれた状況にもっと意識を向けるようになる
- 潔白が証明され、今回の苦い経験がなければ得られなかった仕事を得る
- 誰を信用すべきか、人に利用されるのを防ぐにはどうすればよいかについて貴重な教訓を学ぶ
- 人に関する危険信号を読み取れるようになる
- メールのアカウントや個人情報、ファイルシステムなど、不正アクセスされ悪用されそうなものはすべてしっかりと保護するようになる

悪い知らせを受け取る

〔英 Being Given Bad News〕

具体的な状況

- 愛する人が事故に遭った
- がんまたは別の疾患にかかっている
- 自分ではなく別の人が昇進した
- 契約を勝ち取るために入札したが、入札額が高すぎた
- 楽しみにしていた旅行がキャンセルになった
- 重要な書類の提出が遅すぎた
- 自宅が売れなかった
- 絶対必要な資金を確保できなかった
- 勤務先で全員が一時解雇されると発表があった
- （新しいデザイン、プロジェクト、書籍などを）売り込んだが断られた
- 薬や治療が効いていない
- 子どもが大学に受からなかった
- 愛する人が犠牲になった
- 家族または親しい友人が殺された

引き起こされる軽度の問題・困難

- 予定を変更しなければならない
- 優先順位を付け直すため、今やっていることの手をとめる
- 予定をキャンセルする
- 悲しくて他のことに手がつかない
- 人を信用したことや、細心の注意を払わなかったこと、すぐにやらなかったことなどを後悔する
- 機会を逃す
- 締め切りに遅れる、または約束を忘れる
- ストレスや不安が原因で間違った判断をする
- 集中できず、時間ばかりが流れる
- 安心して気持ちを整理できるときまで、感情を心の奥にしまっておかなければならない
- ストレスに任せて余計な言動をし、状況を悪化させる（あたり散らす、人への影響を考えずに知らせを共有するなど）
- 悪い知らせの影響を受ける人たちにどう伝えればよいのかわからない

起こりうる悲惨な結果

- 他の人たちに嘘をつき、現実から目を背けて生きることを選択し、悪循環に陥る
- 現金が不足し、住宅ローンなどが焦げ付く
- 今回の悪い知らせが最終的な打撃となって離婚する
- 怒りに身を任せて仕事を辞めたが後悔する
- 愛する人、安定した仕事、住まい、救命手術などなくてはならないものを失い、苦しみを乗り越えられない
- 悪い知らせを受けて挫折または失望し、人生の方向性を失う
- 後先を考えずに恐れから、または安定を求めて、誤った機会に飛びつく
- 人を寄せ付けず、自分の殻に閉じこもる、または鬱になる
- 悪い知らせを受け取ったあと、自己破滅的な行為に走る
- 薬物を過剰摂取して病院に担ぎ込まれる

結果として生じる感情

動揺、裏切られる、根に持つ、混乱、拒絶、意気消沈、絶望、失望、不信、幻滅、悲嘆、罪悪感、屈辱、苦痛、劣等感、圧倒、後悔、自責、反感、屈服、悲しみ、自己憐憫、恥、衝撃、評価されない、気がかり

起こりうる内的葛藤

- 誠実に働いてきたのに、または多くの犠牲を払ってきたのにと幻滅する
- 罪悪感や後悔、挫折感で胸がいっぱいになって苦しむ
- 急に落ち込んだり、不安に襲われたりする

- (大惨事や死を防げなかった、犠牲者を出したなどの理由で) 理不尽にも責任を感じている
- 嘆き悲しみたいが、他の人たちのために気丈でいなければならない
- (騒動続きだったところへまた騒動が起きた場合) これ以上の重荷は背負いたくないとうんざりする
- 自分の扶養家族や配偶者、部下たちを守れるのだろうかと心配になる
- 悪い知らせを伝えて他の人たちを苦しめるよりも、自分の心の中にとどめておいたほうがいいのではないかと決めかねている
- 将来どうなるのだろうかと恐れる
- どうにかしてコントロールを取り戻そうと執拗になる
- あまりにも不公平な状況に直面し、何を信じればよいのかわからなくなる

状況を悪化させうるネガティブな特性

無神経、依存症、反社会的、防衛的、失礼、衝動的、大げさ、病的、神経過敏、悲観的、独占欲が強い、向こう見ず、恨みがましい、自滅的、愚直、恩知らず、うぬぼれ屋、執念深い、暴力的、引っ込み思案

基本的欲求への影響

▸▸ 自己実現の欲求

自分の夢に向かって進めたはずの重要な機会を失ったことを知った場合は、人生の方向転換を迫られるだろう

▸▸ 承認・尊重の欲求

昇進や賞与の機会を逃した場合は、自分は無能だとか、他の人より劣っていると思うかもしれない

▸▸ 帰属意識・愛の欲求

愛する人の死を知らされた場合、大切な関係を失い、人生にぽっかりと穴が開いたような気持ちになるだろう

▸▸ 安全・安心の欲求

自分の安全が危ぶまれる知らせを受けると、安心感が損なわれ、攻撃や危害を受けやすい存在になってしまう

対処に役立つポジティブな特性

柔軟、おだやか、如才ない、温和、優しい、面倒見がいい、客観的、積極的、世話好き、感傷的、賢い

ポジティブな結果

- 人生において本当は何が重要なのかを考え直す機会になる
- 悪い知らせを受けたものの、実際はそこまでひどくはなかったので気を取り直す
- 緊急対策が必要だと気づき、対策を練る
- まさかのときのために貯金する、もっとしっかりとした健康保険に入る、もっと安定した分野の仕事に移るなど、何かがあったときに困らないよう生活を改める

権力闘争

- いじめられる
- 訴えられる
- えこひいき
- 家族に圧力をかけられる
- 差別を経験する
- 出席を強制される
- 信念が対立する
- 逮捕される
- 適応するように圧力をかけられる
- ぬれぎぬを着せられる
- ハラスメントを経験する
- 妨害される
- 求めるものが合わない

いじめられる

〔英 Being Bullied〕

具体的な状況

- 学校や職場、自分が頻繁に通う場所でいじめられる
- 知っている人または見知らぬ人にインターネット上で狙われる
- 家庭内で不当な扱いを受ける
- 組織やその職員に命令に従わないとその報いを受けると脅される
- 看守と囚人との関係のように、力関係に差があるため、弱い者いじめをされる

引き起こされる軽度の問題・困難

- いじめを気にしないふりをしなければならない
- いじめられるのを避けるため、自分の予定や道順を変える
- 親友や信用している教師などにいじめの被害を打ち明けても信じてもらえない
- 学校のトイレを使うのが怖く、おもらしをしてしまう
- 友人や家族がいじめの事実を知っているのに、それをとめようとしない
- いじめに耐えなければならない
- いじめられるストレスから体重が減ったり、疾患を抱えたりする
- 勉強や仕事、重要な活動に集中できなくなる
- 成績が落ちる、または勤務評定が悪くなる
- いじめをする人を避けるため、自分の本当のアイデンティティを隠さなければならない
- いじめられていても、みんなに見て見ぬふりをされる

起こりうる悲惨な結果

- いじめられるのを避けるため、(学校、遊び、仕事など) 大切な何かをあきらめなければならない
- クラス、学校、仕事などを変えなければならない
- いじめをする人に危害を加えられる
- いじめがエスカレートして暴行を加えられる
- 他の人たちを巻き込んでいじめが行われ、自分の人生が惨めになる
- 中傷される
- いじめられて抵抗した結果、停学や停職、退学や退職処分を受ける、または逮捕される
- 怒りが収まらず、他の人間関係まで損なう
- 不当な扱いを受けているのに耐えるため、薬物やアルコールに頼る
- 同じいじめ行為を他の人に繰り返す
- 深刻な不安症を発症する
- 神経衰弱に苦しむ
- 苦しみから逃れるため、自殺しようとする

結果として生じる感情

不安、葛藤、軽蔑、敗北、意気消沈、絶望、自暴自棄、怯え、危惧、憎しみ、屈辱、苦痛、自信喪失、怖気づく、孤独、無力感、自己嫌悪、恥、苦しみにもがく、復讐、脆弱、価値がない

起こりうる内的葛藤

- 自尊心を持てず、自分に価値などないと思って苦しむ
- それほど深刻な状況ではないのではないかと疑う
- いじめられていることを人に打ち明けるべきかどうか悩む
- 学校や仕事など、いじめられている場所へ行くのが苦痛になる
- 自分はいじめられて当然なのだろうかと悩む

- いじめをする人や権威者からの報復を恐れる
- 鬱病や不安症を経験する
- 復讐することばかり考える
- 助けを求めたいが、弱いと思われるのではないかと恐れる
- いじめが起きるのを許している人たちに裏切られた気持ちになる
- (いじめをする人が権威者によって守られている場合) 幻滅する
- この先状況がよくなることがあるのだろうかと悲観する
- 家族や教師にいじめられているので、いじめを避けられず、気持ちが八方ふさがりになる
- 学校やいい仕事、大好きな活動など大切な何かを捨てるべきかどうか悩む

状況を悪化させうるネガティブな特性
依存症、挑戦的、臆病、つかみどころがない、だまされやすい、衝動的、不安症、理不尽、執拗、妄想症、寡黙、執念深い、暴力的、激しやすい、意気地なし、引っ込み思案

基本的欲求への影響

▸▸ 自己実現の欲求
いじめられているせいで目標を達成できない場合や、いじめに耐えてまで追求する価値がある目標なのかを疑っている場合、夢をあきらめてしまうかもしれない

▸▸ 承認・尊重の欲求
いじめによって心が傷つき、精神的にも苦しみ、身体的にもその悪影響が出ている場合は、自尊心が損なわれ、自分は無力で弱い人間だと思ってしまう可能性がある。いじめを阻止できないでいると、周囲の人たちにも弱い人間だと思われはじめるかもしれない

▸▸ 帰属意識・愛の欲求
いじめに遭うと孤立し、人に不信感を抱くようになり、他人に自分の心を開いて、有意義な関係を築くのが困難になる可能性がある

▸▸ 安全・安心の欲求
安心できる場所がないと、常にびくびくして安全・安心の欲求が脅かされるはずだ

対処に役立つポジティブな特性
おだやか、芯が強い、自信家、勇敢、決断力がある、如才ない、共感力が高い、気さく、温和、幸せ、公明正大、優しい、情け深い、客観的、楽観的、勘が鋭い、粘り強い、積極的、臨機応変、正義感が強い、スピリチュアル

ポジティブな結果
- いじめをうまくかわせるように助けてくれる仲間、セラピスト、または友人を見つける
- 直接いじめの本人に向き合い、いじめがエスカレートするのを阻止する
- 自分で声を上げることの威力に気づく
- 仲間たちがいじめ (といじめの犯人) はよくないし、そのような行為は認めないと明言する
- 他の人に八つ当たりする前に、有害な行為の連鎖を断ち切る
- いじめに遭った人たちの相談相手となり、力を取り戻す手助けをする
- 自分がこれ以上の被害を受けないよう、または他の人たちに被害が広がらないよう、いじめを阻止する
- いじめをとめてくれた学校などの組織をあらためて信用する
- いじめをしていた人が自分の行為がいじめであったことに気づく

NOTE
いじめ行為やそれに対する反応は、子どもと大人で異なるはずなので、この項目には両方の選択肢を含めている。

訴えられる

〔英 Being Sued〕

具体的な状況

- 未払いの請求書があり、訴えられる
- 過失致死で起訴され、係争中に非難を浴びる
- 損害補償を請求され、訴訟になる
- 離婚または親権争いで裁判になる
- 契約違反や保証不履行で訴えられる
- 名誉毀損、虚偽の発言、差別、ハラスメントで訴えられる
- 地権争いに巻き込まれる
- 製造物責任で訴えられる
- 医療過誤で訴えられる

引き起こされる軽度の問題・困難

- 言質をとられないように発言には気をつけなければならない
- (注目度の高い訴訟の場合) 提訴に対し公式声明を出す
- 自分に有利な証拠や証人を用意しなければならない
- 弁護士を雇い、裁判所へ書類を提出しなければならない
- 原告とその訴えの内容の正当性を調査するため人を雇う
- 友人や家族からの訴訟について訊かれ、答えなければならない
- 出廷するために仕事を休んだり、子どもを預けたりしなければならないため、費用がかさむ
- 自分の評判を守るため、ダメージを最小限に抑えなければならない
- 弁護士代を支払うため、ライフスタイルを変えて倹約する
- 怪我をした人のために治療費などの賠償金を払う必要がある
- 合意にいたるために妥協しなければならない
- 公に謝罪する必要がある

起こりうる悲惨な結果

- 訴状や出廷命令を無視し、法的トラブルがさらに重なる。
- 怪我がもとで原告が死亡し、さらに世間が騒ぐ
- 原告との司法取引が決裂し、裁判になる
- さらに訴える人が増え、それぞれに訴訟を起こす
- 集団訴訟が提起される
- 無能な弁護士に弁護される
- 自分の主張にダメージを与える証拠が発見される
- 宣誓したのに虚偽の発言をしたこと、または証拠を改ざんしたことがばれる
- 無実であるにもかかわらず敗訴する
- 給料を差し押さえられる、または訴訟費用を支払えない
- 仕事の免許を剥奪される
- 事業を畳むまたは売却しなければならない
- 配偶者を失う、または親権を失う
- 資産を差し押さえられる
- 判決が出て、懲役刑が適用される
- 現実逃避のため有害な行為に走る

結果として生じる感情

怒り、不安、裏切られる、軽蔑、敗北、防衛、反抗、拒絶、意気消沈、自暴自棄、決まり悪さ、危惧、短気、怖気づく、圧倒、無力感、後悔、反感、あやふや、復讐、脆弱

起こりうる内的葛藤

- 訴訟の結果がどうなるのかと不安でたまらなくなる
- 訴訟で不利になるような選択をとったことを悔やむ
- 原告を逆に訴えるかどうかで悩む
- 医者が自動車事故で負傷した患者に治療を

施したが、患者が死亡し、遺族に訴えられるなど、できる限りの手を尽くしたのに起訴され、フラストレーションが募る
- 訴訟のせいで、自分が決めつけられた、または攻撃されたような気持ちになる
- 混乱から抜け出す方法がわからず、お先真っ暗な気持ちになる
- 経済的に不安になり、破産を避ける手立てはないかと心配する
- 関与していたのに訴えられなかった人たちを恨む
- 訴訟の裏には政治的な理由があると思っているが、それを証明できない
- 自分の家族をつらい目に遭わせ、罪悪感にさいなまれる

状況を悪化させうるネガティブな特性

無神経、無気力、生意気、いい加減、とげとげしい、せっかち、無責任、操り上手、偏見がある、けち、意地っ張り、寡黙、協調性が低い、非倫理的、知性が低い、くどい、執念深い

基本的欲求への影響

▸▸ 自己実現の欲求

訴えられているせいで、自己実現のための財源を保身のために回さなければならなくなる可能性が高い

▸▸ 承認・尊重の欲求

自分が訴訟に絡むため、自分の評判に悪影響が出るのは避けられない。訴訟が延々と続いたり、メディアの注目を集めていたりしているならなおさらだ。

▸▸ 帰属意識・愛の欲求

訴訟の内容によるが、友人や家族に見捨てられ、一人で裁判を闘うはめになる可能性もある。このような裏切りは簡単には忘れることができないはずだ

▸▸ 安全・安心の欲求

訴訟費用の負担と裁判所の事実認定のせいで、経済的に困窮する可能性がある

対処に役立つポジティブな特性

おだやか、慎重、芯が強い、協調性が高い、礼儀正しい、如才ない、共感力が高い、正直、気高い、公明正大、従順、客観的、楽観的、きちんとしている、忍耐強い、雄弁、積極的、臨機応変、責任感が強い、賢明、賢い

ポジティブな結果

- 無罪を証明し、訴えが取り下げられる
- 自分と自分の資産を守る方法に詳しくなる
- 今後のために訴訟を未然に防ぐ対策を講じる
- 反訴して勝つ
- より大規模な訴訟または複数の訴訟になるのを避ける
- 妥協の方法を身につける
- 自分の行動の責任をとる

えこひいき

〔英 Nepotism or Favoritism〕

具体的な状況

- 親が子の一人をひいきする
- コーチの甥が試合に出ている時間がいちばん長い
- 重要な、または金離れのいいクライアントの機嫌取りを事務所がする
- 教師が自分の「お気に入りの生徒たち」を溺愛し、その生徒たちに特別な仕事や役割を与える
- 他の兄弟姉妹に比べ、一人だけ遺産の相続額が多い
- 怠慢な同僚なのに、上司のゴルフ友だちなので咎めを受けない
- 大切なクライアントなので、少々のことは見逃すように上司から言われている
- 親が継子よりも自分の子どもをすぐに信じる
- 同じチームの選手でも、スター選手は遅刻しても咎めを受けない
- 同じ大学なのに、ある学部だけ予算カットを免れる
- 政界にいる人なら誰もが欲しがる地位が、政治家の親戚というだけで何の経験もない者に与えられる
- クライアントに近しい人が契約を落札する

引き起こされる軽度の問題・困難

- 口論になるだけなので、口から出かかった言葉を飲み込まなければならない
- えこひいきが行われていると声を上げ、問題児のレッテルを貼られる
- 職場の士気が徐々に萎えていく
- 大学内の政治に巻き込まれる
- 親のえこひいきに耐えているので、家族行事があっても楽しめない
- ひいきされている従業員は無能または怠け者なため、自分の仕事量が増える
- 学校や家庭で不公平を感じ、傷ついている子どもの気持ちを和らげなければならない
- ひいきされている相手に競争心が高じて、個人的なライバル意識を燃やすようになる
- 自分の価値を証明するため、ひいきされているチームメイトに差をつけようとする
- 親に異なる扱いを受けている兄弟姉妹の間で摩擦が生じる

起こりうる悲惨な結果

- 間違った後継者を選んだために家業が傾く
- 家族の集まりで兄弟姉妹がえこひいきされていることを指摘し、雰囲気を台無しにする
- えこひいきされている相手を非難したため、仕事などを妨害される
- 間違った相手に縁故についての不満を漏らし、罰を受ける
- 自分は不当な扱いを受けていると苦情を述べたが、えこひいきされている人物の影響力や権力の恩恵を受けている人々に黙らされる
- 職場の環境があまりにもひどくなり、仕事を辞める
- 昇進の道が断たれている
- どちらの親にも連れ子がいて、家族としてまとまることができない
- 兄弟姉妹間のライバル関係が一生続く
- 家族間の関係が崩れる
- 縁故主義を打ち砕くのは無理だと感じ、意義のある目標をあきらめる
- 自分を貶めてまで相手にやり返す（えこひいきされている者に復讐する、その人にまつわる噂を流すなど）
- 無関心になって、何かを達成しようと思わなくなり、余計な努力をしても無駄だと思い込む
- 人生を否定的な目で見るようになる

- 愛は何かを達成しないと得られないものだと思い込む
- 均衡を保とうとして、えこひいきされている人を妨害しているうちに、ネガティブな人間になる

結果として生じる感情

動揺、怒り、裏切られる、根に持つ、軽蔑、反抗、自暴自棄、決意、失望、幻滅、フラストレーション、憤慨、自信喪失、嫉妬、ネグレクト、疑心暗鬼、無力感、激怒、反感、屈服、他人の不幸を喜ぶ、評価されない、あやふや

起こりうる内的葛藤

- 不公平だと強く思い込んで、そのことばかり考えるようになる
- 嫉妬や恨み、激しい怒りを抱えて苦しむ
- 身内びいきが実際に行われているのか、自分がそう思っているだけなのかがわからない
- 自分も同じ恩恵を被ることができるなら、上司に取り入りたいという誘惑に駆られる
- 昇進できないのは自業自得なのではないかと疑念がわく
- 自己肯定感が低くなって苦しむ
- ひいきに対して声を上げると嫉妬していると思われるのではないかと心配する
- えこひいきにうんざりして、実際にはなくても行われているように見える

状況を悪化させうるネガティブな特性

意地悪、幼稚、支配的、腹黒い、偽善的、抑制的、不安症、被害者意識が強い、うっとうしい、妄想症

基本的欲求への影響

▸▸ 自己実現の欲求

縁故がないせいで昇進できない場合、自分の大きな夢には手が届かないと感じる可能性がある

▸▸ 承認・尊重の欲求

えこひいきが行われている事実を知らない人たちに、自分のことを「スキルや努力が足りないから昇進に値しない」と思い込まれるかもしれない

▸▸ 帰属意識・愛の欲求

えこひいきが起きると最も破壊されやすいのが家族の関係だ。親にいつも見過ごされ、評価もされていないと、親に応援してもらっている気がせず、脆弱な存在である自分に嫌気が差すかもしれない

▸▸ 安全・安心の欲求

不公平がまかり通る有害なコミュニティに閉じ込められていると、心が徐々に蝕まれ、健康を害することも考えられる

対処に役立つポジティブな特性

野心家、大胆、理想家、独立独歩、公明正大、忍耐強い、積極的

ポジティブな結果

- 平等に扱われるべきときに、差をつけて扱われると、どういう気持ちになるのかを身内びいきする人に理解させる
- えこひいきに反対の声を上げてみると、他の人たちも同じように感じていたことが発覚し、彼らからの支援を得る
- 身内びいきを見て、そんなものに頼らずとも自分はいい成績を残すのだと頑張る
- 身内びいきの不公平さに気づき、自分は絶対にそのようなことはしないと誓う
- 公正さを非常に大切にするようになり、状況にかかわらず、いかなる人間関係においても自分は公正であろうとする

家族に圧力をかけられる

〔英 Being Pressured by Family〕

具体的な状況

- 「結婚しろ」「友人関係を終わらせろ」などと圧力をかけられる
- 親や祖父母から子どもを作れと圧力をかけられる
- 強制的に特定の学校に進学させられ、ある職業に就くように仕向けられる
- (何かを購入する、貯金する、兄弟姉妹の事業に投資するなど) 経済的に圧力をかけられる
- 家族の集まりに参加したり、家族で宗教行事に参列したりするよう期待される
- 家族を守るため、隠し事をする、または嘘をつくように言われる
- 自分のことなのに家族が介入してくる
- 家族の違法活動やその隠蔽を手伝わされる
- 愛する人たちに「あなたの本当のアイデンティティは社会に受け入れられないから、明かしてはいけない」とアドバイスされる
- 家族や家族の土地の近くに住むように圧力をかけられる
- (農場、マフィアなどの) 家業を継ぐように言われる

引き起こされる軽度の問題・困難

- 好きな人と別れる
- 恋人がいるが、家族にはそのことを隠さなければならない
- 家族が認めた人としかデートできない
- 家族に言われ、あるクラブや活動に参加しなければならない
- 自分がまったく関心のない学校に入学願書を出す、または仕事に応募する
- (一人でいたいときも) 家族に囲まれている
- 自分で決めることが許されず、いつも許可を請わなければならない
- 家族が反対しそうな物事を持ち出すときは口論になるので、心の準備をしなければならない
- 誰に何を言うかを常に意識しなければならない
- 家族の輪を乱したくないので、いつもあきらめる
- 家族に請われて、セラピーやカウンセリング、リハビリを受けなければならない

起こりうる悲惨な結果

- 心の準備ができていないのに結婚し、子どもを作る
- 間違った相手と結婚する
- 引越さなければならない
- 間違った理由で有意義な関係を終わらせなければならない
- (学校を勝手にやめたり、家族が嫌う人とあえて付き合うなど) 不健全な方法で抵抗する
- 家族の違法ビジネスを手伝う
- 信頼できない部外者に家族の秘密を打ち明ける
- 自分の本当のアイデンティティを隠さなければならない
- 逮捕される
- 支配的な家族の評判を傷つけるため、わざと人前で自滅的な行為に走る
- ストレスから逃れるため、有害な薬物に手を出したり、自傷行為に走ったりする

結果として生じる感情

怒り、苦悩、不安、裏切られる、根に持つ、葛藤、混乱、軽蔑、敗北、意気消沈、疑念、共感、フラストレーション、罪悪感、憎しみ、苦痛、劣等感、自信喪失、切望、無力感、反感、評価されない、価値がない

起こりうる内的葛藤

- 家族を裏切るかと思うと身を引き裂かれる思いがする
- 道徳的に妥協した結果、何が正しくて、何が間違っているのかがわからなくなる
- どちらも大切なのに、どちらかを選べと強制される
- 自分の判断を信用しない
- 隠し事をしているのは嫌だが、自由を維持するためには仕方がないとわかっている
- 自分の欲求を満たすか、家族のために尽くすかで身を引き裂かれる思いをする
- どうしたら自分と自分のしたいことを優先できるのか、その方法がわからずに悩む
- 家族の愛は条件を満たさなければ得られないような気持ちになる
- 家族を裏切った、または家族に背いたため、罪悪感を覚える
- 自分の本当のアイデンティティを表に出したい
- 不安症や鬱病を経験する
- 家族を恨む

状況を悪化させうるネガティブな特性

臆病、不正直、不誠実、失礼、愚か、だまされやすい、優柔不断、不安症、反抗的、恨みがましい、自己中心的、意地っ張り、卑屈、寡黙、協調性が低い、意気地なし

基本的欲求への影響

▸▸ 自己実現の欲求

家族を喜ばせるために天職をあきらめても、結局は満たされない気持ちになるだろう

▸▸ 承認・尊重の欲求

自分の選択を家族が認めないと、挫折感を味わうかもしれない。また、どれほどすばらしいことを成し遂げても、それが愛する人たちが自分に進んでほしかった道ではないと、その功績を認めてもらえない可能性がある

▸▸ 帰属意識・愛の欲求

家族に干渉されても、それがときどきのことなら見過ごすこともできるだろう。しかし、干渉が支配的で頻繁だと、家族に最後通牒を突きつけ、家族との縁を切って自分の道を進まなければならなくなるかもしれない

▸▸ 安全・安心の欲求

家族が違法行為に関与している場合、自分の身に危険が迫ることも考えられる

対処に役立つポジティブな特性

愛情深い、野心家、慎重、芯が強い、自信家、礼儀正しい、決断力がある、如才ない、共感力が高い、熱心、温和、正直、気高い、独立独歩、勤勉、公明正大、優しい、忠実、大人っぽい、客観的、責任感が強い

ポジティブな結果

- 他の人たちから干渉されても、自分の信念を貫けるようになる
- 他の人たちに圧力に屈しないよう励ます
- 忠誠心は互いを尊重しないと生まれてこない、血のつながりや伝統があるからというだけで自然発生的に生まれるものではないことを家族に理解してもらえる
- 親に支配され続けていた不健全な連鎖を断ち切る
- 愛する人たちの考えを変える
- 家族の行動の裏には愛があったことに気づく
- 家族が世話をしてくれたおかげで、酒を断つことができる、または健康を取り戻すことができる

差別を経験する

〔英 Experiencing Discrimination〕

具体的な状況

- 礼拝の場所が欲しいと要請したら断られる
- 差別要因を持っていることを理由に仕事を与えられない
- 人よりも安い給料が支払われる、または不平等な福利厚生を与えられる
- 職場でまともに取り合ってもらえない
- 住居や教育、研修の機会などが平等に与えられていない
- 他の消費者が購入しても疑問視されないのに、自分が購入すると尋問を受ける
- 結婚、または子どもの養子縁組をさせてもらえない
- 世間や当局から自分の属性をもとに思い込みをされる
- 同好会のような集まりや会員制のグループに入れてもらえない、特定の職業に就く機会が与えられない
- 他の人は経済支援（ローン、奨学金、財政支援など）を受けられるのに、自分が受けようとすると却下される

引き起こされる軽度の問題・困難

- 自分が持つ被差別要因を隠さなければならない
- 自分には価値があることを他の人たちに認めてもらえるよう説得する必要がある
- 被差別要因によって住居や職業の選択肢が限られている
- 自分は差別されて使えないため、別の交通手段を探さなくてはならない
- 相手の勝手な思い込みで嫌な視線や言葉を浴びる
- 差別に気づいていないふりをしなければならない
- 職場で他の人たちと同じ責務または特典を与えられていない
- 他の人たちから型にはまったイメージで見られる
- 自分のバックグラウンドについて無教養なことを訊かれる
- 人種、性の区別、ジェンダーなどについて他の人たちを教育しなければならない
- 世の中のダブルスタンダードを指摘し、対等な地位を得るために闘わなければならない
- 経済的安定を得るのに苦労する

・起こりうる悲惨な結果

- 差別者を訴えなければならない
- 証拠もなく、ある人物または組織が差別をしていると公に批判したせいで、罰せられる
- ある人が個人的に差別していた、または隠れたところで差別が行われていた事実が発覚する
- 口論または喧嘩になる
- 差別的な人に復讐を企てる
- いじめや脅迫、暴力を受ける
- 結婚、養子縁組など、家族を増やす機会が与えられない
- 重要な医療またはメンタルヘルスの治療を受けさせてもらえない
- 理由もなく、または裁判も行われずに拘束される
- 不安や鬱の解消に薬を服用するうちに依存症を発症する
- 自殺を図る、または自殺する

結果として生じる感情

怒り、苦悩、不安、根に持つ、敗北、防衛、意気消沈、自暴自棄、不信、落胆、幻滅、フラストレーション、屈辱、苦痛、劣等感、自信喪失、怖気づく、無力感、反感、脆弱、価値がない

起こりうる内的葛藤

- 孤独になってふさぎ込む
- 自分に価値などあるのだろうかと悩む
- 差別が行われている事実を告発したいが、そんなことをしたら余計に状況を悪化させるだけではないかと怖くなり、身を引き裂かれる思いをする
- 愛する人たちを差別から守ることができず、無力感を覚える
- あるがままの自分を受け入れてもらえることがあるのだろうかと落胆する
- 多数派に適合するよう圧力をかけられていると感じる
- 差別などされた経験もない人たちに腹が立つ
- 味方になってくれると思っていた人たちが、介入もしないし、助けの手を差し伸べようともしないことに腹が立つ
- 他の人たちが差別を矮小化したり、なかったことにしたりするのを見て激怒する

状況を悪化させうるネガティブな特性

無神経、反社会的、臆病、不正直、失礼、とげとげしい、抑制的、不安症、神経質、偏見がある、恨みがましい、卑屈、小心者、寡黙、執念深い、暴力的、激しやすい、意気地なし、引っ込み思案

基本的欲求への影響

▸▸ 自己実現の欲求

他の人たちと同等の機会を与えられていない場合は、自分の能力を発揮することなく生きていかざるを得ないだろう

▸▸ 承認・尊重の欲求

でたらめな理由で自分を受け入れてもらえない場合、自分の価値に疑問を抱くことも考えられる

▸▸ 帰属意識・愛の欲求

差別を受けている自分の実体験をわかろうとしない人たちとは、なかなかつながりを持てないかもしれない。また、自分と付き合うと、同じようにレッテルを貼られ、不当な扱いを受けるかもしれないと偏見や恐れを抱いている人たちも、自分とは深い人間関係を築こうとはしないかもしれない

▸▸ 安全・安心の欲求

差別を受けていると、仕事や安全な住居、医療を得る機会は減るかもしれない。この種の不当な扱いを受けると自分の立場が危うくなり、ある状況に置かれたときや差別的な人たちに囲まれたときに、身の危険を感じることもあるだろう

対処に役立つポジティブな特性

芯が強い、勇敢、礼儀正しい、如才ない、気さく、気高い、粘り強い、プロフェッショナル、臨機応変、責任感が強い、正義感が強い

ポジティブな結果

- 人はそれぞれに違うのだと人々を啓蒙し、文化に影響を与える
- (職場、学校、公共の場などが) 他の人たちにとって安心、安全でいられる環境になるように手助けする
- 変化を起こすため、悪い慣習や、影響力のある立場にある差別的な人たちを世間にさらす
- 自分の権利を主張して、平等な福利厚生や均等な機会を得る

さ

NOTE

差別は、自分の属性が原因で不当な扱いを受けること、または自分があるグループの人々をどのように認識しているかが原因でその人たちを不当に扱うことだと定義できる。年齢、人種、知的能力、家族の社会的地位、ジェンダー、性区別、宗教、身体能力など、複数の属性が重なって差別が起きる場合もある。

差別とハラスメントの違いは曖昧で、そのときの状況によってどちらであるかが決まることが非常に多い。ただし、ハラスメントに比べると差別は普遍的で、自分の属性を理由に不平等に扱われることが多い。キャラクターがこうした被差別要因を理由に個人的に狙われる (また、繰り返し狙われることが多い) 場合は、「ハラスメントを経験する」を参照のこと。

出席を強制される

〔英 Forced Attendance〕

具体的な状況

- 葬式や結婚式、宗教的行事へ参列するものと思われているので、行かなければならない
- 会議や研修、祝日の集まりなど、仕事絡みの行事に参加しなければならない
- 怒りを自制する方法を学ぶための研修、更生プログラムなど裁判所に命じられた研修に参加しなければならない
- 学校や職業訓練に行かなければならない
- 必須のセラピーや結婚カウンセリングなど、精神療法を受けなければならない
- ラマーズ法を学ぶ講習や、子育て関連の講座を受講しなければならない
- 運転免許更新のための講習を受けさせられる
- 学校の保護者面談や学校事務局との面談に行かなければならない
- 家族の集まりや同窓会に出席しなければならない
- 陪審員として出廷を求められる
- 保護観察官と定期的に面談しなければならない
- 裁判所が指定する日に出廷しなければならない、または召喚状を受け取る
- 礼拝に参加しなければならない

引き起こされる軽度の問題・困難

- 子どもとペットの面倒を見てくれる人を探さなければならない
- 行事に参加するための旅費や宿泊費などがかさむ
- (変わったアレルギーを持っていたり、食べられないものが多い場合など) 食事で苦労する
- 仕事を休まなければならないので収入が減る
- 他の予定を延期する、または大切な行事に参加できなくなる
- 延々と続くスピーチや、チーム作りのためのゲーム、または家族の誕生日パーティで甘いものを食べすぎて大騒ぎしている子どもたちなど、苦手なまたは面倒な物事に耐えなければならない
- 服装など、行事の文化規範に合わせなければならない
- 集まった人たちと政治や宗教などについて口論になる
- 攻撃的な態度を戒められる
- 行事で酒に酔っぱらう
- 誰かを侮辱する
- 行事に参加している他の人の噂話をしたり、悪口を言ったりしているのが見つかる
- 場にふさわしい服装をしていない
- 必須の講習料や授業料を払わなければならない
- 会いたくない人に遭遇する
- いけ好かない参加者や講師と接しなくてはならない

起こりうる悲惨な結果

- 行事に参加したくなかったので、ふてくされた態度をとる
- 顔を出したが、態度が悪く、攻撃的で人を傷つけるような言動をする
- 酔っぱらって、(浮気をする、違法薬物を摂取するなど) 罪深いことをする
- 自分を無理やり参加させた人と喧嘩になる
- わざと行事を妨害する
- 保護観察官との面談日に他の重要な予定を入れ、面談をすっぽかす
- 緊急事態や惨事が起きたときに家にいない

結果として生じる感情

動揺、いらだち、期待、不安、懸念、軽蔑、

反抗、怯え、決まり悪さ、罪悪感、憎しみ、屈辱、自信喪失、圧倒、疑心暗鬼、無力感、自責、反感、自己憐憫、うぬぼれ、脆弱

起こりうる内的葛藤

- 自分を行事に強制的に参加させた人または人々を恨む
- 自分を行事に強制的に参加させた人に本音を言いたい、または仕返しをして反抗したい誘惑に駆られる
- 家族または他の出席者の行動に恥ずかしい思いをさせられる
- 自分の本当の姿や秘密を隠さなければならないという気持ちになる
- 過去に味わった嫌な気持ちがこみ上げてくる
- 身構えてしまう、または追い詰められたような気持ちになる
- 行事に出席することを考えると不安になる
- 出席したくないと思っていることを隠さなければならない
- 行事に出席したときのことを考えると憂鬱になる
- 行事に顔を出し、違法薬物や気になる人に手を出したい誘惑に駆られる
- 自分は誤解されていると感じる、または自分の気持ちを認めてもらえていないと感じる
- (行事が長引いていることや、行事で接待しなければならない人々などに) 耐えられない

状況を悪化させうるネガティブな特性

無神経、依存症、反社会的、幼稚、挑戦的、支配的、失礼、噂好き、衝動的、不安症、神経質、反抗的、向こう見ず、恨みがましい、自己中心的、愚直、協調性が低い、くどい、仕事中毒

基本的欲求への影響

▸▸ 自己実現の欲求

法的に監視され、自由が制限されている身であれば、必須の講習や面談などに出席しなかった場合の罰則を恐れて、自己実現のための目標を追求できないかもしれない

▸▸ 帰属意識・愛の欲求

家族の集まりが多く、それに必ず参加しなければならない家庭だと、自分の希望を叶えるか、家族の期待に応えるかで常に悩まされ、いらだちを覚えるかもしれない。その苦々しい思いが募ると、家族との関係が疎遠になることも考えられる

対処に役立つポジティブな特性

冒険好き、協調性が高い、礼儀正しい、おおらか、熱血、外向的、気さく、ひょうきん、幸せ、大人っぽい、従順、忍耐強い、上品、責任感が強い、賢明、正義感が強い、協力的、利他的

ポジティブな結果

- 行事に参加してみると、新しい仕事につながりそうな人と出会うなど、よいことが起きる
- 嫌なことであってもやり遂げて、個人的に成長する
- 新たな物事に挑戦し、その経験を楽しむ
- 新しい知識やスキルなど、頼れるものを身につける
- 自分が安心して行動できる範囲を広げる

信念が対立する

〔英 Clashing Beliefs〕

具体的な状況

- 他の人と対立する政治的意見を持っている
- 他の人と宗教のことで衝突する
- 配偶者と子育てに関して意見が対立する
- 自分とは労働倫理がまったく異なる人とチームを組んで働く
- 道徳規範が異なるせいで他人と対立する
- 仕事、休暇、家族などに関して、優先順位が異なる人と一緒に暮らす
- 自分の市民としての自由が政府機関の方策と対立する
- ワクチン接種や医療介入に対する自分の考えが、世間一般とはかけ離れている
- 自分とはまったくものの見方が異なる人と一緒に仕事をしようとしている
- 親子間で教育の優先順位がまったく違う
- 国家責任と道徳的責任が相容れない

引き起こされる軽度の問題・困難

- (子育て方法、政治的意見、教会へ行かないことなどについて) 人に意見される
- 自分の考えは間違っていると人に言われる
- からかわれる
- 特定の人たちが周りにいるときは、ある種の話題を避けるようになる
- 自分の考えを遠回しに非難されても、口論を避けるため我慢しなければならない
- 他の人たちが考えを自分に押しつけようとする
- 信念を曲げるよう圧力をかけられる
- 平穏を維持するため、自分はあるものの見方をしていても、それをあえて言わない
- 衝突を避けるため妥協しなければならない
- 喧嘩または口論になる
- うかつに誰かを怒らせる
- 自分の信念が危険視され、機会や情報を与えられない
- 社交の場に招待されない

起こりうる悲惨な結果

- 自分よりも能力が劣っているのに、意思決定者と同じような信念を持つ人へチャンスが回る
- 職を失う
- 特定の事柄に関して夫婦の考え方があまりにも違いすぎているために、結婚生活が破綻する
- 不寛容だ、またはヘイトだと非難される
- (所有物の破壊、いたずら、妨害など) 地域社会から自分を追い出す目的の嫌がらせを受ける
- 自分の居場所や活動を隠さなければならない
- 友人や家族と疎遠になる
- 無理やり信念を曲げさせられる
- わが子がパートナーの過激な考え方に感化される
- 信念や意見の対立が暴力に発展する
- 自分が信念を貫いているせいで、誰かが殺害される

結果として生じる感情

苦悩、不安、裏切られる、根に持つ、葛藤、軽蔑、防衛、決意、失望、不信、怯え、狼狽、フラストレーション、憎しみ、怖気づく、立腹、執拗、反感、恥、うぬぼれ

起こりうる内的葛藤

- 自分の信念を隠し、その信念を持っていないふりをしていることに身を引き裂かれる思いをする
- 自分が強く信じていることを疑う
- 孤立感や疎外感、抑うつ感にさいなまれる
- 自分が何者なのかわからなくなる
- 自分は間違っている、または自分には価値がないような気持ちになる
- 夫婦間で妥協点を見いだせず、結婚生活が破綻したことに罪悪感を覚える
- コミュニティに属しておらず、自分を支えてくれる人もいないため、孤独な思いをする
- 自分の身の安全を危惧する
- 危険思想を支持する人との関係を断ち切るべきかどうか悩む

状況を悪化させうるネガティブな特性

挑戦的、支配的、防衛的、失礼、狂信的、とげとげしい、偽善的、無知、頑固、手厳しい、知ったかぶり、操り上手、神経過敏、偏見がある、強引、協調性が低い

基本的欲求への影響

▸▸ 自己実現の欲求

自分が強く抱いている信念が脅かされると、それを守るために、他の有意義な考えや目標を犠牲にするだろう

▸▸ 承認・尊重の欲求

自分の信念が問われると、自分自身を疑う可能性がある。馬鹿にされたり、ひどい扱いを受けたりした場合は、自尊心が傷つくことも考えられる

▸▸ 帰属意識・愛の欲求

(脆弱な人間関係であっても)関係を維持するために譲歩する、または逆に、和解しがたい違いがあるからと関係を断ち切ると、人とのつながりが持てなくなるだろう

▸▸ 安全・安心の欲求

考え方の違いから口論が始まり、それが殴り合いの喧嘩に発展する場合、自分に同意しない人たちが大勢周りにいると、身の危険を感じるかもしれない

▸▸ 生理的欲求

極端な場合だと、信念体系の違いから戦争や暴力、死を招くことも考えられる

対処に役立つポジティブな特性

柔軟、慎重、芯が強い、協調性が高い、礼儀正しい、如才ない、控えめ、共感力が高い、気高い、独立独歩、公明正大、優しい、忠実、大人っぽい、情け深い、客観的、雄弁、正義感が強い、協力的、寛容

ポジティブな結果

- 意見が対立しても、社会性を失わずに自制できるようになる
- 自分と対立する考え方を持っている人との間に共通点を見いだす
- 様々な考え方があることを学び、視野を広げる
- 自分の信念体系について学び直す
- ボランティアや慈善活動にもっと関わるようになる
- 自分の信念に従って行動した結果うまくいき、さらに心のよりどころになる
- ポジティブな考えもできる余裕を持てるようになり、人間として成長する
- 自分の価値観により合致した仕事や仲間を見つけ、満足感を得る

逮捕される

〔英 Being Arrested〕

具体的な状況

- （地方自治体や州の警察、連邦レベルの法執行機関、税関・国境警備局などの）法執行機関に拘束される
- 一般市民に声をかけられ、警察に引き渡される

引き起こされる軽度の問題・困難

- すぐに弁護士や家族と連絡をとれない
- 人前で逮捕され、恥ずかしさや屈辱感がこみ上げる
- 逮捕されたときに酩酊していた
- 尋問される
- 自分の車が押収される
- 噂や憶測の的になる
- 逮捕されて信用が失墜したことが原因で、人間関係がぎくしゃくする
- 弁護士代を払わなければならない
- 愛する人たちと離ればなれになる
- お金がなくて弁護士を雇えない
- 拘置されている間に薬物の禁断症状が起きる
- 車の運転免許証を取り消される
- マスコミからの問い合わせや取材に対応しなければならない
- 職場で休職扱いになる
- 保釈を拒否される
- 保釈金を払える人や、保釈するために奔走してくれる人がいない

起こりうる悲惨な結果

- 逮捕に抵抗する
- 弁護士が同席していないときに自白してしまう
- 逮捕前または逮捕中に誰かを負傷させた、または殺害した
- 警察の手で重傷を負わされる
- 犯罪歴ができる
- 退学させられる、または職業訓練所から追い出される
- 逮捕によって自分の評判が台無しになる
- 職を失う、または就職できない
- 親権を失う
- 友人や家族から縁を切られる
- 口を割ってほしくない人たちから狙われる
- 医療や精神治療が受けられない
- 罠にはめられる
- 有罪判決が出て服役する
- 刑務所内で襲われる
- 裁判を待っている間に殺される

結果として生じる感情

動揺、不安、裏切られる、敗北、防衛、反抗、意気消沈、弱体化、危惧、罪悪感、ホームシック、短気、孤独、無力感、後悔、反感、自己嫌悪、自己憐憫、恥、あやふや、復讐、脆弱、価値がない

起こりうる内的葛藤

- 逮捕されたあと、心的外傷後ストレス障害（PTSD）に苦しむ
- 裁判を待つ間、隔離され孤独に苦しむ
- 逮捕につながった諸々の選択をした自分を許せない
- 他の人たちを非難し、恨みを抱く
- なすすべもなく無力感を覚える
- 頭の中で逮捕時のことを繰り返し何度も思い出す
- 逮捕の事実と自分を切り離すことができない
- 愛する人たちを落胆させたことに罪悪感を覚える
- 自分の判断を疑問視する
- ネガティブな行動パターンから抜け出せな

い

- 刑期を軽くするために情報を提供したいが、そうすると身に危険が迫るとわかっている
- 本心を述べたいが、脆さは見せたくない
- 刑務所にいる囚人たちがどんな扱いを受けているのかを聞き、気持ちがかき乱れる

状況を悪化させうるネガティブな特性

無神経、生意気、挑戦的、支配的、失礼、つかみどころがない、とげとげしい、衝動的、理不尽、操り上手、偏見がある、見栄っ張り、反抗的、向こう見ず、協調性が低い、くどい、暴力的、激しやすい

基本的欲求への影響

▸▸ 自己実現の欲求

投獄され自由が奪われると、目標を追求したり夢を追ったりする機会も奪われる。新たに有意義な目標を設定しないと、自己実現の欲求は満たされない

▸▸ 承認・尊重の欲求

後悔の念にさいなまれていると、許しや信頼、セカンドチャンスといったものを受けるに値しない人間だと感じてしまうかもしれない

▸▸ 帰属意識・愛の欲求

逮捕されると、友人や家族に距離を置かれ、誰からも支えてもらえなくなる可能性がある。同様に、収監されていると、健全で深い人間関係を維持するのが困難になり、帰属意識・愛の欲求が満たされないままになるかもしれない

▸▸ 安全・安心の欲求

逮捕されると自由が奪われる。自分の意志に反して拘束されると、先が見えなくなり、不安や恐怖が増すことも考えられる

対処に役立つポジティブな特性

柔軟、おだやか、慎重、魅力的、協調性が高い、礼儀正しい、如才ない、規律正しい、控えめ、おおらか、気さく、正直、公明正大、従順、楽観的、忍耐強い、愛国心が強い、雄弁、臨機応変、お人好し

ポジティブな結果

- 起訴されず解放される
- 本当の犯人に法の裁きを受けさせることに成功する
- やり直して人生を好転させる
- 人生の選択肢を考え直す
- 逮捕される危険にさらされている人々を擁護するようになる
- 刑務所内の職業訓練や学習の機会を活用する
- 苦しいときに自分を支えてくれた人たちにあらためて感謝する

適応するように圧力をかけられる

〔英 Being Pressured to Conform〕

具体的な状況

- みんなに合わせた特定の外見になるように圧力をかけられる
- 政治的信条を馬鹿にされる
- 旧来のセクシュアリティに合わせるよう圧力をかけられる
- 自分の宗教観が非難される
- 影響力のある人々に好印象を与えるため、ある一定の行動をとったり、ある種の考えを維持したりしなければならない
- 特定の習慣やしきたりを守るように圧力をかけられる
- 自由でいられるように、ソシオパスやサイコパスが他の人たちと同じようなふりをする必要がある

引き起こされる軽度の問題・困難

- 嘘をつく必要がある
- 礼儀正しく振る舞いたくないときに、そうしなければならない
- 相手を持ち上げるために、言うことをきかなければならない
- 理不尽な期待をされ、他の人たちと口論になる
- 他人に馬鹿にされる
- 期待していた能力を発揮していないと批判される
- 自分の考え方は脅威にならないと他の人たちを説得しなければならない
- (会費を払う、求められるタイプの車を買う、すてきな家を購入するなど)周りと生活レベルを合わせようとして出費がかさむ
- 期待される習慣を身につけなければならない
- 個人的に関心を持っていることを追求したり、自分の能力を磨いたりできない
- 関心を強く示さない、参加しない、または努力をしないので、言い訳しなければならない
- してはいけないことをしていて見つかり、言い逃れをしなければならない

起こりうる悲惨な結果

- かっとなって我を見失い、自分の本当の考えや、自分を本当にわかってくれる仲間の名前を言ってしまう
- 自分らしい生活を別の場所で送っていることがばれる
- 家族に勘当され、家族の支えや後ろ盾を失う
- 友人たちに仲間はずれにされる、または仲違いする
- 無責任に散財していたせいで破産する
- 脅迫される
- ゆすられる
- いじめやハラスメント、差別を経験する
- 職を失う
- 愛する人たちが脅される
- 本当の自分でいるために隠していたことがばれる
- 自分のアイデンティティを隠す、または押し殺さなければならない
- 有害な薬物に頼る、または自己破滅的な行為に走る
- 家出する
- 洗脳教育を無理やり受けさせられる
- 自殺する

結果として生じる感情

苦悩、不安、裏切られる、根に持つ、葛藤、防衛、意気消沈、絶望、不満、羨望、罪悪感、劣等感、怖気づく、孤独、切望、疑心暗鬼、無力感、反感、自己嫌悪、恥、脆弱、価値がない

起こりうる内的葛藤

- 自分は他の人とは違うと感じる
- 本当の自分と他人の目に映る自分とを混同する
- （特に自分に近しい人たちに）受け入れてもらえずに傷つく
- 自尊心が持てなくなり、自己嫌悪や自暴自棄に陥る
- （自分が密かに信じていることが社会で危険視されている場合）自分の身に危険が迫るのではと心配する
- 家族や友人を愛しているが、彼らの偏狭さを嫌っている
- やたらと世の中に合わせようとしたり、自分を変えようとしたりする
- 愛する人たちを傷つけたくないが、いつかは自分らしく生きていかなければならないことに気づく
- 自分の健康や幸福を犠牲にして、信念を押さえつけているのはわかっている
- 愛は条件を満たさないと得られないかのように感じる
- 宗教は信心を大切にするはずなのに、決めつけや不寛容がまかり通っているので幻滅を覚える

状況を悪化させうるネガティブな特性

無神経、反社会的、不正直、不誠実、つかみどころがない、だまされやすい、無知、不安症、うっとうしい、神経過敏、偏見がある、恨みがましい、自滅的、卑屈、小心者、寡黙、意気地なし

基本的欲求への影響

▸▸ 自己実現の欲求

才能があるのに、馬鹿にされたくないばかりにその才能を隠していると、本当の自分を出しきって生きることはできないだろう

▸▸ 承認・尊重の欲求

何をやらせても期待以下だと言われていると、自尊心が失われるはずだ

▸▸ 帰属意識・愛の欲求

本当の自分ではない何者かになるよう圧力をかけられていると、恋愛をしても親密な関係になることはほぼ不可能だろう

▸▸ 安全・安心の欲求

社会の常識に従えない人は、他の人たちに脅されたり狙われたりして、身の安全が脅かされるだろう

対処に役立つポジティブな特性

芯が強い、自信家、勇敢、礼儀正しい、決断力がある、如才ない、共感力が高い、正直、気高い、独立独歩、大人っぽい、客観的、勘が鋭い、賢明、正義感が強い、協力的、寛容

ポジティブな結果

- 他人がどう思おうと、徹底して自分を愛するようになる
- ポジティブな自己像を見せつける
- 他の人たちが本当の自分を受け入れられるよう励ます
- はじめは自分を批判していた人たちの視野を広げる
- 自分の声を見つける
- 世の中に合わせるよう圧力をかけられている人たちを擁護するようになる
- 厳しい信仰に疑問を呈し、包摂を目指して変化を起こす

ぬれぎぬを着せられる

〔英 Being Falsely Accused〕

具体的な状況

- いじめ
- 虚言
- 身体的または性的な暴行
- 浮気
- ストーカー行為または他人のプライバシーの侵害
- ごまかし（試験でのカンニング、大会での八百長など）
- 犯罪行為
- 人種差別、性差別などの差別的な言動
- 対立状況でどちらかの味方につく、またはどちらかをひいきする

引き起こされる軽度の問題・困難

- （証拠を集める、目撃者を探す、弁護士を雇うなどして）自分を弁護しなければならない
- 他の人たちから質問攻めに遭う
- 友人や家族に詮索される
- 相手の主張をはっきりと否定しながら、自分がとった行動を人に弁明しなければならない
- 休職処分を受ける
- 日和見な友人から見放される
- 配偶者やパートナーが距離を置きたいと言い出し、別居または別離する
- 世間の嘲笑の的になる
- 常に人に監視され、決めつけられる
- 自由が制限され、いろいろな場所へ顔を出せなくなる
- メディアに追いかけられる
- ストレスから不眠症を発症する

起こりうる悲惨な結果

- 職を失う、または就職できない
- 家族が村八分に遭う
- 結婚生活が破綻する
- 自分を非難する人を避けるため、または匿名性を確保するため、引越や転職をしなければならない
- 容疑が晴れても、世間からは黒だと思われる
- 告発されたのをきっかけに大切な人間関係を失う
- 告発者のあとをつきまとう
- 告発者に復讐する
- 汚名をそそぐために、証拠を曲げる、または破棄する
- 苦境に耐えるために自滅的な行為に走る（リストカット、薬物やアルコールの乱用など）
- 犯してもいない罪で罰せられる
- 重度の鬱状態になる
- 落胆のあまりどうしていいかわからなくなり自殺する

結果として生じる感情

怒り、不安、裏切られる、根に持つ、防衛、反抗、意気消沈、幻滅、決まり悪さ、危惧、憎しみ、屈辱、怖気づく、孤独、疑心暗鬼、無力感、不本意、疑惑、あやふや、復讐、嫌疑が晴れる、脆弱

起こりうる内的葛藤

- 自分の無実を証明しなければならないことに腹を立てる
- 報復すべきかどうかを考える
- 誰も自分のことをよく知らないのだと感じる
- 告発者に過ちを認めさせたいが、そうするといいように話を作られてしまうのではと恐れる
- 自分の汚名をそそぐことしか頭にない
- 無実の罪を負わされるきっかけになったと考えられる選択を悔やむ
- 今後どうなるのかと不安になり心配する
- 自分の判断を疑い、誰を信用すればよいの

かわからなくなる
- 身に覚えのない罪を着せられ、無力感を覚える
- 無実が証明されるまで黒だと思われて幻滅する
- 告発者が主張する言葉だけが信じられ、強い怒りを覚える

状況を悪化させうるネガティブな特性

無神経、生意気、挑戦的、支配的、不正直、とげとげしい、衝動的、理不尽、操り上手、執拗、妄想症、悲観的、恨みがましい、疑い深い、協調性が低い、非倫理的、執念深い、暴力的

基本的欲求への影響

▸▸ 自己実現の欲求

司法制度や社会、人間性に失望するあまり、有意義な目標を追求したいと思えなくなるかもしれない

▸▸ 承認・尊重の欲求

友人たちが告発の内容を信じてしまうと、本当の自分を知ってくれている人はいるのだろうかと悩み、自分の人格まで不当に疑われていると感じる可能性がある

▸▸ 帰属意識・愛の欲求

周囲の人たちに距離を置かれたり、避けられたりして、自分を支えてくれる人の輪が急に小さくなっているのに気づくかもしれない

▸▸ 安全・安心の欲求

身に覚えのない罪を着せられると、脅されたり攻撃されたりと、恐ろしいことをされて身の危険を感じ、安心できなくなる可能性がある

対処に役立つポジティブな特性

慎重、芯が強い、協調性が高い、如才ない、共感力が高い、正直、気高い、公明正大、忠実、客観的、注意深い、楽観的、忍耐強い、雄弁、プロフェッショナル、臨機応変、責任感が強い、賢明、スピリチュアル

ポジティブな結果

- 人との間に境界線を引き、誰を信用すべきか慎重に考えるようになる
- 告発者が嘘をついていることを暴く
- 損害が補償される
- 司法制度の効力を身をもって知る
- 新しい職に就く、新しい人間関係を築く、新しい土地に引越しするなどして、大きな満足感を得る
- 早まって人を決めつけなくなる
- 無実の罪を着せられた人々を擁護するようになる

NOTE

「罠にはめられる」のは悪人に故意に罪に陥れられる場合などを指すが、「ぬれぎぬを着せられる」は被害者や目撃者、ライバル、勘違いをした家族など、文字通りあらゆる人から誤解されて罪を着せらせる場合を指す。誤解されて責められやすい事柄をわずかではあるが「具体的な状況」に挙げておく。

ハラスメントを経験する

〔英 Experiencing Harassment〕

具体的な状況

- 誰かに不適切に体を触られる、または身体的な暴力を受ける
- 脅迫や噂、個人情報がインターネット上に拡散される
- 仲間や同僚、コーチ、上司に脅迫される、またはびくびくさせられる
- （訛、女性らしさ、知能、家庭の経済事情などについて）繰り返しからかわれる、または物まねをされる
- 不快な冗談や侮辱的なことを言われたり、侮蔑的なあだ名や蔑称で呼ばれたり、中傷されたりする
- 見たいと言っていないのに不快な写真や物を見せられる
- 権威的な地位にいる人が不当な要求や期待を押しつけてくる
- 人には話したくない私生活のことを訊かれる
- つきまとわれる
- 仕事や特典を受ける代わりに見返りを求められ、要求に応じなければそれを取り上げられる

引き起こされる軽度の問題・困難

- 訴えられるよう十分な証拠を集めるまで、ハラスメント行為に耐える
- 自分が受けたハラスメント行為を記録する、または正式な苦情を申し立てる必要がある
- 相手にハラスメントをやめてほしいと言わなければならない
- ハラスメントをする人を避ける方法を考えなければならない
- 噂の的になり、人にじろじろ見られる
- ハラスメントを告発されるのではないかと恐れている人たちに遭遇し、ぎくしゃくした雰囲気になる
- ハラスメントをする人や、その取り巻きたちに脅される
- ハラスメントをする人と腹を割って話そうと試みる
- ハラスメントをする人と恋愛関係にある人に、自分がハラスメントを受けている事実を伝えなければならない
- ハラスメントの調査が行われる間、休職させられる
- 別の仕事や学校、活動の場を探さなくてはならない

起こりうる悲惨な結果

- 退学させられる、または大切な活動から追放される
- 職を失う
- 人に信じてもらえない、または根拠のない非難だと言われる
- 注意をそらす目的で、ハラスメントをした人に「ハラスメントだと騒ぐのは迷惑行為だ」と逆に責め立てられる
- 友人や家族が告発内容を信じてくれず、自分を支えてくれない
- 法的手段に訴えなければならない
- 自分の評判が不当に貶められる
- ハラスメントの被害に遭った事実が公になり、注目を浴びる
- ハラスメントをした人が権力や影響力のある立場の人なので、咎められない
- ハラスメントを訴えた自分を気に入らない人に狙われて暴力を振るわれる

結果として生じる感情

不安、愕然、葛藤、軽蔑、防衛、不信、幻滅、怯え、決まり悪さ、狼狽、憎しみ、自信喪失、怖気づく、疑心暗鬼、無力感、反感、恥、苦しみにもがく、脆弱、価値がない

起こりうる内的葛藤

- 自分はハラスメントを受けているのか、それとも過敏になっているだけなのかわからなくなる
- 人に心理的に操られ、自分が真実だと思っていることを疑うようになる
- 報復を恐れる
- 恥を覚えて自己肯定感が低くなり、鬱になる
- ハラスメントをする人（教師、上司、コーチ、トレーナーなど）に圧倒的な権力があるため、どうすることもできない気持ちになる
- 誰にも口外しないように他の人たちに圧力をかけられる
- このままずっとハラスメントを受け続けるのではないかと恐れる

状況を悪化させうるネガティブな特性

無神経、依存症、無気力、臆病、不正直、愚か、噂好き、だまされやすい、偽善的、抑制的、不安症、神経質、神経過敏、妄想症、低俗、卑屈、寡黙、うぬぼれ屋、意気地なし

基本的欲求への影響

▸▸ 自己実現の欲求

ハラスメントを受けると、職場や学校で自由に行動できなくなる可能性がある。目立たないようにするあまり、成功のチャンスが訪れても断ってしまうかもしれない

▸▸ 承認・尊重の欲求

繰り返し脅され、びくびくしていると、自己肯定感が低くなるだろう。ハラスメントを長年受けている間に、だんだんと力を失い、自分自身を見る目にも悪影響がおよぶ可能性がある

▸▸ 帰属意識・愛の欲求

誰を信用すればよいのか、ハラスメントの事実を口外した結果がどうなるのかがわからない、とげとげしい雰囲気の中では、親密な関係を維持できなくなり、引きこもることが考えられる

▸▸ 安全・安心の欲求

ハラスメントが繰り返され、びくびくしていると、日常生活を送っていても安心できないかもしれない。学校や職場は孤独感や恐怖感を覚える場所になり、そこへ行くのが億劫になる可能性がある

対処に役立つポジティブな特性

柔軟、おだやか、慎重、芯が強い、勇敢、礼儀正しい、如才ない、気さく、正直、気高い、公明正大、客観的、粘り強い、積極的、プロフェッショナル、世話好き、臨機応変、責任感が強い、賢明、正義感が強い

ポジティブな結果

- 他の人たちがハラスメントを受けないように守る
- ハラスメントの被害者である自分を守ってくれる仲間、またはハラスメントの事実を証明してくれる人を見つける
- もっと主体性を持って行動するようになる
- 相手にハラスメントとは何かを認識させ、改心させる
- 他人との境界線を明確に引く
- ハラスメントを受けたときは声を上げるようにと他の人たちを励ます
- 自分の身辺でハラスメントが起きていることに気づき、被害者のために介入する

NOTE

自分の人種、ジェンダー、宗教、政治的意見などの属性を理由に、個人的に繰り返し狙われるとき、ハラスメントは起きる。差別も同じ要因で不当な扱いを受けるが、差別は一般化された要素に基づくのに対し、ハラスメントはさらに一歩踏み込んで個人を狙うことであり、嫌がらせを受けるのは一度きりの場合もあるし、同じ人に何度も繰り返して嫌がらせをされる場合もある。

妨害される

〔英 Being Sabotaged〕

具体的な状況

- 競争相手に過去の秘密を公にされる
- 仕事または学校のプロジェクトがつぶされる、または改悪される
- 襲撃されて怪我を負い、大会に出場できなくなる
- 作品やアイデアを盗まれる
- 活動家グループにより機械や施設、システムを破壊される
- 嘘や操作によって世間が影響され、自分に批判的になる
- 同僚または従業員にわざと仕事ができないふりをされる、またはいい加減な仕事をされる
- 大切な物資が故意に別のところへ送られ紛失する
- 公的文書が破棄される
- 自分や組織、またはある問題について、メディアが否定的な情報だけを報道し、肯定的な情報は無視している
- 送信した人の信用を傷つけるのを目的に、偽文書が出回る
- ディープフェイク技術によるなりすましの被害に遭う
- 仲間が敵チームに取られる、または敵の策略にひっかかり、仲間が試合に出場できなくなる
- 失敗するよう罠にはめられる

引き起こされる軽度の問題・困難

- 世論の風当たりがきつくなる
- 新たに物資を購入しなければならない、または修理費や人件費がかさんだなどの理由から減収になる
- 停滞期を乗り越えるため、グループを再編成しなければならない
- 一からやり直さなければならない
- 新たな課題を乗り越えるため、創造力を働かせて考える必要がある（新しい業者を探す、別の戦術を試す、エビデンスを探す、世論を覆すなど）
- 噂の火消しに労力と時間を費やし、重要な仕事にまで手が回らない
- 左遷されたり、プロジェクトから降板させられたりして、重要な任務や機会を与えられなくなる
- 妨害行為の被害に遭った関係者たちが神経を尖らせているので、なだめなくてはならない

起こりうる悲惨な結果

- 自分の評判が回復不可能なほどに台無しになる
- 重要な資産や人的資源を失う
- 腹心的な仲間、有力者、または仕事上のコネを失う
- 解雇される
- （腐敗した組織を倒す、社会悪を正すなど）本来の目標を達成できない
- 自分または自分の会社を相手取った集団訴訟が起きる
- 愛する人たちが騒ぎにうんざりして、自分に反感を抱く
- 家族が嫌がらせを受けたり、襲撃されたりする
- 独創的なアイデアやレシピ、製法、人命など、かけがえのない何かが敵に奪われる、またはめちゃくちゃにされる
- 妨害者に危害を加えられる
- 腹心の誰かが敵と密通していることが発覚する
- 無実の罪で逮捕される

結果として生じる感情
怒り、不安、懸念、裏切られる、根に持つ、敗北、防衛、絶望、自暴自棄、決意、打ちのめされる、不信、落胆、幻滅、危惧、屈辱、苦痛、憤慨、自信喪失、怖気づく、疑心暗鬼

起こりうる内的葛藤
- そのような卑劣な行為をする人間がいるなんてとショックと失望を覚える
- 次に何が起こるのだろうか、それによって誰かが傷つくのだろうかと心配する
- 他の人たちが噂を信じ、悪評が立つのではと気を揉む
- 怒りのあまり判断力が鈍る
- 誰を信じていいのかわからない
- 事態の展開に心が折れる
- 意欲が失われ、何もやる気がしなくなる
- 不健全な考えだとわかっていながらも、自分をこんな目に遭わせた相手に復讐する妄想に走る
- 恐怖心が先立って反撃をためらっているのはわかっていて、そんな自分を臆病者だと感じる
- 巻き込まれたくないと自分から離れていく人たちを見て落胆する
- 妨害者を打ちのめすためならと、道徳的な一線を越える誘惑に駆られる

状況を悪化させうるネガティブな特性
臆病、皮肉屋、だまされやすい、被害者意識が強い、大げさ、神経質、神経過敏、妄想症、向こう見ず、恨みがましい、低俗、小心者、うぬぼれ屋、執念深い

基本的欲求への影響
▸▸ 自己実現の欲求
他人の妨害によって自分の一生をかけた仕事や作品が台無しにされた場合（構築や設計、創作に長年かけたものである場合は特に）、打撃はあまりにも大きいだろう。もう一度最初からやり直すより、あきらめることを選択する可能性もあるかもしれない

▸▸ 承認・尊重の欲求
妨害されたことが明らかでない場合、まるで自分のせいで失敗したかのように見えるかもしれない。そのせいで他の人たちに無能だ、非倫理的だ、あるいは無責任だと思われ、自尊心が失われることも考えられる

▸▸ 帰属意識・愛の欲求
「友人」が自分と恋人を別れさせるために嘘をつくなどして、恋愛が妨害されると、友人と恋人の両方を失うかもしれない。信用していた人に恋を妨害されたと知って、再び心の壁を取り払い、人に心を開くのは困難になるだろう

▸▸ 安全・安心の欲求
失敗が世間の注目を浴び、失敗の影響がおよぶ範囲も広い場合、一般市民の怒りを一身に受け、身の危険を感じることも考えられる

▸▸ 生理的欲求
妨害工作によっては、意図的にまたは不注意から犠牲者が出る場合もある

対処に役立つポジティブな特性
おだやか、決断力がある、知的、公明正大、客観的、注意深い、きちんとしている、粘り強い、雄弁、積極的、臨機応変、奔放

ポジティブな結果
- 立ち直る力が強くなる
- 身近にいる人の中で誰が信用ならないのかがわかるようになる
- 本来やろうとしていたことをもう一度やり直そうと決意を新たにする
- 人を信用しすぎた、またはお人好しすぎた部分が見えるようになり、同じ間違いを繰り返さないように自分を変える
- 独創力を働かせ、よりよいアイデアや方法を思いつく
- 人に妨害されるほどなのだから、自分は正しい道を進んでいるのだと確信する

求めるものが合わない

〔英 Misaligned Goals〕

具体的な状況

- パートナーは子どもを望んでいないが自分は欲しい
- 結婚を申し込んだが失敗する
- 自分は不正を正したいが、他の人たちは現状維持を望んでいる
- 一人は成長や向上を突き詰めて頑張っているのに、もう一人は努力などせず、のんびりしていたい
- ある人に恋心を抱いているが、相手は自分に対して同じようには思っていない
- 企業幹部の間で、会社が目指すべき目標が異なる
- ビジネスパートナーの一人は利他的な目標を掲げているが、もう一人は収益さえあればいいと思っている
- 知人同士が会話を始め、一人は相手に話を聞いてもらって後押しをしてほしいのに、もう一人は会話を独占したがるなど、会話の目的が異なる
- 親は子どもを保護または支配したがるが、子どもは自立を目指している
- ある10代の若者が別の若者の人気やコネを利用しようと友だちのふりをして近づくが、相手は利用されたくない

引き起こされる軽度の問題・困難

- 間違った思い込みから、誤解が生じる
- 期待をしても裏切られるので、妥協しなければならない
- 人間関係がぴりぴりする
- 2人の間に摩擦が生じ、互いを避けるようになる
- うまくやっていくために小さな譲歩を重ねる
- 相手が相手の目標にこだわっているので、前進させるために、気をそらせようとする
- はっきりと口に出してしまうと対立するため、やんわりと真実を告げる（または嘘をつく）
- 子どもが欲しくない人は身勝手に違いない、積極的なビジネス戦術を展開するのだから強引で支配的なのだろうなどと、相手の目標を見て、その人柄について思い込みをする
- （前向きな事業判断や、自己実現のためなど）改善につながるような選択肢があるのに、意見の不一致から、それを選択するタイミングが遅くなる
- （もっと大きな問題が見えていないため）小さなことを修正してばかりで時間を無駄にする

起こりうる悲惨な結果

- 自分の目標は自分にとっては正しかったのに引き下がる
- 両者とも自分の主張を譲らず、膠着状態になる
- 事を荒らげたくないあまり問題を避け、状況が悪化する
- 自分の計画を強引に進め、自分の評判を傷つける、または相手を遠ざけてしまう
- 正しいこと、または最善のことをしようとしても相手に遮られる
- どんなことをしてでも自分の思い通りに進めようと決意する
- 相手に支配され、馬鹿にされ、または妨害され、自分の目標を追求できない
- 対立が個人的なものになり、修復不可能なレベルにまで人間関係が崩れる
- 摩擦や対立が絶えない人間関係になる
- 会社や人の成長を妨げる役割に陥る（しみったれた経営者、支配的な親になるなど）
- 2人の目標が合致していないことに気づかず、対立し続ける
- （子どもを作るなどの）大きな目標をあきらめ、

一生後悔する

結果として生じる感情

怒り、いらだち、根に持つ、葛藤、混乱、軽蔑、防衛、決意、失望、不信、不満、疑念、フラストレーション、苦痛、短気、怖気づく、無力感、不本意、自責、反感

起こりうる内的葛藤

- フラストレーションが募る
- 個人的に蔑ろにされている、認められていないと感じる
- 相手を恨む
- 抑え込まれて、自分の可能性を最大限に活かせていないと感じる
- 異なる考え方にオープンになるよりも、正しくありたいと思う
- 相性が悪いのではないかと疑う
- 摩擦の絶えない関係を終わらせるために、結婚生活や会社などをやめたいと思っているが、それが答えでないことを知っている
- あきらめの境地に陥り、自信が根底から揺らぐ
- （どちらの目標にも可能性があるので）どの道を選んで前進すべきかで葛藤する
- 両方を手に入れたいが、1つを手に入れるには、もう1つを犠牲にしなければならないのはわかっている

状況を悪化させうるネガティブな特性

挑戦的、支配的、貪欲、だまされやすい、優柔不断、知ったかぶり、操り上手、大げさ、恨みがましい、自己中心的、意地っ張り

基本的欲求への影響

▸▸ 自己実現の欲求

意義のある目標が2つあって、一方（例：子どもを望まない男性と結婚する）を選ぶともう一方（例：母親になる）を犠牲にしなければならない場合、どちらを選んでも、自分の人生に何かが欠けているような気持ちになり、一生充足感を得られないかもしれない

▸▸ 帰属意識・愛の欲求

親子間の力関係が不均衡だと、摩擦が生じて、親子の絆が弱まりがちだ。同様に、夫婦間で特定のこと（全国どこに住んでもいい、子どもを持たない、様々なところを旅するなど）に対して考えが揃っていないと、夫婦関係が不安定になる可能性がある

対処に役立つポジティブな特性

愛情深い、熱血、気高い、理想家、内向的、従順、哲学的、秘密を守る、お人好し

ポジティブな結果

- 新たな考えや、自分が試されるような考え方によりオープンになる
- 健全な形で妥協する方法を学ぶ
- 何が重要で、何が喧嘩をするほどでもないことなのかがわかるようになる
- 何でも自分の思い通りにするのに慣れていたが、譲歩できるようになる
- 計画やその進捗よりも、人を大切にするようになる
- 相手が自分の弱点を補ってくれていることに気づく
- 相手と話し合って、対立を和らげる方法を学ぶ
- 他の人がより深い欲求や動機を持っていることを知る
- 妥協点を探すため、第三者（セラピストなど）を利用する
- 人間関係がうまく機能していないことに気づき、友好的にそれを終わらせる方向にもっていく

優位性の喪失

- 安全な場所がなくなる
- 競争相手が現れる
- 協力者を失う
- グループからはずされる
- 故郷や祖国を追われる
- 資金を失う
- 重要な人を失う
- 重要な物資がなくなる
- 重要な目撃者や証人を失う
- 重要なものが盗まれる
- 重要なものにアクセスできなくなる
- 重要なものを紛失する
- 重要なリソースが足りない
- ルールが不利なものに変更される

安全な場所がなくなる

〔英 A Place of Safety Being Compromised〕

具体的な状況

- 脅しをかけてくる人や組織に自宅の住所がばれる
- （木の上の小屋、遊具場、公園、学校など）子どもの安全な場所が落書きされたり、破壊されたりする
- 住まいを極悪人に突きとめられ、安全でなくなる
- 紛争地帯で中立を保っていた地域が中立でなくなる
- 暴動参加者たちが道路や公共の場を占拠している
- 自宅や車、事務所に盗聴器が仕掛けられていることが発覚する
- 自宅で脅迫されたり暴力を受けたりする
- 児童虐待者がわが子の学校で働いている事実を知る
- 銃を持った者が教会などの人が集まる場所に侵入する
- 職場や自宅で自分が恐れている人に監視される
- 顔見知りの人が自分のグループセラピーの場に入ってくる

引き起こされる軽度の問題・困難

- これ以上安全が脅かされないように、何でもないふりをしなければならない
- 安全な場所を新たに探し出す必要がある
- 警察や裁判所に被害届けを出さなければならない
- 破壊された部分を修理して、安全な場所に戻す必要がある
- 警察に尋問される
- よく考えてから発言または行動しなければならない
- 約束が果たせなくなる
- 自宅周辺の警備対策を強化しなければならない
- 見返りを期待する人に助けを求めなければならない
- （危険はまだ目の前を去っていないので）脅かされていることを誰にも言えない
- 軽傷を負う

起こりうる悲惨な結果

- 盗聴器が仕掛けられているのに気づかず、機密情報が人に伝わってしまう
- 安全だと思っていた場所で、脅迫や暴行を受ける
- 危険を無視して、安全でなくなった場所に戻る
- 安全でなくなった場所に戻るよう強制される
- 引越したいが、経済的に新しい家は買えない
- 通報するが、警察の腐敗ぶり、または無能ぶりが発覚する
- 不信感でいっぱいで何もできず、どこにいても安心していられなくなる
- 安全な環境を破壊した者に報復を企てる
- 護身用に武器を購入するが、（武器に安全装置が付いていなかった、武器の使い方を知らなかったなどの理由で）愛する人に怪我をさせてしまう
- 自分が危険を無視した（危険を払いのけられるとも思っていた）せいで、愛する人が負傷する
- パニック障害を発症する

結果として生じる感情

動揺、怒り、不安、気づかい、反抗、打ちのめされる、失望、不信、幻滅、危惧、フラストレーション、ホームシック、自信喪失、怖気づく、疑心暗鬼、無力感、不本意、反感、

疑惑、心配、復讐、脆弱

起こりうる内的葛藤

- 元の場所に戻るのが怖い
- 愛する人たちに、被害をどの程度詳しく知らせればよいのかわからない
- 無差別なのか、自分を狙ったのかがわからない
- 常に監視されているような気がして疑心暗鬼になる
- 安全が失われたのをきっかけに、心的外傷後ストレス障害（PTSD）に苦しむ
- 犯人に立ち向かうべきかどうかで悩む
- 自分の道徳規範が試される
- 他人を信用できない
- 犯人を知り、法的責任を問うことを考えている
- 警察が再び安全な場所にするために大して何もしていないように見え、腹を立てる
- 子どもの安全を守りたいが、過保護になりすぎて子どもの行動範囲を狭めたくない
- 安全対策について迷いが生じ、なかなか決断や行動ができない
- 直感に耳を傾けるべきか、それとも、被害妄想に陥っているだけなのかの判断がつきかね、危険をタイミングよく察知できない

状況を悪化させうるネガティブな特性

無気力、生意気、挑戦的、支配的、不正直、不誠実、愚か、無知、衝動的、無頓着、頑固、理不尽、神経質、執拗、妄想症、向こう見ず、疑い深い、くどい、執念深い

基本的欲求への影響

▸▸ 承認・尊重の欲求

自分だけでなく他の人たちにとっても安全な場所を守れない場合、自分はだめな人間だと感じる可能性がある

▸▸ 帰属意識・愛の欲求

近しい関係の人たちを信用していたのに裏切られると、彼らとは距離を置くようになるかもしれない

▸▸ 安全・安心の欲求

自分の安全な場所が襲撃されると、身の安全だけでなく、心理的にも精神的にも安心していられなくなるだろう

▸▸ 生理的欲求

住まいを失うと、基本的な欲求を満たせなくなることも考えられる

対処に役立つポジティブな特性

柔軟、用心深い、分析家、慎重、勇敢、如才ない、控えめ、おおらか、効率的、勤勉、知的、公明正大、客観的、注意深い、忍耐強い、愛国心が強い、勘が鋭い、秘密を守る、臨機応変、正義感が強い

ポジティブな結果

- 安全対策ができている場所を見つける
- 自分だけでなく他の人たちもうまく守れるようになる
- 先に危険を察知できるようになる
- 柔軟性を身につける
- 自分の恐怖心に向き合って克服する
- 自分の人生に関わる人たちをより慎重に選ぶようになる
- 学校や職場、住む場所などを選ぶ前に、治安についてもっと人に尋ねるようになる
- 犯人を探し出し、法の裁きを受けさせる

競争相手が現れる

〔英 A Competitor Showing Up〕

具体的な状況

- 才能あふれる同僚が自分のチームに参加する
- 近所に流行の店が開店し、商売敵になる
- 友人の輪の中に新しい人が入ってきて、自分の友人たちとつるんでいる
- 資源を他の誰かと争う（砂金をすくっていると、誰かが近くで同じことをしはじめる、川から大量の水を引きこむ工場が建設される、ハンターが大勢やってきて獲物が減るなど）
- 配偶者の疎遠になっていた怠け者の息子や、成功していて注目されるのが大好きないとこなどが家族の集まりに現れて注目をかっさらい、家族との時間や、その準備に費やした労力が台無しになる
- 政敵が現れる（市長選や委員長の選挙への出馬、職を争うなど）
- 飛ぶ鳥を落とす勢いの才能あふれる人と重要な役割を奪い合う（演劇の主役、チームのキャプテン、昇進など）
- 大学の終身在職権をめぐりライバルが現れる
- 別の団体や組織も政府の助成金を狙っている
- 自分が狙っている大学の限定枠に、他の生徒も願書を出している
- （住宅購入、事業買収やのれん分けなどで）入札合戦になる

引き起こされる軽度の問題・困難

- 新しい人に注目が集まり、自分は一時的に無視される、または忘れられる
- 競争を受けて立ち、試練をくぐり抜ける
- 競争相手を否定的に見ているのが自分しかいない
- 脅威を感じて心を取り乱し、競争から振り落とされる
- （おそらく当然に思っていた）人材や財源が減らされる
- どうしても優位に立ちたくて、応援を要請する
- 上司に命じられて、ライバルに職場を案内し、職場のルールを説明しなければならない
- 競争相手に不意打ちを食らって差をつけられ、必死で追いつかなければならない
- 本心とは裏腹に、ライバルを大歓迎しているふりをしなければならない
- 競争相手への怒りやフラストレーション、苦痛を前面に出すと、自分のイメージを悪くするので、隠さなければならない

起こりうる悲惨な結果

- 競争相手が有利な立場にいて、到底かなわないことが発覚する
- 競争相手が法律を無視している事実、または会社にとってダメージになることをしている事実が発覚するが、それを証明できない
- 汚い手を使う競争相手と闘う
- 競争相手に負ける
- 人の見ている前で競争相手に勝負を挑むが、負けて自尊心を失う
- 自分を中傷する運動を競争相手に展開され、自分の地位や権力、支持を奪われる
- 仕事、昇給や昇進のチャンスなどを失う
- 競争相手に罠にはめられる
- 競争相手にレースから降りろとゆすられ、強要される
- 道徳的一線を越えてしまい、後悔する
- 競争が激化して軽率なことをし、（家族、社会団体、組織などに）非難され追放される
- 単なる競争では終わらない雰囲気になっていることに気づき、身の安全を危惧する

結果として生じる感情

称賛、動揺、不安、根に持つ、葛藤、軽蔑、防衛、決意、謙虚、劣等感、怖気づく、嫉妬、緊張、パニック、反感、他人の不幸を喜ぶ、自己憐憫、唖然、あやふや、脆弱、気がかり

起こりうる内的葛藤

- 競争相手がそうしているから、自分も汚い手を使いたい
- 資本主義を信じてはいるが、自分に競争を仕掛けてきた新参者を恨めしく思う
- 忠誠心と献身で勝ちたいが、競争相手のほうが自分より能力があって適任なのはわかっている
- 他の人たちは自分と同じプレッシャーを与えられていないのに、自分だけ競争させられることに怒りを覚える
- 競争相手を排除することしか頭にない
- 競争相手が他の人たちにうまいことを言っているのを知っているが、それを証明できない
- 競争相手を称賛し、仲間だったらよかったのにと思う
- 嫉妬に苦しむ
- 家族を愛しているが、競争相手を支援しているので腹立たしい

状況を悪化させうるネガティブな特性

意地悪、幼稚、生意気、男くさい、うっとうしい、神経過敏、独占欲が強い、向こう見ず、恨みがましい、自滅的、甘ったれ、うぬぼれ屋、執念深い、暴力的、激しやすい

基本的欲求への影響

▸▸ **自己実現の欲求**

全体的な目標を見失い、競争相手を負かすことだけを考えてしまうと、自分が何者なのか、何を信じているのかが見えなくなる可能性がある

▸▸ **承認・尊重の欲求**

競争に負ける、負けそうになって怪しい手段に出る、または競争相手に故意に中傷されるなど、同僚や仲間から尊重されなくなる状況はいろいろと考えられる

▸▸ **帰属意識・愛の欲求**

どんなことをしてでも勝たなければならない場合、自分の人生において大切な人間関係を蔑ろにして、大切な人たちと対立し、彼らとの距離が生まれるかもしれない

▸▸ **安全・安心の欲求**

欲しいものを手に入れたいとき、誰もがルールに従うとは限らない。競争が拮抗して、競争相手がどうしても勝たねばならない場合、自分に危害がおよぶ可能性がある

対処に役立つポジティブな特性

野心家、芯が強い、自信家、規律正しい、客観的、忍耐強い、粘り強い、雄弁、積極的、天才肌

ポジティブな結果

- 自分がなぜ競争相手として選ばれたのか、なぜ勝つことが重要なのかが腑に落ちて、過去の痛みを忘れて前進し、より健全な目標を追求するようになる
- 競争を強いられて、より一層努力をしなければならなくなり、自分にこれほどの底力があったのかと新たな発見をする
- 競争しているときの自分の創造力や創意工夫を、わかる人たちに気づいてもらえる
- 自分を本当に支援してくれているのが誰なのかがわかり、ネガティブで自分の邪魔をするような人たちとは縁を切る

NOTE

ライバルは人生のあらゆる局面に現れるが、恋愛関係における競争相手となるとやや特殊なので、上巻の「恋敵が現れる」の項目を参照のこと。

協力者を失う

〔英 Losing an Ally〕

具体的な状況

- 市に苦情を申し立てるのに協力してくれた隣人が陳情書から名前を除外する
- 気むずかしい上司の説得に協力してくれた同僚が会社を辞める
- 勤務先の大学で資金調達に尽力してくれた有力者を失う
- 共同弁護士が訴訟を担当しない
- 有力な新聞社または法執行機関のコネを失う
- 重要な情報を提供した刑事が事件からはずされる
- ビジネスパートナーまたは共同創業者が会社を去る決意をする
- 常に自分を支え、励ましてくれた友人がこの世を去る
- 子育てに関して配偶者が意見を翻し、対立する
- 決意が揺らいだ兄弟姉妹が家族の圧力に屈する
- 政治家仲間が別の政党に移籍する
- チームメイトが別のチームにトレードされる
- 事務所の人事異動で有能なアシスタントを失う
- 同僚が別の企業から魅力的で断れない仕事を提示される
- 日和見主義の友人が学校での人気が低落した自分を捨て、別のグループに入る

引き起こされる軽度の問題・困難

- 一人では処理しきれない仕事量をこなさなければならない
- 新たな責務を負う
- 新たな情報提供者を探さなければならない
- 有力者グループのメンバーからはずれる
- 使命遂行や目標達成への自信がなくなる
- 問題や悩み事があっても相談できる相手がいない
- 協力者が持っていたコネやスキルを失う
- 友人を失ってさみしい思いをする
- 残った人たちを励まさなければならない
- 力を見せつけるため、自信ありげに行動しなければならない
- 不安や疑念を安心して打ち明けられる相手がいない
- 失望を隠し、協力者の新たな門出を祝うふりをしなくてはならない
- 協力者のネットワークを新たに築く必要がある

起こりうる悲惨な結果

- 代わりに来た人がスキルや経験の面で劣っている
- 職場を和やかにしてくれていた人がいなくなり、職場の雰囲気が耐えがたいほど悪くなる
- 友人と家族が手を組んで、自分の決心を翻させようとする
- 大切な人間関係が修復不可能なほどに崩れる
- 協力してくれる人もおらず、一人で頑張って立ち退きを拒否している人に市が圧力をかけ、土地の売却に応じなければ懲罰を科すと脅す
- 幹部同士の間で仲間割れが起き、反体制派が勢力を失う
- 政党間で共通の土台が見つけられず、重要な政府間提携が失敗に終わる
- 片方の配偶者が相手に支えてもらえず孤独であることを感じたため、結婚生活が破局する
- 原告側の弁護団の間で意見が対立したせいで、犯罪者が自由の身になる
- 変化を推進するための十分な支援がなく、価値ある活動が下火になる

結果として生じる感情

怒り、不安、懸念、葛藤、敗北、反抗、意気消沈、決意、打ちのめされる、失望、悲嘆、謙虚、劣等感、孤独、ネグレクト、懐古、圧倒、無力感、自責、反感

起こりうる内的葛藤

- ショックを受けているが、それを表に出せない
- （協力者が去るという選択をしたため）関係性がそれほど強くなかったのではないかと疑う
- 協力者の新たな門出を祝っているが、有能な人を失ったことを悲しく思う
- 協力者なしに、どう先に進めばいいのかと心配になる
- あきらめたい、または降参したい誘惑に駆られる（そしてそう思ったことに恥を覚える）
- 協力者の代わりを探す必要があるが、そうするのは不誠実ではないかと悩む
- 去っていく協力者に腹を立て、裏切られた気持ちになる
- 協力者に去る理由を聞いたが、その返答を怪しみ、自分に対して何か不満があるのではないかと憶測する

状況を悪化させうるネガティブな特性

無気力、冷淡、意地悪、挑戦的、支配的、不誠実、いい加減、とげとげしい、不安症、操り上手、うっとうしい、完璧主義、悲観的、独占欲が強い、向こう見ず、恨みがましい、愚直、恩知らず、くどい

基本的欲求への影響

▸▸ 承認・尊重の欲求

協力者のおかげで自信をつけ、自分を信じることができるようになったのなら、協力者を失ったことをきっかけにまた自己疑念に襲われるかもしれない

▸▸ 帰属意識・愛の欲求

家族の中の協力者を失うと、裏切られた気持ちになるため、特にショックが大きいだろう。裏切られたと感じていると、相手をなかなか許すことができず、関係も元には戻らない可能性がある

▸▸ 安全・安心の欲求

自分を守ってくれていた協力者を失うと、安心感を失い、自分は危険にさらされているような気持ちになるだろう

対処に役立つポジティブな特性

柔軟、感謝の心がある、おだやか、魅力的、自信家、外向的、気高い、理想家、独立独歩、影響力が強い、知的、忠実、楽観的、きちんとしている、情熱的、忍耐強い、粘り強い、雄弁、臨機応変

ポジティブな結果

- 協力者を失っても屈せず、正しいことを続ける
- 同じ信念を持つ新たな協力者を見つける
- あきらめず勝利し、他の人たちを勇気づける
- 新たな協力者とつながり、互いに助言し合い、支援し合うよい関係を築く
- 自分に組織を率いてやり抜く力があることを知る
- 協力者が離れる決意をしたことについて、自分に対して不満があったのではと疑っていたが、その疑念を払拭する
- 家族の一部とは境界線を引き、過度に依存しないようになる

グループからはずされる

〔英 Being Cast Out of a Group〕

具体的な状況

- 教会などの宗教団体から追放される
- 家族と疎遠になる
- 専門家としての認定や地位を失う
- ソーシャルメディアのプラットフォームから締め出される
- 友人の輪からはじき出される
- 学会などからの招待を取り消される
- スポーツチームのレギュラーメンバーからはずされる
- 委員会や役員会からはずされる
- 生活共同体や地域社会から出て行けと言われる

引き起こされる軽度の問題・困難

- 肩書や地位を手放さなければならず、自分専用の駐車スペースなどが用意されなくなる
- グループに関係した物（カードキーなど）を返さなくてはならない
- 恥や屈辱、怒りなど、千々に乱れる感情を隠さなければならない
- 自分がはずされた理由をグループに問いただす必要がある
- 組織幹部から完全追放され、組織内の友人たちを失う
- グループのメンバーを避けるため、自分の日課を変える
- 家族や友人、噂好きな人たちに質問攻めにされる
- 自分がグループからはずされたことについて、グループ内で何を言われても放っておくしかない
- 新たな仲間や仕事のコネを作る必要がある
- 何が起きたのだろうかと噂が広がり、対応を迫られる
- グループからの追放につながった諸々の出来事について嘘をつく

起こりうる悲惨な結果

- 追放時にとんでもないこと（情報を盗む、器物損壊など）をしたと責められる
- 自分の評判に傷がつく
- 機密情報が漏れる
- 公にグループを糾弾したせいで、自分が追放されたという事実が注目されてしまう
- 法的な争いに巻き込まれる
- 職を失う、または退学させられる
- 今もグループにいる愛する人たちと疎遠になる
- グループを脅迫する、ゆする、または攻撃する
- グループが自分をつぶそうとする
- グループに狙われ、脅迫やゆすり、暴力の被害に遭う
- グループが敵意を自分の家族や友人にも向けてくる
- 大きな脅威を感じても、追放された自分をグループは守ってくれない

結果として生じる感情

怒り、不安、裏切られる、根に持つ、混乱、敗北、意気消沈、打ちのめされる、不信、決まり悪さ、憎しみ、屈辱、苦痛、劣等感、怖気づく、孤独、無力感、唖然、評価されない、復讐、脆弱

起こりうる内的葛藤

- 追放されたことを忘れることができない
- 裏切られた気持ちになる
- グループを打倒することばかり考えている
- グループの親しかったメンバーがそばにいなくてさみしい
- 自分はどこへ行けばいいのか、何をすればいいのかがわからない
- 自分の道徳的主張を曲げて、グループへの

再加入を検討する
- 追放されてもなおグループに属したいと願っている自分に嫌気が差す
- グループの呪縛に今もかかっている家族や友人たちのことを心配する
- なぜ追放されたのかと、そのことばかり考える
- 被害妄想や弱々しい気分に襲われる
- 自分はグループの外で生きていけるのだろうかと自問する
- 自分の信仰心を疑う
- グループのために自分が払った犠牲を何度も振り返り、心の底からグループに幻滅する

状況を悪化させうるネガティブな特性

幼稚、生意気、挑戦的、支配的、不誠実、噂好き、とげとげしい、生真面目、偽善的、無知、不安症、操り上手、口うるさい、うっとうしい、執拗、恨みがましい、疑い深い、非倫理的、執念深い

基本的欲求への影響

▸▸ 自己実現の欲求

宗教団体から追放されると、幻滅し、この世における自分の目的や居場所、神とのつながりを疑問視するようになるかもしれない

▸▸ 承認・尊重の欲求

グループを追放され、かつて帰属していたコミュニティの支えを失った自分の力に疑問を感じる可能性がある

▸▸ 帰属意識・愛の欲求

これまではグループの一員だったのに、急に一人になり、他の人たちとのつながりを失うと、感情的にも精神的にも不安定になることが考えられる

▸▸ 安全・安心の欲求

グループに属していたおかげで（身の安全、免役、不動の地位などが）守られていた場合、追放の身となると、グループの保護を受けられなくなり、脅威や危険に直接自分をさらすことになる

▸▸ 生理的欲求

グループが生活を保障してくれていた場合、助けてくれる人もいなくなり、衣食住を確保するのに苦労するかもしれない

対処に役立つポジティブな特性

柔軟、冒険好き、芯が強い、自信家、協調性が高い、クリエイティブ、如才ない、気さく、独立独歩、勤勉、客観的、楽観的、忍耐強い、粘り強い、積極的、臨機応変、正義感が強い、スピリチュアル

ポジティブな結果

- 自分自身を違った目で見るようになり、他人の視点を尊重する
- 有害な環境を離れ、より健全な環境に身を置く
- 行動には結果が伴うのだと気づく
- 組織から離れて自立した結果、成長している自分に気づく
- 持ちつ持たれつの関係もほどほどがよいことに気づく
- 人を許せるようになり、自分もまた、人に許してもらえるようになる
- 自由な考えをするようになり、心も広くなる
- 前のグループに代わる新グループを結成し、より深い充実感を覚える

故郷や祖国を追われる

〔英 Having to Leave One's Home or Homeland〕

具体的な状況

- 政治的、人道的、または経済的危機の中、安全と安定を求めて逃げる
- 遠く離れたところに住む人と結婚する
- 誘拐される、または人身売買される
- 家から遠く離れた学校に入学する
- 遠方にある仕事の機会を受け入れる
- 外交の仕事または布教活動を追求する
- 故郷または祖国で自然災害が起き、住めなくなる
- 家から遠く離れたところで重要な医療を受けなければならない
- 恐ろしい脅迫を受け、別の土地に行ってやり直すはめになる
- 病気の家族の面倒を見るために引越しする

引き起こされる軽度の問題・困難

- 新しい生活に慣れなければならない
- 新しい言語を学ばなければならない
- 新たな人間関係を築く必要がある
- 今までとは違う仕事を探さなければならない
- 道に迷う
- 今までとは違う社会経済的状況や社会的地位で暮らす
- 子どもを転校させなければならない
- 自分の家財道具を置いていかなければならない
- 移住先の文化基準がわからない
- 故郷や祖国を追われているので、学校に通えない
- 移住先の社会ルールがわからないため、知らず知らずのうちに人を怒らせる
- 住まいを探さなければならない
- ペットを残していかなければならない
- 自分の持つ資格が移住先では認められない
- 新しくインターネットや電話回線を引くなど、住環境を整えなければならない
- 人からの支えを得られなくなる
- 移住先ではまだ誰を信用すればいいのかわからない（または、信用できる人が誰もいないと感じる）
- 故郷や祖国に残してきた人たちと連絡がとれない

起こりうる悲惨な結果

- 移住申請が却下され、外国に不法入国しなければならない
- ジェンダーや性別、性的指向を理由に差別を受ける
- 仕事が見つからない
- 無邪気にも間違った人を信じてしまう
- 善良なふりをした人物による詐欺に遭う
- 故郷に戻ることが許されず、愛する人たちに会えない
- 移住先で健康保険がまだ手に入らない場合など、重要な医療を受けにくくなる
- 愛する人たちを故郷や祖国に残していかなければならない
- 移住先で殺害される可能性のある宗教を信仰している
- 悪人たちに移住先まで追いかけられ、居所を突きとめられる
- 危険が目前に迫っているため、不安と恐怖におののいている
- 人身売買計画の犠牲になる

結果として生じる感情

不安、根に持つ、葛藤、意気消沈、失望、落胆、怯え、危惧、フラストレーション、罪悪感、ホームシック、自信喪失、怖気づく、孤独、切望、圧倒、後悔、反感、自己憐憫、衝撃、うぬぼれ、心配、脆弱

起こりうる内的葛藤

- （身の危険を感じて祖国を去った場合）強制送還されるのではという妄想に襲われる
- カルチャーショックに苦しむ
- ホームシックに苦しむ
- 愛する人は移住を望んでいたか、必要としていたかもしれないが、自分はそうではないので相手を恨む
- 他の人たちを置いていかなければならず、罪悪感にさいなまれる
- 移住先での外出や人付き合いに不安を感じる
- 移住先で自分の健康や幸福、身の安全が保障されないのではないかと恐れる
- 2つの文化に挟まれて自分が何者なのかがわからなくなり、身を引き裂かれる思いをする
- 孤独感にさいなまれ、自分の居場所がなくてつらい思いをする

状況を悪化させうるネガティブな特性

無神経、反社会的、支配的、失礼、愚か、だまされやすい、とげとげしい、無知、せっかち、頑固、抑制的、偏見がある、甘ったれ、愚直、小心者、寡黙、意気地なし、引っ込み思案、心配性

基本的欲求への影響

▸▸ 承認・尊重の欲求

自分の地位や他人にどう評価されるのかは、住んでいる地域や文化によって違ってくるため、故郷や祖国を離れたあとに自尊心が傷つくことがあるかもしれない

▸▸ 帰属意識・愛の欲求

故郷や祖国を去るときは、家族を残していくことが多い。移住先でなかなか人間関係を築けず、家族に会いたくてたまらなくなるときもあるだろう

▸▸ 安全・安心の欲求

住み慣れた故郷や祖国を離れたあと、安全や安心を得るためには、新たな生活基盤を築かなければならないが、移住のせいで健康を害したり、身の安全が危ぶまれたり、仕事が見つからなかったりすることも考えられる

▸▸ 生理的欲求

故郷や祖国を離れると、基本的欲求を満たすのが難しくなり、食べ物や水、住む場所もなく、長く休息もできない生活を強いられ、命の危険が迫るかもしれない

対処に役立つポジティブな特性

柔軟、冒険好き、芯が強い、自信家、好奇心旺盛、如才ない、おおらか、共感力が高い、熱血、外向的、気さく、勤勉、注意深い、忍耐強い、臨機応変、正義感が強い、天真爛漫、寛容

ポジティブな結果

- 急激な生活の変化に耐えられる体力と能力が自分にあることを発見する
- 自分の求めるものが手に入りやすそうな第二の故郷を見つける
- 文化や社会の違いを経験し、視野を広げる
- よりよい教育や雇用の機会が得られ、供給が安定しているので食料品が手に入りやすくなる
- 新たな人間関係を築く
- 祖国の文化を大切に思うようになる

資金を失う

〔英 Losing One's Funding〕

具体的な状況

- 非営利団体が大口の寄付者を失う
- 奨学金または助成金が学生に交付されなくなる
- 事業の運転資金が枯渇する、または資金提供者が手を引く
- 家族からの仕送りが途切れる
- 生活保護、扶養手当、または児童手当が支給停止になる
- 後見人が財産を管理し、自分で手がつけられなくなる
- 研究費または調査費を失う
- 財源不足で建設プロジェクトが停止する
- 慈善活動が十分な寄付金を集められず、継続できなくなる
- 布教活動の資金がなくなる
- 景気が後退し、地域活動の助成金が交付されなくなる
- 大口の政治献金者が選挙活動の支援から手を引く

引き起こされる軽度の問題・困難

- 予算を削減しなければならない
- 家族に借金をしなければならない
- 実家に引越さなければならない
- ローンを組む必要がある
- 学術研究や調査計画の進行が遅れる
- 資金を新たに調達するか、新しい寄付者を探す必要がある
- 新規事業開発や事業計画を延期する
- 途中で住宅建設を中断する
- 不景気で人員を増やせない
- 慈善事業の規模を縮小する、または事業を撤退する必要がある
- 会社の株価が下がる
- 損失を出して責任を問われる

起こりうる悲惨な結果

- 従業員を一時解雇しなければならない
- 友人や家族に金銭的支援を要請したが断られる
- クレジットヒストリーに傷がつく
- ローンを返済できず、他の人たちから借りた金も返せずに迷惑をかける
- 慈善事業に終止符を打たなければならない
- 大学で学位を取得しようとしたが、途中であきらめなくてはならない
- 家賃滞納で強制退去させられる
- 義務不履行で訴えられる
- 会社の経営が行き詰まる
- 資金が底をついたため、夢をあきらめなければならない
- コスト削減と事業続行のために安全基準を無視する
- 道義に反するような手段で資金を調達する
- 有害な薬物や依存性のある行動に走る

結果として生じる感情

苦悩、不安、裏切られる、敗北、拒絶、意気消沈、絶望、自暴自棄、打ちのめされる、失望、フラストレーション、悲嘆、謙虚、劣等感、圧倒、パニック、無力感、屈服、恥、あやふや、価値がない

起こりうる内的葛藤

- 資金枯渇にいたるまでの様々な選択を疑問視する
- 最後までやり遂げられなかった自分をだめな人間だと思う
- 怪しい後援者からの寄付を受け付ける、または犯罪者だという噂のある人とパートナーを組むなどして、経済的損失を埋め合わせるために道徳的妥協を考える
- 他人に頼り、人々を失望させたことに恥を

覚える
- 自分は無力な人間だと感じる
- 他人にどう思われるかを心配する
- プロジェクトや事業、奨学金などを失い、鬱になる
- 先が見えず、次に何をしたらよいのかわからない
- 返済能力を超える債務を負うリスクをとったことを後悔する

状況を悪化させうるネガティブな特性

依存症、支配的、浪費家、不真面目、無知、せっかち、衝動的、優柔不断、頑固、無責任、知ったかぶり、完璧主義、独占欲が強い、強引、恨みがましい、自滅的、仕事中毒

基本的欲求への影響

▸▸ 自己実現の欲求

学業や事業、または自分の好きなことをするための資金を失うと、自己実現が遠のくかもしれない

▸▸ 承認・尊重の欲求

資金を失ったことが原因で自分が進めていた事業を突然中断すると、自分はだめな人間だと感じるかもしれない。資金切れのせいで、自分の評判にも悪影響が出る可能性がある

▸▸ 帰属意識・愛の欲求

経済支援を家族に頼ろうとすると、家族との関係が悪化する可能性がある。無責任な行動をとった過去があったり、家族が経済支援をする立場に置かれたことに憤慨したりしているならなおさらだ

▸▸ 安全・安心の欲求

資金が枯渇すると、個人、会社、または慈善団体が経済的に不安定になるだろう

対処に役立つポジティブな特性

柔軟、野心家、大胆、芯が強い、自信家、決断力がある、規律正しい、熱心、想像豊か、独立独歩、勤勉、知的、楽観的、情熱的、忍耐強い、粘り強い、雄弁、積極的、臨機応変

ポジティブな結果

- 思いがけない形で協力者が見つかる
- 創意工夫を凝らし、代わりの資金を調達する
- 協力者がいなくなっても事業を続けられるかどうか、自分の真剣度が試された結果、自分がいかに真剣であるかを再確認する
- 別の仕事、学校、またはプロジェクトでより満足感を得る
- 快く支援してくれる人々のコミュニティ（クラウドファンディング）を発見する
- 早めに手を打ち、経済的な大ピンチを回避する
- 失敗をきっかけにお金の教訓を学び、将来に向けてその教訓を活かす

重要な人を失う

〔英 Losing Access to Someone Important〕

具体的な状況

- 情報提供者が殺害される
- 専門知識を持った人（弁護士、医者、セラピストなど）が遠方に引越しする
- 互いの利害が対立し、恋愛関係を終わらせなければならない
- わが子の親権を失う
- 重要人物が投獄される
- 友情が終わる
- 重要な情報を持っている人と連絡がとれなくなる（海上に派遣されている、意識不明状態になっているなどの理由で）
- 第三者を通じてしか、重要な人とのコミュニケーションがとれなくなる
- 自分が雇っている出世頭または稼ぎ頭の従業員が起業するため辞職する
- 接近禁止命令が自分に対して出され、尊敬または崇拝している人に近づけなくなる
- 愛する人が行方不明になる
- 別れた配偶者がわが子を誘拐し、子どもと共に行方をくらます
- 助言や指導を最も必要としているときに相談相手が病で倒れる
- 協力者を失う

引き起こされる軽度の問題・困難

- どうしたらいいのかわからず、目標を失ったような気持ちになる
- 自分一人ではなかなか決断を下せない
- 次善策や代替策を講じなければならない
- 建物に入ったり書類を閲覧したりするのに許可が必要なのに、肝心の許可を出す人がいない
- いなくなった人の所持品の中から情報を探し出す必要がある
- （弁護士、医者、セラピストなど）新しく専門家を探さなければならない
- いなくなった情報提供者に関する最新情報が必要になる
- 自分に対して接近禁止命令が出ているので、相手の顔を見るには、こそこそと行動しなければならない
- 投獄された重要人物と面会するには、刑務所へ行く必要がある
- サービスが提供できなくなったり、仕事が滞ったりする
- その人が与えてくれていたものを失う
- 相談相手がいなくなる
- いなくなった人とやりかけたことがあり、中途半端になる

起こりうる悲惨な結果

- いなくなった人と最後に交わした言葉がひどく、後悔にさいなまれる
- 心の支えがいなくなる、または重要な医療を受けられなくなる
- 他の人に助言を請うが、間違った方向に進むよう勧められる
- 情報源になってくれていた人が拷問を受ける、逮捕される、または殺害される
- （遺言書の保管場所、家族の居場所といった）重要な情報が失われる
- いなくなった人の最後の願いが何だったのかがわからない
- 指導もなく、自分一人で決断を下し、ひどい結果になる
- 重要人物に近づこうとして、進入禁止区域に入る
- ネットストーカー行為をして捕まる
- 接近禁止命令を破る
- 自暴自棄になっておかしな行動をとる（別れた配偶者からわが子を誘拐する、暴力に走るなど）
- わが子に二度と会えなくなる

- 重要な人に連絡がとれず、または重要な情報を入手できず、犠牲者が出る

結果として生じる感情

怒り、いらだち、不安、裏切られる、根に持つ、葛藤、混乱、反抗、拒絶、意気消沈、自暴自棄、打ちのめされる、失望、不信、フラストレーション、苦痛、執拗、無力感、後悔、反感、評価されない、復讐

起こりうる内的葛藤

- いなくなった人の健康や安全を心配する
- 自分が相手に近づくことを禁じる人々や組織を恨む
- 対立する利害のどちらかを選ばなければならない
- 自分一人で決断を下すのが難しい
- 失敗を犯すのではないかと心配になる
- 不安症や鬱病を経験する
- いなくなった相手とやりかけたことがあり、それを前に進めることができない
- （いなくなった相手に対して決心のつかない感情を抱いていた場合）報われない恋に苦しむ
- 人に一方的に決めつけられている、または不当に罰せられたと感じる

状況を悪化させうるネガティブな特性

無神経、依存症、反社会的、支配的、不誠実、とげとげしい、無知、衝動的、理不尽、うっとうしい、執拗、独占欲が強い、強引、反抗的、向こう見ず、恨みがましい、協調性が低い、非倫理的、執念深い、暴力的

基本的欲求への影響

▸▸ 自己実現の欲求

仕事上の相談相手や特別な知識を持っていた人がいなくなって、他に頼れる人がいない場合、自力でどのように前進すればよいのかわからず、途方に暮れる可能性がある

▸▸ 帰属意識・愛の欲求

相手に深い感情を抱いていたのに、つながりを失って、孤独を覚え、その人なしでは自分は人に理解されないと感じるかもしれない

▸▸ 安全・安心の欲求

有意義な信頼関係を築くには、時間と勇気が必要だ。そういう間柄にあった人がいなくなると、また誰かと一から信頼関係を築かなくてはならなくなり、先が見えずに不安を覚えるだろう。信頼関係が崩れたのなら、なおさらである

対処に役立つポジティブな特性

柔軟、野心家、魅力的、自信家、クリエイティブ、如才ない、規律正しい、おおらか、外向的、誘惑的、気さく、勤勉、忍耐強い、粘り強い、雄弁、積極的、臨機応変、正義感が強い

ポジティブな結果

- 失った関係よりも、よりよい関係を築く
- 大切な人を失ったあとの新しい環境に順応し、もっと自立した人間になる
- 今ある人間関係を以前よりももっと大切にする
- 以前よりも他人に頼られる存在になる
- 不測の事態に備えて策を講じるようになる
- 自分の考えや気持ちを内に秘めていないで、オープンに話そうと決意する
- いなくなった人とまた会えるようになる
- いなくなった相手とまたつながり、言うべきことを言う、謝る、正直な気持ちを伝える、何かを宣言するなどして、いったん区切りをつける

重要な物資がなくなる

〔英 Running Out of Critical Supplies〕

具体的な状況

- 飲める水が手に入らない
- 周りに何もない場所で車がガソリン切れになる
- 薬がなくなる
- 戦闘中に最後の一発を使ってしまう
- 危機が訪れ、食糧が不足する
- （ブランケット、食糧、ワクチンなど）救援物資がなくなって配給できなくなる
- 野戦病院で手術用の備品がなくなる
- 植える種がない
- 家畜の飼料が底をつく
- 薪、石炭、石油など、暖をとるための燃料がなくなる

引き起こされる軽度の問題・困難

- 空腹やのどの渇きを感じ、体が虚弱になり、不快感に襲われる
- 怪我をしても処置できない
- 処置されないままの傷が痛みを引き起こす
- 不安や恐怖でいつもびくびくしているため、精神的に疲弊する
- 相手に具体的に何を求められているのかわからないが、今必要なものを手に入れるために見返りを約束する
- 理想的ではないが、一時しのぎになる解決策を考えなければならない
- 人々がパニックに陥らないよう嘘をつく、または情報を隠す必要がある
- 物資を必要としている人たちに分配して、自分の分がなくなる
- 援助を頼み込まなければならない

起こりうる悲惨な結果

- 物資の主な供給者にグループを見捨てられたので、自分たちで何とかする
- 生き残るために、（権力、安全、自由など）重要な何かをあきらめなければならない
- 助けを求めに出ている間に道に迷う、足止めを食らう、または怪我をする
- 医療訓練も受けていないのに緊急手術をするなど、資格や経験がないのに何かをしなければならなくなる
- 体調が悪化する
- 体がふらついたり体力が低下して、重傷を負ったり、間違いを犯したりする
- （汚染された水を飲む、盗みを働いて見つかるなど）軽率で危険な行動をする
- 戦闘で捕虜になる
- 降参を強いられる
- 弱い者を殺害して物資を節約する、人肉を食べるなど、生き残るために道義に反した行為をする
- 家族を養うため、闇市場で臓器を売らなければならない
- 凍傷や壊疽（えそ）で体の一部を失う
- 死ぬ

結果として生じる感情

苦悩、不安、敗北、絶望、自暴自棄、決意、危惧、フラストレーション、共感、感謝、罪悪感、圧倒、無力感、後悔、反感、自己憐憫

起こりうる内的葛藤

- 人の命を救うことができず、自分はだめな人間だと感じてしまう
- 誰もが苦しんでいるときに自分のことばかり心配し、罪悪感を覚える
- 自分のために必需品を確保する方法を考えるが、そうすると他の人に物資が行き渡らなくなるので葛藤する
- 他の人たちにパニックを未然に防いだと嘘をつきながらも、彼らには真実を知る権利があると悩む

- 困っているグループを離れるのは道義に反するが、単独行動をしたほうが生き残る確率が高くなるので、2つの選択肢を天秤にかける
- 物資を持っている人々を羨ましく思う
- 生きるか死ぬかの状況でなら、法律を破ってもいいのではないかと悶々とする
- 法律に従いたいのは山々だが、法律を作った人たちに見捨てられた気がしている
- 必需品を確保するために人に頼み込み、ときにはひどい扱いを受けたりしなければならず、恥や自己嫌悪に苦しむ

状況を悪化させうるネガティブな特性

依存症、挑戦的、支配的、皮肉屋、不誠実、浪費家、不真面目、だまされやすい、傲慢、悲観的、独占欲が強い、恨みがましい、自己中心的、甘ったれ、恩知らず、不満げ、心配性

基本的欲求への影響

▸▸ 自己実現の欲求

物資の確保に真剣になるあまり、他のことが考えられなくなると、個人的にやりがいがあって満足感を得られる目標を達成する気力が奪われる可能性がある

▸▸ 承認・尊重の欲求

自分自身と愛する人たちを養うことができなくなると、「劣等感」を覚えるかもしれない

▸▸ 帰属意識・愛の欲求

生きるか死ぬかの状況では、誰が物資を受け取るのかをどうしても選ばなければならなくなるだろう。身近な人々が最重要グループ（家族など）と、犠牲にしてもよいグループ（隣人や友人など）に分けられるので、人間関係が試されることになる

▸▸ 安全・安心の欲求

物資がなくなると、様々な形で危険にさらされることが考えられる。薪や燃料などの基本物資がなくなれば、どんな問題が起きるかは明らかだが、物資と引き換えに安全を確保していた場合は、別の安全問題が生じる。たとえば、自分の物資を有力者に分けていたために友好関係が維持できていた場合、物資が底をつけば、その関係も恩恵も消えてなくなるはずだ

▸▸ 生理的欲求

糖尿病を抱えているのにインシュリンが不足するなど、必要不可欠なものが手に入らなくなると、命が危なくなる可能性がある

対処に役立つポジティブな特性

規律正しい、おおらか、太っ腹、もてなし上手、理想家、優しい、忠実、従順、お人好し

ポジティブな結果

- 喜んで交換に応じてくれる人を見つけ、自分が必要としている物を手に入れる
- 物資の管理をもっとうまくできるようになる
- 地域社会の人々が協力し合って、物資不足という困難な状況を乗り越える
- 創造力を働かせて解決策や斬新なアイデアを生み出し、物資不足を回避する

重要な目撃者や証人を失う

〔英 Losing a Key Witness〕

具体的な状況

- 犯罪の目撃者がひどい暴行を受ける、または殺害される
- 証人になってくれそうな人だったのに、その人に関して悪い評判が聞こえてくる（犯罪歴がある、嘘をつく傾向がある、証言にダメージを与えるような偏見を持っているなど）
- 目撃者が配偶者や親と揉めるからと、証人になるのを拒む
- 兄弟姉妹をかばうことで知られている目撃者が捜査に関わるのを拒む
- 事故を目撃した歩行者が連絡先を教えてくれない
- 訴訟から手を引くよう証人が脅迫される
- 陪審員に「この人は証人として信用できない」と思わせる事情が明らかになる
- 幼い子どもが目撃者では法廷で証言できないと裁判所が判断する
- 目撃者は精神的に問題があるため証人にはなれないとの判断が下る
- 証人が突然証言内容を変える
- 何の前触れもなく、突然証人が姿を消す
- 上司に関わるなと言われたため、同僚が証言を拒む

引き起こされる軽度の問題・困難

- ある人に勇気を出して証言してほしいと頼み込む
- ある人に証人になってもらうために、あれこれと約束をしてしまう
- 不正の証拠を突きとめなければならない
- 何かを目撃したかもしれない人全員に声をかける
- 証拠集めのために仕事や学校を休む
- 携帯電話に事件を録画したかもしれない人たちを探す
- 監視カメラに映像が残っていないか、現場付近の商店に声をかけて回る
- ある人物や場所を捜査してほしいと警察に訴える
- もう一人目撃者を探す必要がある
- 被告側の主張をがっちりとかためなければならない
- 自分自身が証言台に立つ必要がある
- 上訴する
- 休廷を求める

起こりうる悲惨な結果

- 新たな目撃者を見つけるが、信頼できない
- 虚偽の告発であることを証明できない
- 自分ではとても料金が払えない弁護士を雇う必要がある
- 修理費など、事故に絡んで請求された金額を支払わなければならない
- 自分についてネガティブな評判が立つ
- 左遷させられる
- 家族が原告側の主張を信じているため、孤独感を味わう
- 無実の罪を着せられて評判が傷つけられたため、引越さなければならない
- 訴えが取り下げられ、犯罪者が報復のために自分や家族を狙う
- 自分についての虚偽の発言を信じる同僚たちに、冷たい目で見られる
- 裁判に負け、懲役刑などの重刑を言い渡される
- 脅迫される、または虐待される
- 証拠不十分で殺人者が解放され、さらに被害者が出る

結果として生じる感情

怒り、不安、裏切られる、根に持つ、気づかい、絶望、自暴自棄、打ちのめされる、不信、落胆、フラストレーション、悲嘆、罪悪感、憎しみ、

怖気づく、パニック、疑心暗鬼、無力感、懐疑、疑惑、あやふや、復讐、脆弱

起こりうる内的葛藤

- 信頼できると思っていた人たちに支持されていないと感じる
- 自分の誠実さが疑われ、侮辱されたと感じる
- 裁判や捜査の結果に不安を覚える
- 他の目撃者や愛する人たちを危険にさらしているのではないかと危惧する
- 自分は狙われているのではないかと被害妄想に陥る
- 無力感や敗北感と格闘する
- 自分を支持してくれると思った人に裏切られた気持ちになる
- 目撃者に証言してほしいと圧力をかけたことに罪悪感を覚える
- 罪を犯した者が解放され、さらに被害者が増えるのではないかと心配する
- 自分が属す会社や教会、組織から支援がなくて失望する
- 司法制度をごまかして罪を逃れる人がいることにフラストレーションを覚える
- 強権を持つ、腐敗した制度に翻弄され、自分にはどうすることもできないと感じる

状況を悪化させうるネガティブな特性

無神経、無気力、生意気、支配的、不誠実、せっかち、衝動的、理不尽、操り上手、神経質、執拗、妄想症、悲観的、恨みがましい、疑い深い、非倫理的、執念深い

基本的欲求への影響

▸▸ 承認・尊重の欲求

ある人に主要な証人として証言台に立ってもらうために、大変な思いをしてかけずり回ったにもかかわらず、その人に証人になってもらえず敗訴した場合は特に、ポジティブな結果へと導くことができなかった自分の能力を疑うかもしれない

▸▸ 帰属意識・愛の欲求

主要な目撃者が自分の友人または家族で、証言を拒んでいる場合、その人が自分のためにどんなことでもしてくれるわけでもないと知って、2人の関係が試されるだろう

▸▸ 安全・安心の欲求

主要な目撃者を脅迫や威嚇、暴力で失った場合、自分自身と愛する人たちの身の安全が危ぶまれていると感じるかもしれない

対処に役立つポジティブな特性

柔軟、おだやか、芯が強い、魅力的、自信家、如才ない、熱心、公明正大、大人っぽい、客観的、注意深い、楽観的、忍耐強い、粘り強い、雄弁、積極的、臨機応変、責任感が強い、スピリチュアル、お人好し

ポジティブな結果

- 信頼できる新たな目撃者が見つかり、訴訟の流れを変えることができる
- 主要な目撃者なしでも、勝訴する、または自分に有利な捜査結果が出る
- 苦境に立たされても正義を貫いたおかげで、自分の道義心が強まる
- 自分を本当に支えてくれているのが誰なのかがわかる
- 法的トラブルに見舞われている人たちを助ける慈善活動に関わる

重要なものが盗まれる

〔英 Something Important Being Stolen〕

具体的な状況

- 個人情報が盗まれる
- 窃盗犯に財産（現金、クレジットカード、銀行口座など）を狙われる
- 自分の日記帳が盗まれる
- 薬が盗まれる
- 宝石類や絵画、車などの価値のある物が盗まれる
- （写真、贈り物、家宝、形見など）思い入れのある物が盗まれる
- （携帯電話、パソコン、カメラなど）重要な電子機器が盗まれる
- 人から預かっていた機密情報が盗まれる
- スリに財布を盗まれる
- 建物内の警備が厳重な部屋へ入るためのカードキーを盗まれる
- 家族が所有する資産（土地、天然資源、鉱山など）が法律の抜け穴をかいくぐって、または怪しい銀行取引が行われ、勝手に売買される
- 子どもの純真さが奪われる

引き起こされる軽度の問題・困難

- 警察に盗難届を出す
- 盗まれた物を新しく買い替えなければならない
- カードを取り消す、またはパスワードを変更する必要がある
- 保険会社または金融機関に書類を提出する必要がある
- 友人や家族、雇用主に盗難に遭ったことを報告しなければならない
- 自分の名前や信用情報が勝手に使われたので、与信業者に届け出る必要がある
- 法廷で証言しなければならない
- セキュリティ対策を強化する必要がある
- 監視カメラの映像を確認しなければならない
- 犯人だと思われる人を問い詰めなければならない
- 容疑者を確認するため警察に出頭しなければならない
- 旅行の予定を取りやめる
- 損害の予想額を会社または上司に報告しなければならない

起こりうる悲惨な結果

- 重要な訴訟の証拠品だったのに盗まれる
- 重要な物を安全な場所に保管していなかったことが発覚し、一般市民の信用を失う
- 愛する人の信用を失う
- 人に利用され、家族に見捨てられる
- 破産手続きをしなければならない
- 窃盗犯に何度も狙われる
- 機密情報が悪用される
- （盗まれた物が仕事に関係している場合）解雇される
- 警備の判断を誤ったため、または窃盗を防げなかったために、謹慎処分を受ける
- 企業の機密情報が盗まれ、戦略計画に支障が出る
- 無実なのに、窃盗の罪に問われる
- 窃盗に遭い、トラウマを経験する
- 刑事責任を問われるような手段で窃盗犯を捕まえようとする
- 知っている人を犯人だと勘違いし、その人と実質的に縁が切れる
- 罪のない人が窃盗罪で有罪になる
- 証人の居場所や、おとり捜査に携わっている捜査官の名前など、重要な情報が悪人の手に渡り、その人たちが危害を加えられる、または殺害される

結果として生じる感情

怒り、期待、不安、裏切られる、意気消沈、

自暴自棄、打ちのめされる、不信、幻滅、決まり悪さ、危惧、悲嘆、自信喪失、切望、執拗、疑心暗鬼、無力感、自己憐憫、衝撃、疑惑、心配、復讐、脆弱

起こりうる内的葛藤

- 物品や情報、人々を守る能力が自分にはないのではないかと自信がなくなる
- 被害妄想に陥り、身近にいる同僚を怪しむ
- 不合理なまたは不健全な不安を抱えるようになる
- だまされ、注意を怠った自分に腹が立つ
- 雇用主、関係者などに窃盗事件をもみ消してほしいと頼まれる
- 自分に近しい人が関与しているため、窃盗を報告しないでおくべきかで悩む
- 盗まれた物を取り返すため、とんでもない手段に出ることを考える
- 窃盗の責任を負う、または負わされる

状況を悪化させうるネガティブな特性

挑戦的、支配的、皮肉屋、不正直、愚か、忘れっぽい、だまされやすい、無頓着、理不尽、物質主義的、執拗、妄想症、偏見がある、恨みがましい、注意散漫、疑い深い、非倫理的、執念深い

基本的欲求への影響

▸▸ 承認・尊重の欲求

窃盗犯に狙われた自分を弱いと感じたり、だめな人間だと思ったりするかもしれない

▸▸ 帰属意識・愛の欲求

犯人が顔見知りだった場合、人を信用できなくなり、自分の身や自分にとって大切な物を守ろうとして、他の人たちからは距離を置いて引きこもる可能性がある

▸▸ 安全・安心の欲求

自分を狙った窃盗事件だった場合、自分と愛する人たちの身の安全はもちろんのこと、自分の所持品の安全まで、今後大丈夫だろうかと心配になるかもしれない

対処に役立つポジティブな特性

柔軟、用心深い、おだやか、慎重、芯が強い、控えめ、謙虚、勤勉、公明正大、情け深い、客観的、注意深い、楽観的、きちんとしている、忍耐強い、勘が鋭い、粘り強い、世話好き、臨機応変、責任感が強い

ポジティブな結果

- 捜査が続けられ、盗まれた物が戻ってくる
- 身の回りの安全対策を強化する
- 自分の経験から、他の人たちが教訓を学んで安全対策を講じる
- 盗まれた物は古かったので、もっと優れた新品に置き換える
- 窃盗事件の捜査から、犯人が他にももっと大きな罪を犯していたことが発覚する

重要なものにアクセスできなくなる

〔英 Losing Access to Something Important〕

具体的な状況

- 資料やデータベース、パスワードで保護されたアプリなどが利用できなくなる
- 銀行口座が凍結される
- 通信の手段が使えなくなる
- 金庫や保管庫を開けられなくなる
- 鍵や暗号を解く鍵、変換コードがどこにあるかわからなくなる
- 道路に進入できなくなる、重要な移動経路が使えなくなる
- ガスや電気、水道が使えなくなる
- 車やボートが回収される
- 監視カメラの映像や重要な証拠が使えなくなる
- ソーシャルメディアのアカウントが凍結される
- 自宅や職場が犯行現場になり、入れなくなる
- クレジットカードが使えなくなる
- バックアップ用のファイルが破損し、それまでの作業や情報が失われる

引き起こされる軽度の問題・困難

- 重要なパスワードを誰かがリセットした事実が発覚する
- ウェブサイトで顧客サポートや連絡先情報を調べなければならない
- サイト管理者に連絡をとり、アクセス権を回復させなければならない
- 自分の銀行口座を確認できない、請求書の支払いを遠隔からできない
- 代わりに何か策を用意する必要がある
- クレジットカードが拒絶されたため、昼食の代金を支払えない
- 他のルートや移動手段を探さなければならない
- 誰かに助けを求めなければならない
- 他の誰かから代用品を借りる必要がある
- 自分の荷物を持ち出すことができない
- 新しいパスワードや鍵、IDカードなどの再発行を要請する必要がある
- 上司または権限を持っている人に対処してほしいと頼まなければならない
- 暗号や暗号キー、変換コードなどをもう一度作り直す
- 利便性に欠けるが別の通信方法を用意しなければならない
- 再び利用可能になるまで待つ間、時間を無駄にする

起こりうる悲惨な結果

- 鍵付きの箱やロッカーが開けられるようになり、または建物の中に入れるようになるが、肝心の物がなくなっていることが発覚する
- ガスや電気、水道が復旧しない
- 重要な情報へのアクセス権を失う
- アカウントに不正アクセスがあり、個人情報が盗まれたことが発覚する
- 銀行口座の残高がゼロになっている
- 個人情報が盗まれる
- サイト管理者から連絡がないので、ソーシャルメディアのアカウントの凍結を解くことができない
- 進入禁止の封鎖ブロックをこっそりと越えて捕まる
- 一般の人が入れない場所に侵入して逮捕される
- システムに不正アクセスを試みて捕まる
- 失った物を取り返そうとして、人を威嚇したり脅迫したりし、事態を悪化させる
- 失った物を取り戻そうとして、私有地に不法侵入する
- 必需品を買うお金がない
- 上司など権限を持っている人を通り越して、自分で問題解決に挑む

- 鍵や暗号を解く鍵、変換コードの紛失がセキュリティ問題に発展した、または無責任な対応をした理由で解雇される
- 自分を助けるために規則を破った人が解雇される

結果として生じる感情

動揺、不安、裏切られる、葛藤、敗北、反抗、自暴自棄、不信、落胆、狼狽、フラストレーション、短気、緊張、執拗、圧倒、パニック、疑心暗鬼、無力感、疑惑、復讐、脆弱、気がかり

起こりうる内的葛藤

- 失敗するよう罠にはめられたような気がする
- 自分を利用した人たちに腹を立てる
- 人生の浮き沈みにうまく対処できる能力がないのではないかと悩む
- 道義に反することをしたくなる誘惑に駆られる
- 失った物を取り戻すのに怪しい手段を用いたせいで葛藤する
- 立場が危うくなり、あたふたする
- 助けを求めるべきかどうかわからない
- 世の中にうんざりする

状況を悪化させうるネガティブな特性

生意気、挑戦的、支配的、腹黒い、いい加減、とげとげしい、せっかち、衝動的、頑固、理不尽、無責任、操り上手、執拗、妄想症、完璧主義、気分屋

基本的欲求への影響

▸▸ 自己実現の欲求

失った物が目標達成に必要な場合、成功に手が届かないかもしれない

▸▸ 承認・尊重の欲求

物を失くしたのは自分の責任だと感じている場合、自分はだめな人間だと思う可能性がある。他の人たちもそう思っているなら、重要な仕事を任せてもらえなくなることも

▸▸ 安全・安心の欲求

あまりにも重要な物を簡単に紛失または盗まれた場合、安心していられなくなり、不安な気持ちをなかなか払拭できないだろう

対処に役立つポジティブな特性

柔軟、野心家、おだやか、自信家、協調性が高い、クリエイティブ、如才ない、外向的、熱心、気さく、勤勉、知的、几帳面、きちんとしている、忍耐強い、粘り強い、雄弁、積極的、臨機応変

ポジティブな結果

- 失った物を取り戻し、悪用はされなかったことを知る
- 重要な資料がない状態で作業をやり遂げた自分に誇りを感じる
- 自分の資産を安全に保護するようになる
- 必要な物がなくても何とかできるようになる
- 自分のために一肌脱いでくれた人に感謝し、困った人を見かけたら、自分も同じように助けようと決意する

重要なものを紛失する

〔英 Losing a Vital Item〕

具体的な状況

- 野外にいるのに地図やコンパスを持っていない
- 携帯電話またはノート型パソコンを紛失する
- 家宝をどこに保管したか思い出せなくなる
- パスポートや出生証明書、親戚の遺言書など重要な書類を紛失する
- 必要な薬、医療機器、または人工装具を失くす
- 海外旅行に電源アダプターを持っていくのを忘れる
- 車の鍵や職場のカードキーを失くす
- 警官バッジや銃がロッカーから盗まれる
- 航空会社がスーツケースを紛失する
- 野外で重要な物（浄水器、ライターやマッチ、ナイフなど）を失くす
- 犯罪捜査の重要な証拠が間違った場所に保管される
- 財布、クレジットカード、またはバッグが盗まれる
- ポータブル発電機を失くす

引き起こされる軽度の問題・困難

- 紛失物を探さなければならない
- 警備員に紛失を知らせなければならず、時間を無駄にする
- 保険会社に損害申請書類を提出する必要がある
- 友人や家族、または雇用主に紛失の事実を報告しなければならない
- 銀行やカード会社に知らせる必要がある
- 誰かから借りなければならない
- 旅行の予定を変更またはキャンセルする
- 代わりになる物や代わりの方法を慌てて探さなくてはならない
- （錠前師、技術者などの）助けを呼ぶ必要がある
- 携帯電話やパソコンなどの電子機器が使えなくなる
- 無責任だという評判が立つ
- 紛失したとは言わず、嘘をつく
- 叱責を受ける

起こりうる悲惨な結果

- 野外または不慣れな土地で道に迷う
- 紛失物の責任を負わされる
- 書類不備で法執行機関に拘束される
- 失くした物と同じ物を持っている人に譲ってもらうため、自分の大事な物を手放さなければならない
- 緊急事態が起きたのに、他の人と連絡がとれない
- 物の所在について嘘をついたのがばれる
- 失くした物の代わりを慌てて買った結果、粗悪品や欠損品を摑まされる
- 盗人が機密情報へ不正アクセスしたり、鍵や暗証コードがないと入れない場所に侵入したりする
- 紛失物を使って誰かが罪を犯し、その持ち主が自分であることが判明する
- 「紛失物を取り戻したいなら金を持ってこい」と恐喝される
- 重要な物を紛失したせいで負傷する、または死亡する

結果として生じる感情

動揺、いらだち、不安、防衛、拒絶、絶望、自暴自棄、打ちのめされる、不信、怯え、決まり悪さ、危惧、狼狽、フラストレーション、罪悪感、謙虚、執拗、圧倒、パニック、無力感、自責、あやふや、脆弱

起こりうる内的葛藤

- 物が盗まれてパニックになり、そうこうしているうちに、それが手の届かないところへ行ってしまうのではないかと心配する
- 紛失物を探し出すことで頭がいっぱいになる
- 紛失を他人のせいにする
- 最悪の事態を想像して慌てふためく
- 紛失して申し訳ない、人に迷惑をかけたと思い込む
- 道義に反することをしてでも、紛失物を取り戻したい、または代わりになる物を見つけたい誘惑に駆られる
- 決まり悪さや恥を覚えて葛藤する
- 物を失くしたことを人に言うべきかどうか悩む
- 紛失物が悪人の手に渡って何かが起きれば自分の責任だと感じる
- 自分が物を紛失したせいで、他の人たちに迷惑をかけ、罪悪感を覚える

状況を悪化させうるネガティブな特性

支配的、防衛的、不正直、いい加減、つかみどころがない、忘れっぽい、無頓着、無責任、物質主義的、執拗、妄想症、完璧主義、独占欲が強い、向こう見ず、注意散漫、けち、疑い深い、非倫理的

基本的欲求への影響

▸▸ 承認・尊重の欲求

重要な物を紛失すると自己肯定感が低くなるはずだ。(自分に非があるかどうかは別として)責任を感じるからだけでなく、他人に無能だとみなされると思い込むからである

▸▸ 帰属意識・愛の欲求

同僚たちには関わりたくないと思われ、愛する人たちにはあきれられたり、腹を立てられたりして、彼らとの関係に距離ができるかもしれない

▸▸ 安全・安心の欲求

自分の身の安全が危ぶまれるような重要な物を失くすと、大変なことに巻き込まれるのではないかと安心していられなくなるはずだ

▸▸ 生理的欲求

命の危険が心配されるような物を失くした場合、基本的欲求が満たせなくなり、本当に命が危なくなる可能性がある

対処に役立つポジティブな特性

柔軟、おだやか、協調性が高い、熱心、正直、謙虚、勤勉、純真、公明正大、忠実、大人っぽい、几帳面、自然派、楽観的、きちんとしている、忍耐強い、粘り強い、積極的、臨機応変、責任感が強い

ポジティブな結果

- 交渉により、または第三者の介入により、紛失物を取り戻す
- 見ず知らずの人が紛失物を拾って警察に届けてくれたおかげで、自分の手に戻る
- 整理整頓がうまくなる
- 不測の事態に備えるようになる
- 重要な物を紛失したのをきっかけに、人に頼りきりだった部分を直さなければならないことに気づく
- 助けを求め、ピンチから救ってもらう
- 正直に失態を認めて責任をとれるようになる
- 人の情けを受けたことがありがたかったので、自分も人に同じことをする

重要なリソースが足りない

〔英 Lacking an Important Resource〕

具体的な状況

- 食糧や水がない
- 体を休める場所や、体を保護する物がない
- 重要な薬や医薬品がない
- 自分が現在いる場所で使える通貨がない
- 移動の手段がない
- 他の人たちとの通信手段がない
- 解毒剤がない
- 交渉に使えるものが何もない
- 家賃を払うお金がない
- 安全な場所に入るための鍵、カードキー、暗証番号がない
- 危険を取り除くために特殊能力を持った人（ハッカーや武器専門家など）がいない
- 身分証明書、または自分を守ってくれる重要書類を失う

引き起こされる軽度の問題・困難

- 必要な物を探す、または代わりになる物を探す必要がある
- 他の誰かから必要な物を借りなければならない
- 必要な物資を手に入れるため、他のことをあきらめる必要がある
- 必要な物資を手に入れるため、他人と競争になる
- 生き残るためには、他人の分を横取りしなくてはならない
- 必要な物資がないせいで、体が弱るか病気になる
- 必要な物資を求めて移動しなければならない
- 寝場所がなくて睡眠不足になる
- 人に助けを乞わなければならない
- 危険が増す
- 危機を乗り越えるチャンスが狭まる
- 物資が欠乏しているため、それを高値で売る人たちと交渉しなければならない

起こりうる悲惨な結果

- 弱みにつけ込まれ、状況がさらに悪い方向へ進む
- 必要な物資を手に入れるため、大切な物と交換しなければならない
- （自分の自由を放棄する、祖国を離れると約束する、好きな人をあきらめるなど）個人的な犠牲を払って必要な物資を手に入れる
- 安全でない、または有害な代替品を使うはめになる
- 必要な物資を探しているうちに道に迷う
- お金がなくて重要な物資を購入できない
- 必要な物資を手に入れるために愛する人を犠牲にする
- 現実逃避のために有害な薬物に手を染める
- 必要な物資を得る代わりに、働いて借金を返すよう強制される（人身売買に応じる、奴隷になる、強制労働収容所で働くなど）
- 必要な物資を盗み、追いかけられる、捕まる、または投獄される
- 必要な物資を手に入れるために、他人を襲撃または殺害する
- 重病にかかる、または死にかける

結果として生じる感情

不安、気づかい、敗北、絶望、自暴自棄、落胆、弱体化、決まり悪さ、羨望、危惧、ホームシック、謙虚、屈辱、劣等感、自信喪失、執拗、圧倒、パニック、無力感、自己憐憫、あやふや、脆弱

起こりうる内的葛藤

- 愛する人たちと一緒にとどまりたいが、必要な物資を手に入れるために彼らを置いていかなければならない

- 重要な物資を手に入れられず、自分はだめな人間だと思ってしまう
- 欲求を満たすことしか考えられなくなる
- 必要な物資を手に入れるため、道徳的に妥協すべきかどうか悩む
- 必要な物資が手に入らなかったらと思うとパニックになる
- 他人よりも自分の欲求を先に満たさねばならず、身を引き裂かれる思いをする
- 絶望的な状況のせいで、嫌な人間に成り下がる
- 助けを乞うには、へりくだる必要があるが、そんなことはしたくない
- 生きていくのに必要な物を手に入れるために、自分が大切にしている物をあきらめる必要がある
- 同じ苦境を味わっていない人たちに、不当に決めつけられていると感じる

状況を悪化させうるネガティブな特性

依存症、反社会的、腹黒い、不正直、不誠実、愚か、だまされやすい、せっかち、衝動的、抑制的、不安症、怠け者、執拗、悲観的、向こう見ず、甘ったれ、小心者、寡黙、非倫理的、意気地なし

基本的欲求への影響

▸▸ 承認・尊重の欲求

自分だけでなく他の人も養うことができないと、自尊心がひどく傷つき、（たとえ自分に非がなくても）自分はだめな人間だと感じてしまうかもしれない

▸▸ 帰属意識・愛の欲求

困窮していることに恥を覚え、または苦境を人に知られたくないために、自分の殻に閉じこもる可能性がある

▸▸ 安全・安心の欲求

必要な物資がないと、自分の健康や安全に悪影響が出るだろう。安全、安心でいるために危険行為に走ると、自分の身を危険にさらすことになりかねない

▸▸ 生理的欲求

生きていくのに必要な物がないと、重病にかかったり、死んだりするかもしれない

対処に役立つポジティブな特性

柔軟、用心深い、おだやか、芯が強い、規律正しい、熱心、独立独歩、勤勉、注意深い、楽観的、忍耐強い、粘り強い、積極的、臨機応変、責任感が強い、賢明、素朴、正義感が強い、スピリチュアル、倹約家

ポジティブな結果

- 備えを怠らないようになる
- より創造力を働かせ、勤勉になる
- 自分の力になってくれるグループに入り、良好な人間関係を築く
- 人に助けを求め、他人からの支援を受け入れるようになる
- 困窮している人たちに対し、より寛大になる
- 自分が苦労した経験を活かして、慈善活動を始める
- 以前と比べ、あまり物を持たなくても暮らしていけるようになる
- 今が前進するときだと気づき、他の土地でよりよい生活を築こうとする
- あのとき愛する人たちと別れたのは正しい決断だったのだと、受け入れられるようになる

ルールが不利なものに変更される

〔英 Rules Changing to One's Disadvantage〕

具体的な状況

- （体重、身長、薬物検査など）参加要件が変更され、競争の激しいスポーツに様変わりする
- ローンの金利が上昇する
- 専門家認定の要件が変わる
- 値段が高くなり、条件も厳しくなって契約やリースが更新される
- 会員になるための審査基準がより厳しくなる
- （昇進の条件が変わる、スケジュールが厳しくなるなど）職場の方針が変わる
- 自分の意思に反して、わが子の親権の取り決め内容が変えられる
- 成績評価方式が微調整される
- 配偶者が夫婦のあり方を変えたいと思っている
- 愛する人が受益者を追加するため、法的な遺言や信託を更新する
- 入学要件がさらに厳しくなる
- 結婚、投票、移動の自由、市民権の取得、自分の体のことを自分で決める権利などを制限する新しい法律が定められる
- 規制が緩和され、新しい競合他社が市場に流れ込む

引き起こされる軽度の問題・困難

- 新たな手続きに時間がかかったり、提出する書類が増えたりして時間を無駄に費やす
- 以前のルールよりも、よりお金がかかる
- 特権を失う
- 受ける恩恵が減り、それでも会員になる価値があるかどうかを決めなければならない
- 昇進の機会が減る
- 競技大会への参加資格がなくなる
- 税金や手数料が増え、手取り金額が減る
- ルール変更により、違反を犯すリスクが高まる
- 試験、キャリア、または入学の準備方法を変えなければならない
- 更新されたルールに従えず、罰金を科される
- 別の娯楽や礼拝の場を探す必要がある
- さらに収入源を探さなければならない
- 社交仲間を失う
- 変化に抗議を試みる

起こりうる悲惨な結果

- ルール変更に気づかず、かけがえのない経験ができなくなる
- 状況が変わり、重要人物に簡単に会えなくなる
- 専門家の認定書がもらえない、または研修先に受け入れてもらえない
- 強制送還させられる
- 引越または転勤しなければならない
- 転職または転校しなければならない
- いったんオファーされた仕事が取り消される
- 遺言の受益者から名前がはずされる
- 和解しがたい不和を理由に別居または離婚する
- 債務不履行に陥る、または破産申請をするはめになる
- 自分の信用ががた落ちになる
- 危険なほど高い金利で借金をしなければならない
- 新しい法律に従わなかったために収監される

結果として生じる感情

怒り、いらだち、不安、敗北、拒絶、失望、不信、落胆、幻滅、危惧、狼狽、フラストレーション、劣等感、自信喪失、立腹、圧倒、無力感、反感、評価されない、あやふや、脆弱

起こりうる内的葛藤

- よりよい福利厚生を提供している会社に転職するときではないかと悩む
- 資格を詐称したい誘惑に駆られる
- 自分には資格が足りないような、または見下されているような気持ちになる
- 正直でいたいが、そうすれば自分の欲しいものが手に入らないことはわかっている
- 自分に勝ち目はないと感じる
- 自分を犠牲にしてグループが利益を得ることに腹が立つ
- ルール変更に異議を申し立てるかどうかで悩む
- 個人的な攻撃ではないと知りながらも、自分を狙った変更だと感じる

状況を悪化させうるネガティブな特性

生意気、支配的、不正直、いい加減、失礼、無頓着、優柔不断、頑固、怠け者、操り上手、完璧主義、見栄っ張り、強引、恨みがましい、甘ったれ、協調性が低い、非倫理的、仕事中毒

基本的欲求への影響

▸▸ 自己実現の欲求

職場や学校でルールが変更されると、新たな課題が生まれ、それを乗り越えなければならなくなる。そうすると、意義のある目標を達成するのに遅れが出たり、完全に目標達成をあきらめそうになったりする

▸▸ 承認・尊重の欲求

規制が緩和されると、それほど資格がない人でも競争に参加できるようになり、自分のこれまでの功績や地位が意味のないものに思えるかもしれない

▸▸ 帰属意識・愛の欲求

会員制クラブなどの加入要件を満たせなくなると、社交における自分の居場所を失う可能性がある

▸▸ 安全・安心の欲求

ルール変更により、仕事や土地、医療へのアクセスなど重要なものを失うことも考えられる

対処に役立つポジティブな特性

柔軟、野心家、協調性が高い、決断力がある、効率的、熱心、正直、気高い、勤勉、公明正大、几帳面、従順、きちんとしている、粘り強い、積極的、プロフェッショナル、臨機応変、責任感が強い、勉強家

ポジティブな結果

- ルール変更にもめげず、切磋琢磨した結果、力が伸びる
- 新しい趣味、仕事、学校などを見つける
- 再訓練や再教育を受けなければ気づかなかった関心事に目を向ける
- 改正前のルールに戻すよう主張し、変更が撤回される
- より高くなった基準を満たせるよう相談に乗ってくれる人を見つける
- 競争激化をばねに、職場やスポーツなどでより多くのことを達成する
- 適応性を高め、先回りして行動できるようになり、要件やルールの変更があっても、以前ほどストレスを感じなくなる

エゴにまつわる対立・葛藤

- あとに残らなければならない
- 嘘をつかれる
- 事細かく管理される
- 自己不信を振り払えない
- 自分が養子だったことを知る
- 自分の権威が危ぶまれる
- 自分のスキルや知識を超えた問題に直面する
- 重要なイベントの前に外見が損なわれる
- 真剣に取り合ってもらえない
- 真実を伝えているのに信じてもらえない
- 信用を落とす
- 他人に頼らなければならない
- チームからはずされる
- 地位や富を突然失う
- 仲間はずれにされる
- 人に金を借りる
- 人前で恥をかく

あとに残らなければならない

〔英 Having to Stay Behind〕

具体的な状況
- 突然、自宅の配管が破裂し、家族との休暇に向かえなくなる
- 体調が悪くなり、年末年始の集まりに参加できなくなる
- ハイキング中に怪我をし、他の人たちが助けを呼びに行っている間、一人残される
- 配偶者が別の街で仕事を見つけたので、自分はあとに残って自宅を売って処分する
- その年の最大イベント（パーティ、祝宴、コンサートなど）が開かれているのに、働かなければならない
- 年老いた親が体調を崩し、海外旅行をあきらめる
- 授業についていけなくなった学生が放課後学校に残される
- 友人は全員大学に入学できたのに、自分だけできなかった
- 友人たちがエリート集団に入っていくが、自分はその一員になれない
- 友人たちの中で自分だけが、憧れの的のスポーツチームに入れない

引き起こされる軽度の問題・困難
- 慣れない状況で、自分のことは何でも自分一人でやらなければならない
- 周囲に何もなくて退屈を持て余す
- イベントのチケット代を払ったのに無駄になる
- 遠距離の関係を続けるうちに摩擦が生じる
- 寝たきりになったり、外出できなくなったりして、気が狂いそうになる
- いなくなった友人や家族を恋しがる
- 自分を憐れむ
- 逃したイベントを垣間見たくて、ソーシャルメディアにかじりつく
- 電話やメッセージでコミュニケーションを図らなければならない
- （食糧探し、料理、狩り、安全チェックなど）何でも一人でやるようになる
- 他の人たちがいつ戻ってくるのかがわからないので、予定が立てられない
- 物音がするたびに、愛する人が帰ってきたのではないかと思う
- 心配ばかりしないで、忙しくする方法を探さなければならない

起こりうる悲惨な結果
- 待っている間に、何週間または何カ月も月日が過ぎる
- 先へ進んだ人たちから何の音沙汰もない
- 遠距離のせいで、恋愛関係または結婚生活が破綻する
- 友人たちは新しい生活を始めて、連絡も取り合わなくなり、完全に一人残される
- 物資が底をつく
- 殉教者気取りで、一人残されても耐え抜いたことに対し、賞賛や注目を期待する
- （深酒、過食など）不健全な手段に頼って退屈を紛らわす
- 自分の不運を人のせいにする
- 一人でいるときに無責任な行動をとったり、誤った判断をしたりする（乱痴気パーティを開く、夜更かしする、学校や仕事に行かないなど）
- 家族と離れている間に、自然災害や政治的危機が発生する
- 待っている間に危険に遭遇する

結果として生じる感情

苦悩、いらだち、不安、裏切られる、根に持つ、混乱、軽蔑、好奇心、意気消沈、欲望、絶望、失望、決まり悪さ、フラストレーション、苦痛、短気、嫉妬、孤独、切望、ネグレクト、自己

憐憫、評価されない、切なさ

起こりうる内的葛藤

- 自発的にあとに残ったのに、先に行った人に対して強烈な嫉妬や恨みを抱いて葛藤する
- 一人で残らずに、みんなと出発していたら、さぞかし楽しい思いをしていただろうと空想する
- 自分の置かれた境遇を変えることができたならと思う
- 自分を気の毒がってばかりいる、何事にも無関心になる、または鬱と闘う
- 先に行った人たちのことを心配するあまり、最悪の事態を想像してしまう
- じっとしていると約束したにもかかわらず、先に行った人またはグループを追いかけたくなる
- 先に行った人を恨む気持ちと、その人を責めてしまったことへの罪悪感との板挟みになる
- 責任を捨てて、みんなについていきたい誘惑に駆られる

状況を悪化させうるネガティブな特性

依存症、幼稚、皮肉屋、とげとげしい、生真面目、せっかち、頑固、無責任、嫉妬深い、被害者意識が強い、大げさ、うっとうしい、神経質、向こう見ず、恨みがましい、荒っぽい、わがまま、甘ったれ、引っ込み思案、仕事中毒

基本的欲求への影響

▸▸ 自己実現の欲求

あとに残されたはいいが、それが長期化し、一人で家族の面倒を見続けるとなると、勉強や就職をあきらめなくてはならないかもしれない

▸▸ 承認・尊重の欲求

自発的だったとしても、一人残されると、自分が見捨てられたような気持ちになり、自分の存在や貢献など、たかが知れていると感じる可能性がある

▸▸ 帰属意識・愛の欲求

他に頼れる人が誰もいない場合は特に、一人残され、家族や愛する人たちから離れていると、つらい思いをするかもしれない

▸▸ 安全・安心の欲求

一人あとに残されたせいでメンタルヘルスに影響が出た場合、心のケアをきちんとしていないと、安心感がすり減っていくことが考えられる

対処に役立つポジティブな特性

柔軟、おだやか、芯が強い、自信家、協調性が高い、おおらか、共感力が高い、派手、気高い、謙虚、独立独歩、内向的、忠実、大人っぽい、忍耐強い、思慮深い、秘密を守る、臨機応変、責任感が強い、利他的

ポジティブな結果

- 一人でいるときでなければ、できないことをやる
- 周囲に人がいないので、多くのことを成し遂げられる
- 遠く離れたところにいる愛する人たちと連絡を取り合う方法を見つけ、関係が深まる
- 犠牲を払い、意義のある何かを達成する
- 退屈や恐怖、不確実性をものともせず、逆境を乗り越える力がつく
- 自立心が育ち、自分で何でもできるようになる
- 今までは他の人たちの陰に隠れていたが、一人になった機会を活かし、独立独歩で進む道を見つける

NOTE

この項目は、他の人たちが先へ進むなか、自分はあとに残らなければならない状況を、自発的な場合と仕方のない場合の両方を含めて扱う。前進していく人々の視点を描くシナリオを探しているのなら、「誰かを置き去りにしなければならない」の項目を参照のこと。

嘘をつかれる

〔英 Being Lied To〕

具体的な状況

- （仕事、配偶者の有無、宗教、犯罪歴、経済状況などについて）付き合っている恋人が正直でなかったことを知る
- 10代の息子または娘がどこにいたのかについて嘘をつく
- 従業員が病欠を装う
- ある人と親しくなるが、その人は別の人になりすましていたことを知る
- 配偶者が金遣いの荒さを隠していた
- 一緒に旅行する予定だった友人が、計画を中止しなければならない理由について嘘をつく
- 宿題を完成させなかった学生たちが言い訳をする
- 家族が大切な物を壊したのに、「自分はやっていない」と否定する
- 自分を不利にさせようとしたライバルに間違った情報を教えられる
- 政治家または政府高官が自分の過去、信念、意図を正直に明かさない
- （養子縁組、片親が違う兄弟姉妹の存在などについて）親が嘘をつく

引き起こされる軽度の問題・困難

- 相手が嘘をついていると疑っているが、証拠がない
- 嘘をつかれていると知っているが、自分の反応を抑えなければならない
- 嘘をついている人をたしなめなければならない
- 真実を暴くため、探りを入れなければならない
- 嘘をつかれて心が傷つく、または当惑する
- 人間関係に摩擦が生じる
- 共通の友人が嘘をついた人をかばう
- 社内または組織内で誰を信じればよいのかわからない
- 真実を知らされないでいることにフラストレーションを覚える
- 相手から情報を得てもすぐに信用して行動できない（考える時間が必要）
- 対立を避けるため、嘘をつかれていても無視しているが、同じことが繰り返し起きる
- 嘘を信じる
- 相手がいつ本当のことを話しているのかわからない
- 嘘をつかれていることについて他の人たちに話し、身近な人たちの間で話題になる

起こりうる悲惨な結果

- 嘘をつかれたのは初めてではなく、かなりの間だまされていた事実が発覚する
- 嘘をつかれているという現実から目をそらし、ひたすら嘘を信じて生きる
- 嘘をつかれていないときでさえも、相手は嘘をついていると常に思い込む
- 大切な人間関係が修復不可能なほどに壊れる
- 嘘をついた友人にかっとなって、言ってはいけないことを言い、修復できないほどに友情が崩れる
- 嘘をつかれて大きな被害を受ける（金をだまし取られる、相手の違法行為に巻き込まれるなど）
- 嘘と知らずに他の人たちに広めてしまい、自分の信用を落とす
- 嘘と知らずに行動し、誰かを傷つける
- とんでもない方法で嘘を公にさらして相手に報復し、周囲を騒然とさせる
- 偽情報をもとに大きな決断を下してしまう
- 不正直な友人または家族を許すことができない
- 「嘘をついたことはだまっておいてやる」と言って相手をゆする
- （相手の嘘は犯罪なので）訴える、または起訴する

- 愛する人たちが嘘をついた人の肩を持つので、話し合いになる
- この世に正直な人はいない、誰もが嘘をつくと思うことにする
- 嘘をつかれていないだろうかと神経質になり、「それは本当のことか？」と言わんばかりの対立的な態度を示すようになる

結果として生じる感情

動揺、愉快、怒り、苦悩、裏切られる、根に持つ、軽蔑、敗北、拒絶、打ちのめされる、失望、嫌悪、幻滅、フラストレーション、屈辱、苦痛、無力感、自尊心、激怒、反感、自己憐憫、恥、衝撃、用心

起こりうる内的葛藤

- なぜ相手が嘘をつく必要があるのかを理解しようとする
- 相手の嘘を明かすか、何もしないで放っておくか決めかねる
- 人がいつ嘘をついているのか、いつ本当のことを言っているのかがわからない
- 「本当にそんなことを言ったのだろうか」「私が聞き間違えたのかもしれない」と自分を疑う
- 相手に直接何も言わず、あとから、自分は弱く、人の言いなりになりやすい性格だと落ち込んでしまう
- 相手との友情や仕事、使命のほうが大切だと考え、嘘を許そうとする
- あとになって、嘘をついていることを匂わす危険信号はあったと気づき、だまされた自分を愚かに思う

状況を悪化させうるネガティブな特性

挑戦的、支配的、狂信的、愚か、噂好き、気むずかしい、だまされやすい、生真面目、偽善的、無知、無頓着、手厳しい、知ったかぶり、大げさ、神経過敏、妄想症、知性が低い

基本的欲求への影響

▸▸ 承認・尊重の欲求

人に嘘をつかれると、自分はだまされやすくて弱く、尊重されていないと感じ、自己不信にとらわれる可能性がある。それに、だまされた自分が他人から見下される可能性もある。嘘があまりにも明らかで、気づくべきだったのなら、なおさらだ

▸▸ 帰属意識・愛の欲求

相手が不誠実であることが発覚すると信用は崩れ、2人の絆は根本的に弱くなる。自分が尊敬してやまない人に嘘をつかれると、他の人たちまで信用できなくなり、誰にも心を打ち明けられなくなることも考えられる

▸▸ 安全・安心の欲求

嘘をつかれて安心できなくなる状況はいろいろとある。詐欺に遭う、襲われる、性感染症にかかる場合などがそうだ

対処に役立つポジティブな特性

柔軟、用心深い、分析家、大胆、おだやか、慎重、芯が強い、自信家、勇敢、好奇心旺盛、如才ない、正直、知的、公明正大、大人っぽい、勘が鋭い、プロフェッショナル、賢明、寛容、賢い

ポジティブな結果

- 友人の本性に気づき、さらに被害がおよぶ前に、友人との関係を断ち切る
- 他の人たちに被害がおよばないように、「この人は嘘をついている」と非難する
- 人に嘘をつかれたのをきっかけに、自分はもっと正直であろうとする
- 相手が言っている内容は嘘だと公言し、他の人たちが正しい情報を得られるようにする
- 他の誰かが嘘をついているという危険信号に気づく
- 嘘をついている人に正面から「それは嘘ですよね」と言う方法を学び、うまく言えるようになる
- 調べて真実を突きとめる才覚が自分にあることに気づく
- 詐欺や背信行為に気づき、証拠を警察に提出して相手を起訴する

事細かく管理される

〔英 Being Micromanaged〕

具体的な状況

- 自分のやることなすことすべてに、上司が目を通したがる
- 権威のある人があらゆる意思決定を疑問視する
- 配偶者が自分の予定に対していろいろと口出しをする
- 知り合いの家の日曜大工仕事を買って出たら、その人にあらゆることをうるさく言われる
- 専門的な職業に就いている人と結婚し、家庭内で相手に事細かく言われる（相手がシェフなので、台所で細かく口出しされる、セラピストなので常に精神分析されるなど）
- 自分の裁量で決断できるのに、常に弁明させられる
- 仕事を任されたのに、自分よりもうまくできると思っている人にその仕事を奪われる
- 親が子どもに年齢に応じた決断をさせない
- 自分にとってこれがいちばんだと思う方法を試させてもらえない

引き起こされる軽度の問題・困難

- まったく問題のないプロジェクトなのに、承認されるまで何度もやり直しさせられる
- 方法論について頻繁に口論になる
- 事細かく管理をする人から離れたい
- 同僚との間に引いていた境界線が破られる
- 作業の進みが遅い
- 仕事から満足感が得られない
- 自分の成功なのに、口うるさい相手がそれは自分の手柄だ、または自分も協力したと主張する
- 口うるさい相手を何とかして避ける
- 批判されるのが嫌で、作業をつい先延ばしにしてしまう
- ストレスや恐れから、さらに間違いを犯す
- 友人に口を挟ませないように、自分の計画を秘密にしなければならない
- どんなことを訊かれても答えられるように、常に準備しておく必要がある
- 上司が納得するまで、長時間働いて仕事を仕上げなければならない
- 上司の上役に不満を訴えたため、上司に叱責される
- 信頼関係やプライバシーがないため、結婚生活にストレスを感じる

起こりうる悲惨な結果

- 改善など試みず、無関心になり、口うるさい人に何でも決断をあおぐようになる
- 批判されないように完璧主義者になる
- 作業を何度もやり直さなければならないため、効率が悪く、コストが上昇する
- 自宅にいても落ち着かない
- 親子関係が緊張する
- 有害な仕事環境から抜け出せない
- 他の仕事が見つかってもいないのに、仕事を辞める、または契約を破棄する
- 仕事に関心を失い、悪習慣がつく（病欠する、長時間の昼休みをとる、勤務時間中にさぼるなど）
- 口うるさい上司が関わっているので、未来の展望がある仕事の機会を与えられても断る
- 結婚生活が破綻する
- これ以上我慢ができないところまで、相手に何も言わずにストレスをため込み、突然怒りを爆発させる
- 優柔不断になって何もできなくなる
- 自分も他の人たちに対して事細かく管理するようになる
- （職場で、または配偶者と一緒にいても）喜びを感じなくなる

結果として生じる感情
動揺、いらだち、不安、根に持つ、防衛、落胆、不満、疑念、怯え、危惧、狼狽、フラストレーション、謙虚、立腹、反感、屈服、自己憐憫、評価されない、あやふや、心配、価値がない

起こりうる内的葛藤
- 自分の能力を疑う
- 対立を避けたいが、もうこれ以上我慢できない気持ちになる
- 知ったかぶりの義理の家族に息苦しい思いをさせられるが、そのせいで結婚生活を台無しにはしたくない
- 事細かく管理する上司に抵抗したいが、あとが怖い
- 頭の中で様々な選択肢を並べて考えるが、どうしたらいいのかわからない
- 事を荒立てないようにしているが、恨みつらみが募る
- 相手が変わるわけがないので、相手との関係を断ち切るべきかどうかで悩む
- 口うるさい上司の仕事の仕方には腹が立つが、上司に従ったほうがよりよい成果が出るのはわかっている

状況を悪化させうるネガティブな特性
無神経、無気力、幼稚、生意気、挑戦的、臆病、防衛的、気むずかしい、傲慢、頑固、知ったかぶり、怠け者、男くさい、神経質、神経過敏、完璧主義、恨みがましい、意地っ張り、仕事中毒

基本的欲求への影響
▸▸ 自己実現の欲求
職場で事細かく管理されると、仕事から得られる満足感が減る可能性がある。努力して現在の地位を勝ち取った場合は特に問題になる

▸▸ 承認・尊重の欲求
頻繁に批判されると自分を疑うようになり、自分は過小評価されておらず、正当な評価を得られていないと感じるかもしれない

▸▸ 帰属意識・愛の欲求
愛する人たちから口うるさく言われると、離れたくなるのが普通で、大切な人間関係に距離ができてしまうだろう

対処に役立つポジティブな特性
柔軟、野心家、分析家、感謝の心がある、大胆、自信家、協調性が高い、規律正しい、おおらか、熱血、幸せ、謙虚、勤勉、几帳面、従順、忍耐強い、雄弁、プロフェッショナル

ポジティブな結果
- 事細かく管理する上司がいたおかげで、手遅れになる前に重要な間違いを発見できたことを認める
- いつも批判的な人の仕事の仕方にもよい点があることに気づき、自分もその方法を取り入れる
- 毅然とした態度をとって自由を獲得し、周りから尊敬を集める
- 相手に抵抗し、自分の領域に土足で踏み込まれないように健全な境界線を引く
- 上司の事細かい管理方法が問題になっていると指摘できたので、職場が以前よりも明るくなる
- 他人に口出しばかりする人に敏感になり、自分は他人に対してそういうことはしないと心に誓う
- 自分の才能や価値に気づき、人に批判されても内面化しなくなる
- 他の仕事を探し、人にうるさく口出しされずに働ける仕事を見つけ、信頼を置かれて仕事を任されるようになる

自己不信を振り払えない

〔英 Experiencing a Crisis of Self-Doubt〕

具体的な状況

- 結婚のプロポーズをする準備をしている
- （演劇のオーディションを受ける、インターンシップを始めるなど）何か新しいことをしようとしている
- なりたくもないのに、突然、リーダーに担ぎ上げられる
- 飛行中の飛行機から飛び降りる、燃えている建物の中に駆け込むなど、危険な行動をとろうとしている
- 強盗や誘拐、暗殺に加担しようとしている
- 重要な演説を行う
- ある状況から逃れるために嘘をつく
- 他の人たちに頼られている
- （チームのキャプテンとして、将来が期待できる恋愛関係などで）初めての大きな課題に直面する
- 悪を正すため、声を上げる、または行動に出なければならない
- どうしてもある人に好印象を与えなければならない
- 即決しなければならない状況に立たされている
- 人の命がかかっている

引き起こされる軽度の問題・困難

- ずるずると決断を先延ばしにしたり、優柔不断になったりして、貴重な時間を失う
- 不安が高じて、なかなか集中できない
- 安心して落ち着ける場所を探す必要がある
- 誰かに後押しをしてもらいたい
- チャンスを先延ばしにする、または逃す
- 他の誰かが自分に代わって仕事を引き受ける
- 競争相手が優勢になる
- 完璧なタイミングを逃す
- 他の人たちが（自分の能力、指導力、真剣さなどに）疑いを抱きはじめる
- 大切な人に声をかけるチャンスがまったく訪れない
- 他の人たちを失望させる

起こりうる悲惨な結果

- 自分の本当の気持ちに嘘をついていたことがばれる
- ある人の命を救えない
- ここぞというときに間違った判断をする
- 自己不信が勝って、せっかくのチャンスを棒に振る
- 直感を無視して、正しい道からそれる
- 競争相手に負ける
- 自分が行動を起こさなかったばかりに、不正行為がはびこり続ける
- 成功を目前にしているのにあきらめる
- 意義のある変化を起こすことができない
- リーダーでいることをあきらめ、追従者になる
- 今後同じようなことがあっても、恐れに支配される
- 無意識のうちに、目の前の状況から逃げようとして自滅行為に走る

結果として生じる感情

苦悩、不安、葛藤、敗北、絶望、自暴自棄、打ちのめされる、失望、落胆、幻滅、疑念、怯え、危惧、フラストレーション、劣等感、切望、圧倒、パニック、無力感、自己嫌悪

起こりうる内的葛藤

- 過去の失敗を思い出して、身動きがとれないような気持ちになる
- あきらめたいが、他の人たちが自分を頼りにしているのを知っている
- 何が正しくて、何が間違っているのかがわか

らなくなる
- 自分は無能で、欠点だらけだと思い込む
- 内面の弱さが常に自分が成功して羽ばたくのを邪魔するのではと心配する
- (自分自身を疑っているため) 他の人たちの意見に影響されやすい
- 複数の意見を聞いて、どの見解にも価値を見いだし、なかなか決断ができない
- 他の人たちのやり方を押しつけられていると感じる
- リスクがあまりにも高すぎるため、態度を決められず、ぐずぐずしている
- 自信満々で大胆な人たちを見て、腹立たしく思う

状況を悪化させうるネガティブな特性

無気力、幼稚、臆病、防衛的、つかみどころがない、気まぐれ、だまされやすい、せっかち、衝動的、優柔不断、抑制的、不安症、神経質、神経過敏、完璧主義、小心者、意気地なし

基本的欲求への影響

▸▸ 自己実現の欲求

自分を疑っているために、ぐずぐずと物事を先延ばしにしたり、あきらめたり、二番煎じで手を打ったりしがちな場合、自分を真に幸せにする目標を達成できないかもしれない

▸▸ 承認・尊重の欲求

自己不信の種は早々に取り除かなければ、気づかないうちに広がって根を張ってしまう。いつの間にか、自分はなりたくもない人間になり、もはやそんな自分を好きにもなれず、尊敬もできないところまで、事態は深刻化するだろう

▸▸ 帰属意識・愛の欲求

自己不信を抱いていると、自分らしさに自信が持てない。自分は他の人たちを失望させるだけだと思い込んでいる場合、自分は弱い人間だから人に拒絶されるのではと恐れ、他の人たちと一緒に、幸せで充実した人間関係を築く機会をみすみす逃すことになるかもしれない

対処に役立つポジティブな特性

柔軟、野心家、大胆、自信家、決断力がある、如才ない、規律正しい、熱血、気高い、客観的、情熱的、忍耐強い、粘り強い、責任感が強い、奔放、賢い

ポジティブな結果

- やるべきことを最後までやり通し、自分の内面に強さがあることを知る
- 自己不信を振り払い、ここぞというときに何をすべきかがはっきりと見えるようになる
- 疑念や恐怖に負けないと決意する
- 状況をよく見計らうために早まったことせず、大失態を犯すのを避ける
- 自己不信を克服して決断を下してみると、非常にポジティブな結果が出る

NOTE

人生最高の時であっても自己不信を振り払うのは難しい。即決即断が求められる、ストレスに満ちた出来事に遭遇した瞬間に自己不信に襲われたならなおのこと、リスクは急激に高まる。事態を複雑にさせるため、「具体的な状況」のような不安をシナリオに加えてみてはどうだろうか。

自分が養子だったことを知る

〔英 Learning that One Was Adopted〕

具体的な状況

- 年老いて忘れっぽくなった家族が会話の中で養子縁組のことに触れる
- 親が怒りに任せて、成人した子どもに「お前は養子だ」と明かしてしまう
- 突然生みの親が連絡をとってきて、自分に会いたいと言う
- 自分の分身かと思うような人に会い、その人が今まで会ったこともない兄弟姉妹だと知る
- インターネットで登録して遺伝子検査をしたら、他の家族とまったく違った結果が出る
- 亡くなった親の家の屋根裏部屋を掃除していたら、養子縁組届が出てきた
- 子どもの頃に、大人たちが養子縁組のことを小声で話しているのを立ち聞きする
- 養子縁組の斡旋業者を相手取った集団訴訟について、弁護士から連絡を受ける

引き起こされる軽度の問題・困難

- 心が傷つき、裏切られた気持ちになって、人生の横道にそれる
- 複雑な決断を下さなければならない
- 育ての親と口論になる
- どうしたらよいのか頭の整理がつくまで、大切な人たちには自分が養子であることを隠しておかなければならない
- 自分の生い立ちについて抱いていたイメージが崩れる
- もっと情報を得るために自分で調べ、出生証明の写しをもらう申請をしなければならない
- 自分の病歴について何も知らないことに気づく
- 育ての親や一緒に育った兄弟姉妹に対し、よそよそしい気持ちになる
- 生みの親に会うが、好きになれない
- 自分は望まないのに、生みの親または血を分けた兄弟姉妹が自分と交流したがる（または交流したがらない）
- 生みの親を探さないでほしいと育ての親に言われる
- 育ての親と生みの親が同席していると、ぎこちない思いをする
- 弁護士や探偵を雇うのに費用がかかる

起こりうる悲惨な結果

- 一緒に育った兄弟姉妹と既にいがみ合っているのに、自分が養子である事実が発覚し、兄弟姉妹との関係がますます悪化する
- 自分の信念と相反する文化や宗教に自分が属していることを知る
- 育ての親が嘘をついていたことを根に持つ
- 育ての親や一緒に育った兄弟姉妹が血液や臓器を必要としているのに、自分は提供者になれない
- 生みの親を探しはじめたことで、育ての親との間に溝ができる
- 嫌な気持ちがして、生みの親から遠ざかる
- （自分が若い場合）育ての親が決めたルールや彼らの権威的な態度に反抗する
- 自分は根無し草であるかのような気持ちになる
- 養子だと知ったあと、友人や家族の自分の扱い方が変わる
- （借金をする、会社を何日も休んで解雇される、育ての家族を無視するなど）何としてでも生みの親を探し出そうとする
- 生みの親を探し出して連絡をとるが、会いたくないと言われ、再び拒絶を味わう
- 自分は血のつながりのない孫であるため、祖父母から遺産を相続できない
- 自分の家族の恥ずべき過去、または恐ろしい過去を知ってしまう
- 幼いのに自分が養子だと知って困惑し、どうしていいのかわからず、感情が極まってかん

しゃくを起こす

結果として生じる感情
怒り、不安、懸念、裏切られる、混乱、好奇心、絶望、打ちのめされる、不信、幻滅、悲嘆、屈辱、苦痛、自信喪失、嫉妬、孤独、衝撃、唖然、驚き、疑惑、あやふや、心配、脆弱

起こりうる内的葛藤
- 梯子をはずされたような気持ちになり、自分が今まで知っていたことを一から頭の中で整理し直さなければならない
- 生みの親に連絡をとるべきかどうか決めかねる
- 育ての親が自分に嘘をついていたことに対し怒りを覚える
- 生みの家族と暮らしていたら、どんな人生を送っていただろうかと空想する
- 今から考えると明らかだと思える手がかりがいろいろとあったのに、何年も気づかなかった自分をお人好しでだまされやすい人間だと思う
- 生みの親に連絡をとりたいが、再び拒絶を経験するのではないかと恐れる
- 生みの親のことは忘れたいが、忘れられない
- 変化に慣れず、実感がわかない
- 育ての親が他にどんな情報を隠しているのだろうかと不信感を抱く
- 生みの親の文化を大切にしたいが、一方で育ての親への感謝や忠義を忘れていると思われたくなくて、気持ちが揺らぐ

状況を悪化させうるネガティブな特性
依存症、幼稚、挑戦的、不誠実、失礼、不安症、理不尽、嫉妬深い、被害者意識が強い、大げさ、うっとうしい、神経過敏、恨みがましい、自己中心的、甘ったれ、疑い深い、恩知らず、引っ込み思案

基本的欲求への影響
▸▸ 自己実現の欲求
ルーツや文化、歴史はアイデンティティの一部で、こうした根本的要素が揺らぐと、自分も揺らぎ、それまで抱いていた夢や情熱が感じられなくなって目標を追求できなくなる可能性がある

▸▸ 承認・尊重の欲求
自分の家柄や家名に非常に誇りを持っていたのに、実はその家に生まれた人間ではないと知って、苦悩するかもしれない。生まれた家が名家ではないなら、なおさらだ

▸▸ 帰属意識・愛の欲求
自分の出自について嘘をつかれていたと思ってしまうと、育ての親や一緒に育った兄弟姉妹を信用するのが難しくなるかもしれない。また、他の人にも不信感を抱き、人間関係に傷がつく可能性がある

▸▸ 安全・安心の欲求
生みの親を探し、彼らに受け入れてもらうことばかりを考えていると、その目的を果たそうとして、自己破産したり、愛情あふれる育ての親から離れていったり、仕事を失ったりと、後先をよく考えずに行動するかもしれない

対処に役立つポジティブな特性
柔軟、感謝の心がある、おだやか、芯が強い、自信家、勇敢、おおらか、幸せ、忠実、大人っぽい、楽観的、スピリチュアル、寛容、古風、お人好し、利他的

ポジティブな結果
- 育ての親の家庭には馴染めなかったので、安堵を覚える
- 第二の家族と充実した関係を築く
- 生みの親の存在は、この世でたった一人だった自分に居場所があることを知らせてくれた
- ネグレクトや虐待を経験してきたので、愛情あふれる生みの親とつながりを持てたことに幸福を感じる
- 生みの親を探すかどうかを決め、その決断に満足する
- 養子に出された事情を知り、区切りをつけられる

自分の権威が危ぶまれる

〔英 One's Authority Being Threatened〕

具体的な状況

- 警察官が拘束者に唾を吐きかけられる
- 国家元首の耳にクーデターの噂が届く
- 意志の強い、または反抗的な子どもがいつも親の言うことを聞かない
- 才能と人気があるチームメンバーの存在にキャプテンが脅かされる
- 部下が自分を飛び越して、直接自分の上役に自分の不満を言う
- 宗教指導者の行動や信念が教区民たちに疑問視される
- 軍指揮官の命令が、態度の悪い兵士たちに無視されそうになる
- 審判の判断に選手たちが不満を示し、試合が騒然とする
- 教師が生徒たちにいつも見下されている

引き起こされる軽度の問題・困難

- 決まり悪さや無力さを露わにする
- 誰が忠実で、誰がそうでないのかがわからない
- コントロールを取り戻すために叫んだり、脅したりする
- 反抗的な子どもや10代の若者をしつけなければならない
- 口答えや遠回しな批判、皮肉な言葉に耐える
- 自分の会議に誰も出席しない
- 問題が激化しないよう、譲歩しなければならない
- 物事を成し遂げるために、厄介な駆け引きをしなければならない
- 反対勢力が流すプロパガンダ（ソーシャルメディアでの攻撃、誤情報の蔓延など）に対抗する
- 自分の行動を常に弁明して正当化しなければならない
- 情報と手順には細心の注意を払い、自分の不利な材料にならないようにする
- 噂や偽情報を打ち消すのに時間を費やす
- ルールを守らせることができない
- 決断を下すときにいつも考えすぎる

起こりうる悲惨な結果

- 怒りをぶちまけて、大人げない反応を示し、自分も問題の一部と化す
- 他の人から良い提案をされても、考慮するのを拒むほど身構える
- 賄賂を渡すなど非倫理的な方法に頼って、自分の追従者を引きとめようとする
- （チーム同士、囚人同士、教区民同士などで）口論が高じて暴力に発展する
- 部下にひどい扱いをする
- 支援者たちから献金が集まらなくなる
- 自分の権力が疑問視され続けているため、緊急事態が発生しても指導者としての能力を発揮できず、犠牲者が出る
- 指導者としての肩書や地位を失う
- 支持されていないため、チャンスが他の人の手に渡る
- 解雇される
- 重要組織の指導者が辞めてしまっていなくなる
- （軍事行動に出る、従業員を解雇するなど）自分の地位を守るために大胆な行動に出る
- 自分を支持しない人たちをゆする、罰金を科す、収監するなどして罰を与える
- あきらめて無関心の境地にいたり、指導者としてやるべきことをしない
- 指導者としての能力も資格もないのに、ただ自分の地位を奪おうとする者に屈する
- 武器をちらつかせたり、実際に暴力を用いたりして、自分の権威を守る
- 国の指導者が弱小だとみなされ、戦争が勃発する

結果として生じる感情

怒り、不安、裏切られる、根に持つ、防衛、拒絶、意気消沈、自暴自棄、弱体化、決まり悪さ、危惧、フラストレーション、謙虚、屈辱、劣等感、緊張、疑心暗鬼、無力感、自尊心、評価されない、価値がない

起こりうる内的葛藤

- 権威ある立場を維持したい強気と、ストレスを抱え込みたくない弱気の間を行ったり来たりする
- (権威的な地位を維持するだけの力を持っているかどうか) 自分自身を疑う
- 正しいことをやるのか、人気がとれることをやるのかで悶々とする
- 権威などなかった以前の自分に戻りたいと切望する
- 自分の決断と指導スタイルについてくよくよと悩む
- 相手の主張に正当性があるのか、それとも単にライバルが権力闘争を仕掛けているだけなのかがわからない
- エゴが自分の判断に影響しているとわかっているが、自分には変化を起こすだけの力がないと思う

状況を悪化させうるネガティブな特性

無神経、冷淡、意地悪、幼稚、生意気、支配的、残酷、不正直、邪悪、貪欲、とげとげしい、せっかち、頑固、不安症、理不尽、男くさい、操り上手、被害者意識が強い、妄想症、偏見がある、反抗的、向こう見ず

基本的欲求への影響

▸▸ 承認・尊重の欲求

自分の権威が疑問視されると、直属の部下から敬意を払われなくなる。このようなエゴへの打撃は受けとめるのが難しく、自分に価値などあるのだろうかと鬱々と悩む可能性がある

▸▸ 帰属意識・愛の欲求

指導者として人のために犠牲を払ってきたのに、下からの背信行為があり、感謝の気持ちも見られないと、これまで持っていた義務感が消え、苦々しい気持ちになるかもしれない

▸▸ 安全・安心の欲求

状況によるが、強制的に政治家としての立場(いわば政府のトップとしての立場) を奪われた場合、身に危険がおよび、安全でいられなくなる可能性がある

対処に役立つポジティブな特性

柔軟、おだやか、慎重、芯が強い、魅力的、自信家、如才ない、気さく、気高い、謙虚、影響力が強い、知的、公明正大、優しい、情け深い、情熱的、愛国心が強い、雄弁、正義感が強い、利他的、賢い

ポジティブな結果

- 面白味がなくなった、ストレスが多い、または気圧されるようになった地位から退く
- 新たなスキルを身につけ、よりよい指導者となる
- 下の者たちと対話を持つことで、制度全体に欠陥があり、しかもその欠陥は修正が利くことを知る
- 対処すべきライバルや問題児が誰なのかがわかる
- 思いもよらない支持者たちが自分の擁護に回ってくれる
- どこまでなら嫌がらせされてもかまわないのか、指導者の地位をどのタイミングで捨てるのかを決める
- 有害な状況から身を引き、自分の貢献が感謝される場で活動する

自分のスキルや知識を超えた問題に直面する

〔英 Facing a Challenge Beyond One's Skill or Knowledge〕

具体的な状況

- 生きるか死ぬかの状況で人を導かなければならない
- 医療専門家の助けなしに赤ん坊を取り上げる
- 自然災害を乗り越える
- 怪我の治療をする、または緊急手術を行う
- 自然の中で道に迷い、荒野を歩く
- 車が故障し、何とかしなければならない
- 誘拐犯または追跡者から逃げる
- 精神的危機状態にある人をなだめる
- 必要に迫られ、車を盗む、または建物の中に押し入る
- 目標達成に必要な特殊スキルがない（ワイヤを直結させてキーを使わずに車のエンジンをかける技、爆発物の知識、音楽的才能、護身術、足の速さ、文章作成スキルなど）
- 一人で子育てする
- 特別支援が必要な人を一人で介護する
- 外国の危険地域を移動する
- 深刻な学習障害を持ちながら学位を取得する
- 資格もないのに仕事でプロジェクトを任される
- 罠にはめられ、適切なスキルも知識もないことをやらされる

引き起こされる軽度の問題・困難

- 他の予定や義務を後回しにしなければならない
- 必要な物が手元にない
- 道具や医療用品、目撃者、情報など、役立つものを慌ててかき集める
- 興奮して神経を尖らせているため、手足など体が震える
- 考える時間が必要だが、その時間がない
- 友人や仲間たちが自分を信用していないことを知る
- 目の前の作業をやらなければならないのに、まごつく
- 危機状況を乗り切ろうとしている間に怪我をする
- 政治的失態をおかす
- 自分の能力を過信し、人前で愚かな姿をさらす

起こりうる悲惨な結果

- 緊張でかたくなりすぎて問題を解決できず、惨事になる
- リスクに気づいたときには時すでに遅しで、痛ましい結末を迎える
- 自分の能力を過信したか、問題を軽視したために失敗する
- 自己不信に襲われて行動を起こせず、ネガティブな結果になる
- 恐れから悪い助言に飛びつき、事態がさらに悪化する
- 自分に能力がないことはわかっているが、（誰かに印象づけたい、競争相手に勝ちたい、自分の愚劣さを認めたくないなどの）間違った理由から、とにかく仕事を推し進める
- 責任を放棄し、後悔する
- 知識がないのに行動し、思わぬ結果となる
- 自分に傷つけられた人の家族に報復として訴えられる、または狙われる
- 自分の能力を疑問視する仲間たちに見捨てられる
- 間違いを犯し、負傷者または犠牲者を出す

結果として生じる感情

不安、懸念、自暴自棄、決意、疑念、怯え、狼狽、フラストレーション、劣等感、緊張、圧倒、パニック、あやふや、脆弱

起こりうる内的葛藤

- 正当な理由からとはいえ、法律を破らなければならなかったり、道徳的な一線を越えるべきかで悩んだりする
- 直感的に闘う、逃げる、または体が動かなくなるなどいずれかの反応を示した自分に悶々とする
- 予期すべきだった、言うべきだった、またはやるべきだったことなどを、あとからくよくよと考える
- 必要な知識やスキルのない自分を責める
- 愛する人たちを失望させるだろうが、失敗を恐れるあまり、あきらめたくなる
- 極度の緊張状態に置かれたせいで、心的外傷後ストレス障害（PTSD）の兆候が現れはじめるが、それを自分で何とか抑えようとしている

状況を悪化させうるネガティブな特性

無気力、いい加減、気まぐれ、優柔不断、不安症、無責任、神経質、完璧主義、注意散漫、小心者、意気地なし、不満げ

基本的欲求への影響

▸▸ 自己実現の欲求

完璧主義の傾向があり、失敗にうまく向き合えない人は、ストレス度の高い出来事に再び直面するくらいなら、自分の夢をあきらめるほうを選択するかもしれない

▸▸ 承認・尊重の欲求

プレッシャーを感じると実力を発揮できない人は、自分の評判を傷つけてしまうかもしれない

▸▸ 帰属意識・愛の欲求

生きるか死ぬかの状況で失敗すると、自分をなかなか許すことができないのが普通だ。「自分なんて」と思いがちで、人と距離を置くようになるかもしれない

▸▸ 安全・安心の欲求

力を発揮できずに、自分だけでなく、他人に危害がおよんだり、怪我をさせてしまったりすると、安全が脅かされ、安心感も持てなくなるだろう

▸▸ 生理的欲求

領域によるが、力を発揮できないと、犠牲者が出ることもある

対処に役立つポジティブな特性

野心家、分析家、大胆、おだやか、自信家、勇敢、クリエイティブ、決断力がある、熱心、気高い、勤勉、几帳面、注意深い、粘り強い、臨機応変、責任感が強い、勉強家、天才肌

ポジティブな結果

- 思っていたよりも自分には能力があることを知る
- 助けが最も必要とされていたときに、手を差し伸べることができたので気分が爽快になる
- 自分はリーダーになれると気づく
- 失敗を学習の機会だととらえる
- 必要とあらば、危険を冒してもかまわないと自分が思っていることを今回の経験から学ぶ
- 生きていてよかった、人生は捨てたもんじゃないと思い、自分の人生にいる人たちに対し、より深い感謝の心を持つ

重要なイベントの前に外見が損なわれる

〔英 Being Physically Marred Before an Important Event〕

具体的な状況

- 学校主催のダンスパーティの当日ににきびができる
- 家族写真を撮る前日に髪を切り、ひどい髪型になった
- 記者会見の前にアレルギー反応が出て顔が腫れる
- パートナーの両親に会う前日に、目の周りに青あざを作る
- 友人の結婚式に花嫁の付き添い人として出席することが決まっているのに、式の数日前に足を骨折する
- 重要な就職の面接の前に結膜炎にかかる
- ソーシャルワーカーや保護観察官との面談に行く途中、交通事故に遭って擦傷を負う
- 初めてのデートの前に歯が1本抜ける

引き起こされる軽度の問題・困難

- イベントの日程を変更しなければならない
- いつもより支度に時間がかかって遅刻する
- 友人たちにからかわれる
- （化粧、新しい服、サングラスなどで）ひどい見た目を隠す方法を考える
- 怪我を診てもらうため、医者に行かなければならない
- 事情を繰り返し人に説明しなければならない（そのせいで恥ずかしい瞬間を何度も思い出すはめになる可能性もある）
- 人に事の顛末を話すとき、嘘をつく
- 何事もなかったかのように振る舞おうとする
- 人にちらちら、じろじろと見られて不快に感じる
- 見た目を意識しすぎて、なかなか集中できない
- 見た目を気にするあまり、うまく立ち回れない
- 大勢の人が集まるイベントで、他の出席者たちから答えにくいことを訊かれる
- （イベントが宣伝されていた場合）何が起きたのかと噂され、不注意にもほどがあると批判される
- 体に不快感を覚える
- 噂の材料を提供する
- 怪我のせいで体が思うように動かない
- 薬を服用しているせいで頭がぼんやりする
- 事故や怪我のせいで、重要なイベントの準備時間が奪われる

起こりうる悲惨な結果

- 家庭でできる方法で治そうとしたら、余計に悪くなる
- 自分の姿が写真に撮られ、インターネット上に拡散される
- 日程を変更するという選択肢はなく、イベントが中止になる
- 自分の身に何が起きたのか、勝手に間違った憶測が広がる
- 薬のひどい副作用に悩まされる
- （就職できなかった、将来の義理の家族に結婚を認めてもらえなかったなど）自分の見た目が一因で、残念な結果になる
- 痛みのせいでイベントを中座する
- 事の顛末について嘘をついたが、あとで嘘がばれ、真実が公になる
- 残念な結果になったのを自分の見た目のせいにするが、本当は関係がない
- イベントの最中にパニック発作や不安発作が起きる
- 傷が一生残る

結果として生じる感情

怒り、苦悩、不安、懸念、意気消沈、絶望、自暴自棄、打ちのめされる、失望、決まり悪さ、フラストレーション、悲嘆、謙虚、屈辱、切望、

ネグレクト、パニック、疑心暗鬼、激怒、自己嫌悪、自己憐憫、恥、心配

起こりうる内的葛藤

- ひどい見た目になったのは自分のせいだと自分を責める
- イベントをすっぽかすための口実を見つけたいが、そう思った自分を浅はかに思う
- イベントに顔を出してもひどいことになるだけだと思い込み、最悪のことばかり考える
- イベントに出席するのは怖いが、出席するしかないと感じる
- どんな決断を下してもくよくよと悩む
- 自己憐憫にひたる
- 楽しいはずのイベントの日が近づくのを恐れ、そんなふうに思いたくないのに、恐怖しか感じない

状況を悪化させうるネガティブな特性

幼稚、生意気、臆病、気むずかしい、生真面目、不安症、嫉妬深い、男くさい、被害者意識が強い、物質主義的、大げさ、うっとうしい、神経質、妄想症、完璧主義、偏見がある、見栄っ張り、自滅的、うぬぼれ屋

基本的欲求への影響

▸▸ 自己実現の欲求

イベントを楽しみにしていた、またはその日をずっと待っていた場合、イベントが中止や延期になり、準備が台無しになるのを見て、いっそのことイベントをあきらめようとするかもしれない

▸▸ 承認・尊重の欲求

見た目がひどくなり、今までとは違う扱いを受けたり、憐れみの目で見られたりすると、自分自身を気の毒に思うかもしれない。美しい外見が自己肯定感につながっている場合は、見た目が崩れると、自分の評判へのダメージはことのほか大きくなる可能性がある

▸▸ 帰属意識・愛の欲求

自分のひどい外見を恥ずかしく思う場合は、他人を避け、孤独になるかもしれない

対処に役立つポジティブな特性

柔軟、おだやか、芯が強い、魅力的、自信家、勇敢、クリエイティブ、おおらか、外向的、派手、ひょうきん、幸せ、謙虚、影響力が強い、大人っぽい、楽観的、奇抜、臨機応変、スピリチュアル、活発、ウィットに富む

ポジティブな結果

- 外見が損なわれたにもかかわらず、うまく立ち回り、自信をつける
- 気力と不屈の精神で不確実な時期を乗り切れる自分に気づき、イベントを大いに楽しむ
- 本当の友人が誰なのかを知る
- 重要なイベントを控えているときは、もっと注意深くなろうと心に誓う

NOTE

身体的に完璧でないせいで影が薄くなるのは誰でも嫌なもの。人前に出るときや、他人に好印象を与える必要があるときならなおさらだ。

真剣に取り合ってもらえない

〔英 Not Being Taken Seriously〕

具体的な状況

- 年齢または経験不足を理由に無視される
- 外見や服装で判断される、名家の出身でない、身体的ハンディキャップがあるなどの理由で、実習の機会を与えられない
- 会議でアイデアを出したのに無視される
- 憧れの人にデートを申し込むが、冗談だと思われ一笑に付される
- 夢を目指しても行き詰まるだけだと親に言われる
- 起業したいのに配偶者が応援してくれない
- （執筆、芸術、犬のブリーディングなど）自分が情熱を持ってやっていることを家族が馬鹿げた趣味だと思っている
- あるキャリアやメンバーシップ、チャンスに、「君の手は届かないよ」と言われる
- 自ら進んでリーダーを務めてみたが、無視される
- 会話に参加したが子ども扱いされ、意見を聞いてもらえない

引き起こされる軽度の問題・困難

- 人前で面目を失う
- （手段は目的を正当化するため）プライドを捨てて、もう一度挑戦しなければならない
- 自分よりも知っていると思っている人たちに「これをしろ、あれはするな」と説教される
- 愛する人たちに軽んじられて嫌な思いをするが、その気持ちを表に出せない（出すと、家族間での揉め事が悪化する）
- 好きでもないことに真剣に興味を持ち、自分の信頼性を高めようとする
- 責任者におべっかを使わなければならない
- 家族や友人が自分を遠回しに批判し、否定的なため、彼らと頻繁に口論になる
- 真剣に取り合ってもらうため、（自分の年齢、経験、才能、資産レベルについて）嘘をつかなければならない
- 自分の能力を証明するため、さらに努力をする
- 他の人よりも一生懸命に長時間働かなければならない
- 自分のことを考慮に入れてもらうために、自分の考えを代弁してくれる人を探さなければならない
- 雇用主が自分を見下していても、我慢しなければならない
- 自分の能力以下の仕事をやらされる
- （新しい服を買う、講座を受講するなど）自分を魅力的に見せるために投資する
- 友人や家族、同僚と同じ機会を与えられていない

起こりうる悲惨な結果

- 自分の能力に自信を失う
- 夢をあきらめる
- リスクを避けるようになり、機会を逃す
- 頑張りすぎて、燃え尽きる
- 充足感の得られない人生を送る
- 人に言われたことや、人に思われているだろうことを正しいと信じ込む
- 現状から逃れられないと思い込み、厭世観を持つようになる
- 敬意を払ってもらえない、または摩擦があるため、人間関係が悪くなり、機能しなくなる
- 親しい友人と疎遠になる
- 有能とは言えない人がリーダーなので、重要なプロジェクトが立ちゆかなくなる
- 仕事などに無関心になって、貢献しなくなる
- 与えられたチャンスを台無しにする
- 偽りの歓迎を受け、自分が出過ぎると見せしめのために妨害される
- 自分に真剣に取り合ってくれない人への報復や妨害工作を企てる

- （嘘をつく、文書を偽造するなどして）制度の抜け穴をくぐろうとするが見つかる

結果として生じる感情
不安、敗北、防衛、欲望、失望、落胆、疑念、弱体化、決まり悪さ、フラストレーション、苦痛、劣等感、無関心、自信喪失、切望、反感、自己憐憫、恥、評価されない、価値がない

起こりうる内的葛藤
- （相手がわざと真意がつかめない言動をしたり、受動攻撃的な態度を示したりしたので）自分が軽んじられたかどうかがわからない
- 頭の中で何度も拒絶されたことを思い返しては自分を責める
- 初対面の人に、自分について勝手な思い込みをされるのではないかと心配する
- 鬱病や不安症に苦しむ
- 人の言っていることが正しいのではないかと悩む
- 抑圧され、不当な判断をされていることに深い怒りを覚えるが、その怒りを何とか抑えようとする
- 将来に期待のできるチャンスを手にしたいが、拒絶されるのではないかと恐れる
- 険しい道（相手を改心させる）か、楽な道（あきらめる）かのどちらかを選ばなければならない

状況を悪化させうるネガティブな特性
無神経、反社会的、幼稚、挑戦的、残酷、皮肉屋、防衛的、失礼、狂信的、気まぐれ、愚か、忘れっぽい、無責任、嫉妬深い、知ったかぶり、男くさい、物質主義的、大げさ、強引

基本的欲求への影響
▸▸ 自己実現の欲求
真剣に取り合ってもらうために苦戦を強いられている場合は、困難にもめげずに闘い続けられるだけの原動力が内面に必要になる。それがないと、自分にもっと適した仕事や夢を求めるのを、いずれあきらめてしまうだろう

▸▸ 承認・尊重の欲求
真剣に取り合ってもらえない人は、仲間に無能で信頼できない、非現実的で愚かだとみなされる。そんなふうに周囲に決めつけられ、自尊心を傷つけられると、自分を見る目まで変わるだろう

▸▸ 帰属意識・愛の欲求
愛する人や家族が自分の夢や目標を真剣に受けとめていない場合、彼らとの関係に亀裂が入り、関係修復が難しくなるかもしれない

対処に役立つポジティブな特性
大胆、慎重、芯が強い、魅力的、自信家、協調性が高い、勇敢、ひょうきん、幸せ、正直、謙虚、想像豊か、独立独歩、大人っぽい、几帳面、情熱的、忍耐強い、粘り強い、プロフェッショナル、寛容、ウィットに富む

ポジティブな結果
- 自分を強く信じ、他人に軽視されることを拒む
- 自分の夢に向かって突き進み、成功を体験する
- 成長のチャンスを摑み、より豊かな人間性を身につける
- 有害な友人や家族と縁を切る
- 相手が自分を軽んじていることを指摘し、話し合いの場を設けたことで、ポジティブな結果が生まれる
- 自分の言動が誤解につながったことに気づき、自分を改めるように努力する
- 知識や経験を深め、その効果が現れる
- 闘って、人々が間違っていることを証明する

真実を伝えているのに信じてもらえない

〔英 Telling the Truth But Not Being Believed〕

具体的な状況

- 他の兄弟姉妹がやったと言っているのに、自分が叱られる
- 無実の人が犯してもいない罪で有罪になる
- 友人の話やアリバイを裏付ける証言をしたら、友人をかばっていると責められる
- （強盗、襲撃、殺人など）深刻な犯罪を通報したのに、真面目に調査してもらえない
- 頻繁に警察に通報していたがために、本当に緊急事態が起きたときに無視される
- ハラスメントを受けた話を打ち明けているのに、相手に「あなたは状況を誤解しているのでは」と言われる
- 浮気をしたと非難され、否定しているのに信じてもらえない
- 襲撃されたのは自分なのに、犯人だと勘違いされ、守られるどころか罰せられる
- 責任者たちにスケープゴートに仕立て上げられているため、「法律違反で非難されているが、自分はそんなことをしていない」と言っても信じてもらえない
- 世間一般の感情にそぐわない事実を提示し、偽情報を拡散したと非難される

引き起こされる軽度の問題・困難

- 自分の無罪を主張しなければならない
- 目撃者を見つけようとする
- 関与したくない人たちを説得して、知っていることを共有してほしいと頼み込まなければならない
- 社交グループから追い出される
- 嘘をついていると人前で非難される
- 自分のいないところで噂をささやかれたり、陰口を叩かれたりする
- 調査のために証拠を集めるのに時間を費やす
- 勝てたはずの競技や試合に負ける
- 自分は信用できる人間だと保証してほしいと、友人や家族に頼まなければならない
- どんどんとひねくれる
- 自分を擁護する友人や同僚が周りから強い反発を受ける
- 意見は正しいが、議論やディベートに強くない
- 文句ばかり言う自分に友人や家族がうんざりしている
- 相手が単純に誤解しているだけなのに、個人的なこととして重く受けとめる

起こりうる悲惨な結果

- 何度も嘘をついたので、助けが必要だと言っても誰も助けてくれない
- 自分の自己像が損なわれる
- 友人や家族に「自分をとるのか、相手をとるのか」と二者択一を迫る
- 配偶者との間に修復不可能な亀裂が生じる
- 自分の正しさを証明することばかり考える
- 自分を非難した人に恨みを抱く
- 今回も信用してもらえないことを恐れて、誰にも何も言わず、心を開かない
- 信用できない人間だという悪評が立つ
- 信じてもらえないので怒りを爆発させ、やはり信じるに値しない人間なのだと他の人たちを納得させてしまう
- 犯してもいない罪なのに、犯罪歴が刻まれる
- 自分に疑いの目が向かないよう、他人に責任をなすりつける
- （医師、弁護士、政府高官など）専門職の資格を失う
- （紛失した金の補填、壊れた物の弁償など）償いをさせられる
- 収監される
- 権力に屈してしまい、恐ろしい不正行為が罰せられないままになる

結果として生じる感情
動揺、怒り、不安、裏切られる、根に持つ、軽蔑、防衛、自暴自棄、幻滅、弱体化、決まり悪さ、フラストレーション、悲嘆、屈辱、苦痛、自信喪失、立腹、執拗、無力感、自己憐憫、衝撃、心配

起こりうる内的葛藤
- 不当な扱いや裏切りにより、乗り越えられない深い憤りを感じる
- 心の中で何度も主張を繰り返す
- 自分を非難した相手に食ってかかりたいが、そんなことをすれば事態が悪化するとわかっている
- 自分の主張を疑いはじめる
- 有害な環境から離れたいが、事を荒立てたくない
- 報復したい

状況を悪化させうるネガティブな特性
生意気、挑戦的、不正直、気むずかしい、傲慢、とげとげしい、理不尽、男くさい、被害者意識が強い、大げさ、神経過敏、妄想症、完璧主義、自己中心的、甘ったれ、意地っ張り、非倫理的、不満げ、心配性

基本的欲求への影響
▸▸ 自己実現の欲求
この状況に置かれていると、多くの重要な欲求が満たされなくなり、帰属意識や自尊心、もしかしたら安全までもが脅かされるだろう。こうした深刻な問題が解決されるまでは、自己実現の欲求を満たすのは後回しになるはずだ

▸▸ 承認・尊重の欲求
人々に自分は最悪だと思われ、自分の信頼や評判、エゴが傷つくだろう

▸▸ 帰属意識・愛の欲求
自分を擁護してくれるはずだった家族や親友に信じてもらえない場合は、特に問題が深刻になる

▸▸ 安全・安心の欲求
有力者やエゴが強い人、または感情の起伏が激しい人にとって真実が脅威となる場合、正直に知っていることを話そうとするだけで狙われる可能性がある

対処に役立つポジティブな特性
おだやか、慎重、芯が強い、魅力的、自信家、勇敢、如才ない、正直、気高い、謙虚、理想家、大人っぽい、客観的、注意深い、楽観的、雄弁、臨機応変、スピリチュアル、寛容、利他的

ポジティブな結果
- まさかと思うような場で協力者を見つける
- 忠実さという観点で周囲を見渡すと、どの人間関係が確かで、どれがそうでないかが見えるようになる
- 自分を非難する相手の性格がはっきりと見え、縁を切る
- 粘り強く闘って勝利し、真実が明るみに出る
- 苦境にもめげず、正しいことをやり遂げて安心する
- 自分と同じ目に遭っている人たちの擁護に情熱を傾け、彼らの声を聞き届けられるようにする
- 信頼の価値を再認識し、より正直な人間になろうと努力する

信用を落とす

〔英 Being Discredited〕

具体的な状況

- コーチや権威ある立場の人が監督下にある未成年者たちを虐待していた事実が発覚する
- 弁護士が資格を剥奪される
- 聖職者が信徒や檀家たちから敬意を払われなくなる
- 自分の政治的信条または宗教的信念を非難され、グループから追放される
- 組織的な中傷活動が行われ、意図的に自分の評判が貶められる
- 医師が医療過誤で有罪になる
- 事業主または著名な政治家が詐欺罪で服役する
- 有名な芸能人がとった行動や発言が物議を醸し、世間から反発を食らう
- 虚偽の発言を繰り返し、偽情報を流していたのがばれる
- 弁護の準備ができていないのに反論して状況を悪化させる

引き起こされる軽度の問題・困難

- 友人や家族、ファンの支えを失う
- 同僚や以前の支持者たちの前に立つと居心地の悪い思いをする
- 弁護士との会合や訴訟の開示手続きが延々と続くなか、自分の評判を守らなければならない
- 公に声明を出さなければならない
- 同僚や見知らぬ人から嫌みや批判的なことを言われても我慢しなければならない
- 自分の行動の責任を認めない
- 自分の行動に傷つけられた人たちに謝罪しなければならない
- 自分の行動の責任を他の人になすりつけようとする
- （罰金、停職処分など）懲戒処分を受ける
- ダメージを最低限に抑えるため、ソーシャルメディアのアカウントを閉じなければならない

起こりうる悲惨な結果

- 仕事を失い、生計を立てられなくなる
- 地位が失墜した事実を受け入れられない
- 配偶者や子どもまでもがメディアに狙われる
- 訴訟が何年も長引く
- 無罪を主張しているのに誰も信じてくれない
- 結婚生活が破綻する
- 高額な罰金を支払わなければならない
- 世間の論争から逃れるため、新しい名前を名乗り、別人になりすまさなければならない
- 自分に怒りを向けたソーシャルメディア上の運動や集団デモが起きる
- 就職するときや宣誓供述書に署名するときなどに、信用を落とす騒ぎを起こしたことについて嘘をついたのがばれる
- 法的な資格が剥奪されたのに仕事を続ける（医師免許なしに患者を診る、弁護士資格を失ったのにクライアントをとるなど）
- 自分の信用を傷つけた人たちに復讐を企てる
- 自分と同じ姓だというだけで家族も同罪になる
- （患者が死亡する、被害者が出るなど）自分の間違った行いや愚かさのせいで、人々に甚大な被害がおよぶ
- 罪悪感を和らげるため、無感覚になれる薬物に走る
- 成人したわが子たちに拒絶される
- 無実であるにもかかわらず、（判決が出て、または世論に裁かれて）有罪にされる
- 服役する

結果として生じる感情

怒り、苦悩、不安、根に持つ、防衛、不信、弱体化、決まり悪さ、罪悪感、謙虚、屈辱、苦痛、孤独、無力感、激怒、後悔、自責、屈服、悲しみ、自己憐憫、恥、復讐、価値がない

起こりうる内的葛藤

- 決まり悪い思いをする、または自分を恥じる
- 自分の行動に罪悪感を抱き、どうしていいかわからなくなる
- 自分の行動は正当だと信じているので、懲戒処分に納得がいかない
- 起きたことを何度も頭の中で思い返し、セカンドチャンスがあったらいいのにと思う
- 無実だが、それを証明できない
- 責任のある当事者に復讐をしたい
- たったひとつの過ちのせいで、これまでの自分の善行がすべて忘れ去られたことに幻滅する
- 自分は罠にはめられたと信じているが、誰がなぜそういうことをしたのかはわからない
- 信用を失い、自己像が崩れる、または信念や信心が試される

状況を悪化させうるネガティブな特性

無神経、依存症、冷淡、生意気、挑戦的、臆病、防衛的、邪悪、傲慢、理不尽、無責任、被害者意識が強い、妄想症、悲観的、偏見がある、見栄っ張り、恨みがましい、協調性が低い、非倫理的

基本的欲求への影響

▸▸ 自己実現の欲求

並々ならぬ時間と努力を割いて、今の地位にたどり着いたのに、失墜後は何をしたらよいのかわからず、自己実現の目標も追求できなくなるかもしれない

▸▸ 承認・尊重の欲求

信用を落とすと、地位を失うだけでなく、高い地位に就いていることから得られる自尊心や評価も失うはずだ

▸▸ 帰属意識・愛の欲求

友人や家族、同僚の支えを失うと、見捨てられたような気持ちになり、自分の行動の帰結に一人で立ち向かわなければならなくなる

対処に役立つポジティブな特性

柔軟、おだやか、魅力的、自信家、協調性が高い、勇敢、礼儀正しい、正直、気高い、謙虚、純真、公明正大、優しい、忠実、大人っぽい、情熱的、プロフェッショナル、上品、責任感が強い、スピリチュアル

ポジティブな結果

- 証拠が発見され、汚名をそそぐ
- 苦境の中で新たな友人や協力者を見つける
- 自ら進んで自分の行動の全責任を負う
- 自分の行動をきっかけに、一般市民を守るための新しい法律やルールが作られる
- 精神的な気づきがあり、自分の行動の償いをする
- 一度信用を失った苦い経験を共有し、自分と同じ専門分野にいる人々に倫理的な行動をするように呼び掛ける

他人に頼らなければならない

〔英 Having to Rely on Others〕

具体的な状況

- （脳卒中の後遺症や認知症のため）親が健康を損ね、成人した子どもと同居しなければならない
- 自動車事故で脳挫傷を負い、配偶者に頼って暮らすようになる
- 脳性麻痺、筋ジストロフィー、ダウン症候群などの身体的または精神的疾患を抱え、在宅介護を必要としている
- 就労許可証を持たない不法移民が友人や親友を頼って生活する
- 親を失い、年上の兄・姉または親戚の家に預けられる
- 失職中のため、家族から頻繁に借金しなければならない
- 逃亡中で、または迫害されていて、危険が去るまで友人にかくまってもらう
- すべてを失い、他人の親切に頼らなくてはならない
- 病気のため、自分を支えてくれる家族や地域社会に貢献できない

引き起こされる軽度の問題・困難

- 他人のルールに従わなければならず、いらいらする
- 介護者の予定に合わせる
- （必要なものであろうとなかろうと）自分に制限が課せられているために苦労する
- 自分を担当している介護者と気が合わない
- 自分の身体的ハンディキャップに応じた仕事を探さなければならない
- 自立していた頃とは異なり、意思決定の過程に関与しなくなる
- 診察や治療の予約が頻繁にある
- 恋人がいるのに、自分が世話になっている家では恋人が歓迎されない
- 自分の介護方法をめぐり家族間で確執が起きる
- 自分が意固地になったり暴れたりすると、体がぶつかり合う喧嘩になる
- プライバシーがない
- 情報を得るのに他人に頼らなければならない
- （逃亡のリスクがある、または自由に動き回れる生活に慣れている人の場合）常に監視されている
- 忘れっぽくなっているので、新しい家に慣れず、混乱する
- 自分のことで追加費用がかかるようになり、自分を助けてくれている人との間に摩擦が生じる

起こりうる悲惨な結果

- 介護人が自分の面倒を見るために、休暇や学校、または就職を先延ばしにしなければならない
- 人に何かをしてもらって当然だという気持ちが出てきて、介護人は自分の要求に応えるものだと思い込む
- ネグレクトされ、外出の機会が制限されているので、何かをしたり、人と会ったりしづらくなる
- あらゆる権利を剥奪された囚人のように扱われる
- 症状が悪化する
- 不信感が募り、介護人がまともな判断をするとは思わなくなる
- 自分はどこかへ行きたいのに、自分の意思に反して閉じ込められている
- 強制送還される
- 自分で意思表示ができないので、介護人が自分に代わって死ぬか生きるかの判断をする
- 自分の貯金や介護、資産を非倫理的な介護人に完全に支配される
- 自分の老後の蓄えを家族が勝手に使おうとし

て、委任状を用意する
- 新たな環境で身体的または精神的に虐待される

結果として生じる感情

怒り、苦悩、不安、裏切られる、根に持つ、混乱、敗北、反抗、拒絶、意気消沈、絶望、危惧、フラストレーション、罪悪感、謙虚、屈辱、孤独、ネグレクト、パニック、無力感、自尊心、自己憐憫、恥、脆弱、価値がない

起こりうる内的葛藤

- 自立とコントロールが失われ、葛藤する
- 新しい状況で変化についていけず、何もかもに絶望的な不安を覚える
- 自分の面倒を見てくれる人または介護人に、感謝の気持ちと苦々しい思いが入り混じる
- 自分を世話してくれている人が夢を追いかけて生きられないでいるのを見て、罪悪感を抱く
- 自立できていない、他の人たちができることをできない自分に「劣等感」を覚える
- 治療に対して懸念を口にしたいが、罪悪感が邪魔をする
- 世話をしてもらっているので感謝すべきだが、不当に扱われているので心から感謝できず、罪悪感を覚える
- 家庭や社会に貢献したいのにできない、またはそうさせてもらえない
- 家庭や地域社会に貢献していないことを恥じる
- 人に見て見ぬふりをされていると感じる

状況を悪化させうるネガティブな特性

無神経、幼稚、挑戦的、支配的、凝り性、気むずかしい、頑固、被害者意識が強い、詮索好き、神経過敏、妄想症、気分屋、寡黙、協調性が低い、恩知らず、暴力的、激しやすい、不満げ

基本的欲求への影響

▸▸ 自己実現の欲求

介護人の世話になっているのに、基本的欲求以上の欲求を満たしたいと思っていることに罪悪感を抱く可能性がある。そうした罪悪感は、個人の成長を妨げるだけでなく、人生において自分が本当に望むことを追求する能力の発達も妨げるだろう

▸▸ 承認・尊重の欲求

身体的、精神的、または経済的に人の世話にならなければならない場合、エゴが傷ついて、自分に自信が持てなくなったり、自分をポジティブに見ることができなかったりすることが考えられる

▸▸ 帰属意識・愛の欲求

気の合わない人たちと一緒に暮らさなければならない状況では、帰属意識や愛をあまり感じられないだろう

▸▸ 安全・安心の欲求

衣食住を他人に頼らなければならない場合、自分が安心して暮らしていけるかどうか、常に不安を抱えながら生きることになるかもしれない

対処に役立つポジティブな特性

柔軟、愛情深い、用心深い、感謝の心がある、おだやか、協調性が高い、勇敢、おおらか、謙虚、影響力が強い、スピリチュアル、寛容、お人好し、利他的、ウィットに富む

ポジティブな結果

- 自分と同じ疾患を抱える人たちを支援する慈善活動に関わり、充足感を得る
- 介護人と長く続く人間関係を築く
- 人の世話になっている間、再び自立できるチャンスが広がるように、自分の傷を癒し、今後の計画を立てる時間を持つことができる
- 孤独だったが、家族ができる
- 人から援助を受けるのは恥でもなく、弱さを見せることでもないことを知る
- 有意義な社会貢献方法を見つける

チームからはずされる

〔英 Being Cut from a Team〕

具体的な状況

- ディベート大会で学校代表チームに選ばれない
- 中学生のアスリートが学校の（バレーボール、レスリング、バスケットボールなどの）チームに入れない
- プロ選手の契約が更新されない
- 大怪我をしたプロゴルファーの選手生命が絶たれる
- 体操選手が好成績を残せず、オリンピック出場資格を得られない
- パフォーマンス強化剤を使ったアスリートが大会出場資格を剥奪される
- 不正行為をした、またはスポーツ選手らしくない行為をしたためにチームからはずされる
- 他のチームメイトと大喧嘩をして、ロボットコンテストの出場チームからはずされる

引き起こされる軽度の問題・困難

- なぜチームからはずされたのか、チームに入れなかったのかがわからない
- チームメイトとの付き合いを失う
- 元チームメイトまたはファンからからかわれる、または馬鹿にされる
- コーチに直接会って説明を求める
- 前のチームよりは競争の激しくない、自分の能力以下のチームに入る
- プロ復帰を目指して、大会組織委員会に不服を申し立てる
- 練習や競技会もなく、持て余した時間に何をしたらよいのかわからず、ぶらぶらする
- スポンサーや広告の契約を失い、収入がなくなる
- 次の入団テストを待つ間、1年間を棒に振る
- エゴが少し傷つく
- 他のチームメンバーたちは大きな競技会に出場し、そこへの移動の旅も経験できたのに、自分にはその機会が与えられない
- 練習着など、チームロゴが付いた服や物を身につけるのをやめなければならない
- チームメンバーとしてではなく、応援係として競技場に行かなければならない

起こりうる悲惨な結果

- 友人や家族に嘘をつき、チームからはずされたことを伝えない
- 謝罪し、チームの許しを請うが拒絶される
- コーチの個人的恨みや偏見が理由でチームからはずされたことを知る
- 次の入団テストに向けて筋力トレーニングを強化するが、怪我をする
- （プロ選手の場合）主な収入源を失う
- 別のチームに入団するが、そこは不良の集まりだった
- 情熱の火が消え、自分には才能がないのだと思い込む
- スカウト担当者やエージェントの目にとまる機会を逃す
- 大学の奨学金の受給資格を失い、中途退学しなければならない
- パフォーマンス強化剤に手を伸ばす
- 失敗から学ばずに、同じ間違いを繰り返す

結果として生じる感情

怒り、根に持つ、軽蔑、敗北、意気消沈、打ちのめされる、失望、落胆、疑念、弱体化、決まり悪さ、危惧、フラストレーション、悲嘆、謙虚、屈辱、劣等感、嫉妬、自己憐憫、恥、衝撃、復讐、価値がない

起こりうる内的葛藤

- チームからはずされたことに怒りを捨てきれないが、チームの仲間との付き合いが恋しい
- 自分がチームからはずされたことに関与した

チームメイトに怒りを覚える

- これまで払った犠牲や努力が、すべて水の泡になったような気持ちになる
- 自分よりも実力が下の人たちがチームに入ったことを知り、悶々とする
- 鬱になり、自分には能力や価値がないのだと思い込む
- コーチに対し恨みを抱き続け、それが根深い敵意に変わる
- チームに入れた選手たちに嫉妬する
- セカンドチャンスが欲しいが、言い出すのが怖い
- 自分が除外されたのは不公平だと感じ、不満をくすぶらせる
- チームの一員であることが自分にとっては非常に重要だったのに、除外され、自分が何者なのかがわからなくなる

状況を悪化させうるネガティブな特性

依存症、意地悪、幼稚、生意気、挑戦的、防衛的、不正直、失礼、とげとげしい、嫉妬深い、男くさい、大げさ、恨みがましい、自己中心的、甘ったれ、うぬぼれ屋、引っ込み思案

基本的欲求への影響

▸▸ 自己実現の欲求

チームの一員であることに大きな充足感を抱いていた場合、チームから除外され、自己実現の夢が完全に断たれたと感じるかもしれない

▸▸ 承認・尊重の欲求

チームからはずされ、自分には能力が足りないと感じたり、屈辱感を味わったりするかもしれない。また、本人が主張するほど大した実力はないと考える人たちに見下される可能性もある

▸▸ 帰属意識・愛の欲求

チームの一員でいると、チームメイトと付き合いもあって仲間意識も芽生えるが、そこからはずされると帰属意識が感じられなくなり、空虚な気持ちになるかもしれない

対処に役立つポジティブな特性

柔軟、おだやか、芯が強い、自信家、勇敢、クリエイティブ、おおらか、幸せ、謙虚、大人っぽい、楽観的、粘り強い、賢明、天才肌、寛容

ポジティブな結果

- 自分よりも若くて将来有望なアスリートが揃うチームのコーチになる
- 別のスポーツや競技を見つけ、以前よりも充実した日々を送る
- 前のチームほど攻撃的でなく、競争も激しくないチームに入り、競技を楽しめるようになる
- 競争のストレスを感じなくなって安堵している自分を発見する
- 違うスポーツを始め、新たなスキルを習得する
- 自分の行動に責任を持ち、正しい選択をしたことに気づく
- 社交の場や学校での友だち付き合いを楽しみ、新たな活動にいそしむ時間が増える
- 強制的にやらされていたスポーツから離れる
- 有害なチームやコーチから離れ、自己肯定感を取り戻し、自分には価値があると思えるようになる

NOTE

この項目では、競争の激しいチームから除外される状況を扱う。同様のシナリオを探しているのなら、「グループからはずされる」の項目も参照のこと。

地位や富を突然失う

〔英 An Unexpected Loss of Prestige or Wealth〕

具体的な状況

- 選挙で勝って就いた公職と地位を失う
- （株式市場の暴落、不良投資、強盗に遭うなどして）一文無しになる
- 事業主が破産し、会社がなくなる
- 企業幹部が左遷される
- 王室の称号またはエリートの地位を剥奪される
- 社会的地位の高い人が、その人の特権が認められていない別の文化圏に移住する
- インターネット上で詐欺に遭い、資産をだまし取られる
- 富裕者または著名人が罪を犯して有罪になる
- ひどい振る舞いをした、またはスキャンダルを起こしたことを理由に、エリートの地位が剥奪される
- 社交界から排除され、（コネ、イベントにVIPとして招待されるなどの）特権を失う

引き起こされる軽度の問題・困難

- 決まり悪い思いをする、または屈辱を覚える
- 状況が暗転したことを友人や家族に伝えなければならない
- 運転や清掃、調理などの日々の労働を担うアシスタントやスタッフを抱えられなくなる
- 友人たちに絶交される
- 前よりも小さな住まいを探さなければならない
- 自分のスキルや地位に見合わない低いレベルの仕事に就く
- 新たに友人を作らなければならない
- お気に入りのイベントやクラブに入れなくなる
- 特別会員資格を剥奪される
- 噂の的になる
- 今まで人に任せていた予算や計画の立て方を学ぶのに苦労する
- 新しい質素なライフスタイルには合わない服しかない
- 何も変わっていないようなふりをして人に嘘をつく
- 馬鹿げた贅沢をあきらめきれない
- 新環境での社会規範や文化規範を学ばなければならない
- 日和見主義的な友人たちとは距離を置く
- もはや共通点がなくなった人たちとは自然に離れていく

起こりうる悲惨な結果

- 家族からの精神的または経済的支援を失う
- もはや手の届かなくなった贅沢なライフスタイルを維持しようとして借金を重ねる
- わが子が新しい学校や引越先に順応できずに苦労する
- どうして自分が失墜したのかを説明する巧みな陰謀論を信じる
- 自分の名声をさらに貶めようとする敵に組織的な中傷を受ける
- メディアの標的にされて来る日も来る日も自分の失墜劇が報道される
- 破産する
- 仕事を見つけられない
- 報復しようとして暴言を吐き、元同僚や元仲間の秘密を暴露する
- 自分を失墜させるよう画策した人物に報復しようとする
- ストレスのせいで心の病気になる
- 子どもや配偶者、親戚と疎遠になる
- （違法行為に関与していた場合）服役する
- アルコールや薬物に走る
- 失った財産を取り戻そうとして、怪しい行為や違法行為（ギャンブル、窃盗など）に手を染める
- 自殺を考える、または図る

結果として生じる感情

怒り、不安、混乱、意気消沈、絶望、打ちのめされる、失望、弱体化、決まり悪さ、危惧、悲嘆、謙虚、屈辱、劣等感、パニック、無力感、後悔、反感、屈服、自己憐憫、恥、衝撃、価値がない

起こりうる内的葛藤

- 鬱になり、自分には価値がないと自分を責める
- 裕福な仲間や同僚の生活を羨んでばかりいる
- 自分の置かれた新たな状況をなかなか受け入れることができない
- 誰かが自分を失墜させたことはわかっているが、それを証明できない
- 自分が期待したほど支えになってくれない友人たちに複雑な気持ちを抱く
- 考えることがどんどんと否定的になる
- 新しい自分をなかなか見つけられずに悩む

状況を悪化させうるネガティブな特性

無神経、依存症、幼稚、生意気、浪費家、不真面目、凝り性、貪欲、気むずかしい、傲慢、無知、せっかち、怠け者、男くさい、妄想症、見栄っ張り、わがまま、自己中心的、甘ったれ、疑い深い、うぬぼれ屋、不満げ

基本的欲求への影響

▸▸ 自己実現の欲求

裕福な暮らしから転落して落ち着くまでの間は、経済的状況を安定させ、愛する人たちを養うのに精いっぱいで、自分の好きなことを追求する時間などほとんど残らないはずだ。また、悲しみに明け暮れる時期を乗り越えるまでは、自己実現の目標に意識を向けることもままならないだろう

▸▸ 承認・尊重の欲求

突然地位や富を失えば、エゴが傷つく。地位が剥奪されるまでは、自分の周りにいた多くの人たちからちやほやされてきたが、称賛も尊敬もされなくなるかもしれない

▸▸ 帰属意識・愛の欲求

突然失墜すると、社交界や仲間から排除されることもしばしばで、自分の居場所を失うことになる

▸▸ 安全・安心の欲求

富を失うと、防犯システムや警備員なしに生活することを強いられ、自分の身を守る手段だけでなく、安心感も失うはずだ

対処に役立つポジティブな特性

柔軟、野心家、感謝の心がある、おだやか、芯が強い、勇敢、クリエイティブ、おおらか、幸せ、想像豊か、勤勉、知的、大人っぽい、楽観的、忍耐強い、粘り強い、臨機応変、責任感が強い、スピリチュアル、倹約家

ポジティブな結果

- 以前よりも質素なライフスタイルに癒される
- 家族と過ごす時間が増え、愛する人たちとの距離が縮まる
- 新しい仕事を見つけ、信じられないほどの充足感を得る
- お金を持っていない人たちに対し、根拠もなく偏見を抱いていたことに気づく
- 地位を失わなければ出会うこともなかった人たちとパートナーを組む

仲間はずれにされる

〔英 Being Excluded〕

具体的な状況

- （誕生日会、祝宴、結婚式など）心待ちにしていたイベントに招待されない
- 親友が新しい恋人とばかり時間を過ごし、自分が蔑ろにされる
- 元恋人または元配偶者の友人が向こうの肩を持ち、自分から離れる
- （アウトドア、菜食主義、性的な奔放さ、世界滅亡、裸体主義、特定の宗派など、特定の関心を共有する人が集まる）コミュニティで、主流のライフスタイルに同じレベルでは共感できず、疎外感を味わう
- 自分が信じる宗教から破門される
- 経済的地位、民族的背景、教育レベルなどが違うために、社交クラブやコミュニティに受け入れてもらえない
- 男子学生のための社交クラブ、非行集団、秘密結社などのグループへ入ろうとして拒否される
- 嫁ぎ先でよそ者扱いされる
- 転校先の学校や引越先の地域社会で仲間はずれにされる
- チームメンバーや同僚たちがいつも自分のいないところで決断を下す

引き起こされる軽度の問題・困難

- 仲間たちから余計な人だとみなされる
- 無理をしてまでグループに溶け込もうと努力する
- 自分を仲間はずれにしているグループのメンバーと遭遇し、ぎこちない会話を交わす
- グループ内の地位を失う
- 他の人たちと同じようには扱ってもらえないのがわかっているイベントに出席しなければならない
- 排他的なコミュニティに代わる新しいコミュニティを築く、またはイベントを企画する必要がある
- 気持ちが傷つけられ、なかなか集中できない
- 特別な予定を組んで遊ぶ相手がいない
- 時間を持て余す
- 空白を埋めるため、新しい社交グループやコミュニティ、宗教を探すのに時間を費やす
- （さみしさを紛らわすために過食に走る、自分を誘ってくれる善良な人を拒絶するなど）不健全な問題対処法に頼り、新たな問題を作ってしまう
- 仲間に入れてほしくて、グループに機嫌取りをしなければならない
- 仲間はずれにされる理由を探ろうとして時間を無駄にする

起こりうる悲惨な結果

- メンバーへの支援や歓迎を惜しまないグループが二度と見つからない
- わが子も仲間はずれにされて苦しむ
- 鬱になり、いかなる社交にも参加したくない
- 自尊心を失い、仲間はずれにされたことを内面化させてしまう
- 周囲にいる人たちも加わって仲間はずれが悪化する
- グループ内にいる友人と接する機会がなくなり、友人を失う
- 対抗グループを作ろうとするが、うまくいかず、ますます孤立する
- グループに受け入れてもらえるように自分の性格や価値観を無理に変える
- 人前で仲間はずれにされた鬱憤を晴らし、自分だけでなく他の人たちにも決まり悪い思いをさせる
- グループに仕返しをするため極端な行動に出る
- グループに受け入れてもらうことしか頭になく、今いる友人たちを遠ざける

- グループの人たちに執心する（彼らにつきまとうなど）
- 仲間はずれがいじめや暴力に発展する

結果として生じる感情

苦悩、不安、裏切られる、根に持つ、意気消沈、絶望、打ちのめされる、失望、幻滅、弱体化、決まり悪さ、羨望、フラストレーション、反感、屈服、悲しみ、冷笑、自己嫌悪、自己憐憫、恥、評価されない

起こりうる内的葛藤

- グループのメンバーたちに対し、強い嫉妬や羨望を抱く
- 自分には受け入れてもらう価値がないのだろうかと悩む
- そのグループは自分に合わないとわかっているのに、それでも一員になりたい
- 受け入れてもらうために行き過ぎたことをしているとわかっているが、やめられない
- 人生における自分の目的を疑問視する
- 他の人たちも仲間はずれにされているのを見ると密かに喜ぶが、喜んだことを後悔する

状況を悪化させうるネガティブな特性

無神経、依存症、挑戦的、臆病、残酷、皮肉屋、防衛的、噂好き、せっかち、嫉妬深い、男くさい、被害者意識が強い、大げさ、神経過敏、恨みがましい、心配性

基本的欲求への影響

▸▸ 自己実現の欲求

グループに受け入れてもらうことばかり考えていると、自分のやりたいことや好きなことなど、自分に喜びをもたらしてくれる物事を犠牲にするかもしれない

▸▸ 承認・尊重の欲求

仲間はずれにされるとすぐに、自分の何が悪かったのか、なぜ自分は「いたらない」人間なのかと思い悩みがちだ。そうすると、自己肯定感はがた落ちし、自分に価値などないのではないかと悩む可能性がある

▸▸ 帰属意識・愛の欲求

自分を大切に思い、支えてくれる人が身近にいないと、相談相手もなく、一人で思い悩むことになるだろう

対処に役立つポジティブな特性

柔軟、芯が強い、自信家、勇敢、礼儀正しい、おおらか、気さく、ひょうきん、幸せ、独立独歩、粘り強い、正義感が強い、寛容、奔放、型破り

ポジティブな結果

- 一人で時間を過ごしたことで、自分自身をもっとよく知り、客観的に評価できるようになる
- 仲間はずれの一因になっていた自分の欠点（訓練や知識不足、人をたぶらかすような性格）に気づき、それを直して成長する
- 自分の人生の中にいて、愛情を注いでくれる人たちにより深く感謝する
- 自分に合った他の友人を見つける
- 自分に何か間違った部分があるというより、むしろグループに問題があることに気づく
- 自分を厄介者扱いする人たちと一緒にいるよりも、一人でいたほうがましだと気づく
- 仲間はずれにされている人たちを見かけると、自分を見ているようで放っておけなくなり、声をかける

人に金を借りる

〔英 Needing to Borrow Money〕

具体的な状況

- クレジットカードを失くしたことに気づき、デートの相手に支払いを頼まなければならない
- 職を失い、毎月の生活費の支払いを誰かに助けてもらわなければならない
- （車の買い替えや、急な医療費の負担など）思いがけない出費があって、収支を合わせられなくなる
- 自分で保釈金を払えないので、誰かに用立ててもらう必要がある
- 成人しているといってもまだ若いので、マイホーム購入や起業資金を親から借りる
- お金の管理を誤ってしまい、家族に借金を申し込む
- 依存症を抱えていることを偽って人から金を借り、酒や薬物を買う
- 身の丈に合わない生活をしているくせに家族から金を借りようとする
- 口止め料など、人に渡すための金が急に必要になる

引き起こされる軽度の問題・困難

- 金欠になり不便が生じる
- 恥ずかしい思いをする
- 借金をすることに関して、配偶者と意見が食い違う
- 金がなくて困っているのだと人に言わなければならない
- 借金の申し込みをどう切り出すべきか、そのことばかり考えていて、ストレスを感じる
- 借金の理由を正直に言えないので、嘘をつかなければならない
- お金には厳しいとわかっている人に借金を申し込まなければならない
- 自分に害がおよぶのが嫌で縁を切っていた人に借金を申し込まなければならない
- 借金の申し込み相手との関係がぎこちなくなる
- 相手の条件をのまないと、借金は断られるとわかっている
- （銀行でローンを組む場合）手続き書類を提出しなければならない
- 気に入らない人や尊敬もしていない人に、ごまをすらなければならない

起こりうる悲惨な結果

- 貸す方も借りる方も嫌な気持ちになって絶縁する
- 高利貸しなど、悪徳業者から借金する
- 失っては困るものを担保に入れる
- 思いがけない事態が発生し、借金が返済できなくなる
- 金を貸す方が立場を利用して自分を支配しようとする
- どうしても金が必要で、（高利子を払う、金を貸してもらう代わりに道徳的一線を越えるなど）不利な条件に合意する
- （ごまかし、ゆすり、暴力など）怪しい手段を使って、相手に金を出させようとする
- 借金をしないことにし、（治療、子どもの習い事など）必要なものを後回しにする

結果として生じる感情

不安、懸念、根に持つ、気づかい、葛藤、防衛、自暴自棄、決意、失望、幻滅、怯え、弱体化、決まり悪さ、狼狽、自信喪失、嫉妬、不本意、自己憐憫、恥

起こりうる内的葛藤

- 金が必要なのはわかっているが、プライドが高すぎて人に借金を申し込めない
- 金が手に入らなければどうなるのだろうと心配する
- 金銭トラブルを抱えていない人たちを羨む

- まずい判断をしたせいで金に困る結果となり、罪悪感に打ちのめされる
- （相手が裕福、過去に自分を不当に扱ったなどの理由で）相手が自分に借りがあるかのごとく、金を貸すのは当然だと思う
- 金のない状況を作った責任を受け入れるのを拒み、その点に触れられると身構える
- 相手の気持ちを揺り動かすため、泣き落としに出ようかと考える
- 金を手に入れるためなら、どこまでのことをやる意志が自分にあるだろうかと道徳的な観点から悶々とする

状況を悪化させうるネガティブな特性

無神経、生意気、支配的、防衛的、いい加減、失礼、不真面目、傲慢、無責任、操り上手、強引、わがまま、自己中心的、けち、協調性が低い、非倫理的

基本的欲求への影響

▸▸ 自己実現の欲求

自分の夢を叶えるには借金するしかない場合、自分が最高に充実した人生を送れるかどうかは、他人に借金を申し込む意欲があるかどうかにかかってくるだろう

▸▸ 承認・尊重の欲求

自分と家族を養うため、誰かに助けを求めなければならない場合、自分は無力だと感じ、自己肯定感が低くなるかもしれない

▸▸ 帰属意識・愛の欲求

友人や愛する人と金の貸し借りをすると、大切な人間関係であっても、負担を感じる可能性がある。これまでにも経済的に助けてほしいと頼んだことがあるなら、なおさらである

▸▸ 安全・安心の欲求

（アパートから退去させられないようにする、もっと治安のよい地区に引越しする、番犬として飼っていた犬を動物病院へ預けて治療するなど）安全保持にお金が必要な場合、その費用を確保できなければ、身の安全が脅かされる可能性がある

対処に役立つポジティブな特性

分析家、感謝の心がある、魅力的、協調性が高い、礼儀正しい、如才ない、規律正しい、気高い、優しい、雄弁、責任感が強い、賢明、倹約家、利他的、賢い

ポジティブな結果

- 友情を傷つけることなく、友人からうまく借金することができる
- なぜ借金が必要なのかと相手をうまく丸め込んで、成功のチャンスを引き出す
- 今後は借金せずにすむように、自分のお金をうまく管理する方法を学ぶ
- 人からお金を借りずに、創造力を働かせて収支を合わせる

人前で恥をかく

〔英 Public Humiliation〕

具体的な状況

- (芝生の上に立てられた看板、屋外に設置された広告看板、またはソーシャルメディア上で）不倫を公にされる
- 個人の手紙や画像、動画がインターネット上に拡散される
- 同僚たちの前で一人叱責される
- みんなが集まっている前で、家族や友人に馬鹿にされる
- 内輪の恥が公にテレビで放映される
- 薬物使用、性的フェティシズム、犯罪行為などの重大な秘密が明らかになる
- 準備ができていないときに、または不利な状況で、追い詰められる
- 自分の自尊心を傷つけようとしている敵に不当に狙われ、恥をかかせられる
- 自分の地位や年齢などにふさわしくないことをさせられる
- 他の子をいじめたことで、親に無理やり「僕は人をいじめました」と書かれた看板を下げさせられて交差点に立たされるなど、悪事を世間にさらす罰を受ける

引き起こされる軽度の問題・困難

- 友人をはじめ、つながりのある人たちが自分と距離を置き、公に辱めを受けている状況に一人で立ち向かわなければならない
- 次から次へと噂が広まり、大騒ぎになる
- 誰を信用したらよいのかわからない
- 何が起きたのかを繰り返し説明しなければならない
- ハラスメントを受けたり、馬鹿にされたりするのを避けるため、生活パターンを変える
- プライバシーを維持するため、好きなことや趣味をあきらめなければならない
- 報道陣や抗議者たちに自宅を取り囲まれ、閉じ込められているような気持ちになる
- 自分の家族が不便を強いられたり、ハラスメントを受けたりする
- 法的なアドバイスを得るための費用を支払わなければならない
- ニュースにする価値のある話にするため、メディアに自分の発言をねじ曲げられる
- 常に監視されているような気持ちになる
- 過去の行動が明るみに出て、精査される
- 会員資格や褒賞を取り上げられる
- 決めつけられるのが嫌で、他の人が周りにいると落ち着かなくなる
- クラブやイベント、レストランなどで歓迎されない
- 脅される、またはハラスメントを受ける
- インターネット上でいじめられる、または狙われる

起こりうる悲惨な結果

- 重箱の隅をつつくかのように調べ上げられ、他の隠し事まで明るみに出る
- 結婚生活が破綻する
- 家族や友人、雇用主に見捨てられる
- 大切な協力者たちを失う
- 誤って非難される、またはスケープゴートにされる
- 罪に問われる
- 重要な支援または資金を失う
- 職を失う
- 事業を畳む
- 調べ上げられるのを避けるため、別人になりすまさなければならない、または家族をどこかに引越しさせなければならない
- 家族が巻き添えになり、彼らの人生が台無しになる
- 自分は無実だが、それを証明する証拠がない
- 夢をあきらめなければならない
- 収監される、または警察の監視リストに名前

が載る
- 心的外傷後ストレス障害（PTSD）や不安症などを発症する
- あらゆることを忘れるために薬物やアルコールに走る

結果として生じる感情
苦悩、不安、裏切られる、根に持つ、防衛、絶望、打ちのめされる、不信、幻滅、怯え、弱体化、危惧、悲嘆、罪悪感、後悔、自責、反感、自己憐憫、恥、苦しみにもがく、評価されない、脆弱、価値がない

起こりうる内的葛藤
- （スキャンダルのきっかけになった過ちを犯したことで）自分を責めたり、スキャンダルを報道した相手を責めたりと心が揺れ動く
- 自己憐憫から抜け出せなくなる
- 真実が明るみに出たことに後悔と安堵の両方を感じる
- 高潔でいたいが、復讐もしたい
- 前進する（そして自由とプライバシーを取り戻す）べきか、正義を求めて闘うべきかで迷う
- 友人に裏切られたが、逆にその人の本性を遂に知ることができてよかったとも思っている
- 決まり悪い思いをする、罪悪感や恥に苦しむ
- 人がどう思おうと関係ないと必死で知らんぷりをしたいが、やはり気になって仕方がない

状況を悪化させうるネガティブな特性
無神経、依存症、強迫観念が強い、挑戦的、残酷、邪悪、だまされやすい、抑制的、不安症、被害者意識が強い、うっとうしい、神経過敏、妄想症、完璧主義、反抗的、向こう見ず、自滅的、執念深い、暴力的

基本的欲求への影響
▸▸ 承認・尊重の欲求
公に辱められると、自尊心がずたずたになり、人が自分を見る目も完全に変わるだろう

▸▸ 帰属意識・愛の欲求
スキャンダルの真っただ中にいる間、周囲の人間が全員自分を擁護してくれるわけではない。悪いことが重なって支援者を失うと、苦境を乗り越えるのがさらに困難になる可能性がある

▸▸ 安全・安心の欲求
インターネット文化においては、下世話なスキャンダルが起きると、追い打ちをかけるように話が一瞬のうちに広がりがちだ。スキャンダルが十分に深刻だったり、自分に恨みを持っていた人たちがスキャンダルにつけ込んだりすると、現実の生活で自分と家族が狙われるかもしれない

対処に役立つポジティブな特性
柔軟、芯が強い、如才ない、正直、気高い、忍耐強い、粘り強い、雄弁、積極的、賢い

ポジティブな結果
- 長年隠していた秘密の裏にある真実を認め、責任をとって償う
- 自分の人生において有害な人たちとの関係を断ち切る
- どん底まで落ちたのち、自分を改めて成長する
- 他人がどう思おうとあまり気にしなくなる
- 他人の人生をめちゃくちゃにするつもりで不当に人を狙う者たちを駆逐しようと働きかける

危険と脅威

- 愛する人が危険にさらされる
- アレルゲンにさらされる
- 安全のために分かれる
- 家が火事になる
- 追い詰められる／閉じ込められる
- 怪物や超常的な存在に狙われる
- 機械が誤作動する
- 危険な仕事を任される
- 危険な場所を横切る
- 危険な犯罪者が自由の身になる
- 救援を断たれる
- 最後の抵抗を試みる
- 自然災害
- 生活が脅かされる
- 戦争が勃発する
- 毒におかされる
- 人に気づかれる
- 武器なしで脅威と対峙する
- 復讐のターゲットになる
- 見知らぬ人に襲われる
- 身を隠す／追手から逃げる
- 目撃者が脅迫される

愛する人が危険にさらされる

〔英 A Loved One Being Put in Harm's Way〕

具体的な状況

- 家族が在宅のときに、不法侵入または強盗が起きた
- （氷が割れて湖に落ちた人を救出する、消火活動にあたる、辺鄙な場所へ医療品を運ぶなど）愛する人が危険な作業や仕事をする
- 支配欲の強い、別れた相手が復讐に燃え、自分の今のパートナーを狙う
- 火事が起きた建物や、銃を持った人が立てこもっている建物など、何らかの脅威にさらされている建物に子どもがいる
- 愛する人が人間の盾として使われる
- 家族が人質にとられる
- 家族と外出中に、暴力的な人に遭遇する
- 子どもの学校で性犯罪者が働いていることが発覚する
- （身代金を払う、密輸品を受け取る、賄賂を渡すなどの目的で）大切な人が犯罪者と顔を合わせることに同意する
- 証言を撤回させるため、犯罪集団に家族が狙われる
- 職場の研究所でウイルスに感染したのに、知らずに自宅に持ち帰る
- 戦争が勃発した地域に家族が住んでいる
- 成人した子どもが住んでいる地域に、津波や地震などの自然災害が襲いかかる

引き起こされる軽度の問題・困難

- 心配のあまり、他のことに一切に集中できない
- 脅威に意識を向けるため、他の一切を中断する
- 警察と関わる（被害届を出す、尋問を受けるなど）
- もっと情報が欲しいが、手に入らない
- 愛する人が連絡を寄こすかもしれないので、電話やコンピューターのそば、現場を離れずにいる
- 心配した家族や友人からの電話の対応に追われる
- 家族の前では（特に子どもの前では）勇敢なふりをしなければならない
- 自宅前に詰めかけている報道陣に対応しなければならない
- 危険にさらされている本人と連絡がとれない
- 状況にどう対応すべきかについて、配偶者または親と意見が食い違う
- 弁護士や護衛などの費用がかかる

起こりうる悲惨な結果

- 当局にまともに取り合ってもらえない
- 慌てている、気が動転している、不安で仕方がないために、交通事故に遭う
- （テロリストが人質の中から配偶者を選び、自分たちの要求が満たされなければ殺すと脅すなど）愛する人を狙った犯行であることが明らかになり、危険が増す
- 愛する人が安全に自宅に戻れるよう全財産を投げうつが、自宅に連れ戻せない
- 関与している人物が政治的なコネがあるために守られていることを知る
- 事実のもみ消しがあったことを知る
- 救出を試みるが、捕まってしまう
- 袋小路に突き当たって警察があきらめ、犯罪集団が逃げるか、愛する人が行方不明になる
- 愛する人が味方の誤射で撃たれる
- 愛する人が怪我を負う、または殺害される

結果として生じる感情

苦悩、不安、気づかい、自暴自棄、不信、怯え、罪悪感、戦慄、ヒステリー、パニック、無力感、激怒、後悔、安堵、苦しみにもがく、心配、気がかり

起こりうる内的葛藤

- 極度の不安に駆られ、最悪の事態を思い浮かべる
- どうしてよいのかわからず無力感を覚える（解決にはまだ程遠い場合は特に）
- ヒステリックで動揺しているように聞こえているのはわかっていても、感情を抑制できない
- 神がこれを許したのだと思うと、神を信じているだけでは問題は解決しないのではないかと疑いはじめ、信仰の危機を経験する
- （理にかなっていようといまいと）危険を防げなかった自分を責める
- 愛する人と最後に交わした会話を思い出し、あんなひどいことを言わなければよかった、または、優しい言葉をかければよかったと後悔する
- 狙われたり、人質にとられたりしたのが、自分の家族でなく他人だったらよかったのにと思うが、そう思ったことに罪悪感を覚える
- ストレスを和らげるために薬物に頼ろうとするが、そう思ったことに罪悪感を覚える、または、そう思った自分は弱い人間だと思う
- 暴力に訴えるのは道徳的に間違っていると思うが、犯人を痛めつけ、苦しめたいと空想する

状況を悪化させうるネガティブな特性

依存症、挑戦的、衝動的、病的、悲観的、自己中心的、恩知らず、暴力的、心配性

基本的欲求への影響

▸▸ 自己実現の欲求

自分の時間、労力、感情をすべて脅威の対応に向けるので、自分のやりたいことや関心事は脇に置くことになるだろう

▸▸ 承認・尊重の欲求

愛する人を危険にさらした責任は自分にあると感じている場合、自己肯定感が徐々に蝕まれていくかもしれない

▸▸ 帰属意識・愛の欲求

家族が危険にさらされているとき、他の家族が必ずしも自分に優しくしてくれるとは限らない。こういう状況に陥ったのは自分のせいではないのに責められ、家族関係に亀裂が入ることも考えられる

▸▸ 安全・安心の欲求

愛する人が無事でいることを確かめたくて、愚かにも、自分を危険にさらす行動に出るかもしれない

▸▸ 生理的欲求

愛する人を救出したいあまり、犯人との交渉に関与しすぎて、自分が捕われ殺害される可能性がある

対処に役立つポジティブな特性

おだやか、協調性が高い、勇敢、規律正しい、几帳面、客観的、注意深い、楽観的、世話好き、臨機応変

ポジティブな結果

- 愛する人が救出される、または無傷で自宅に戻る
- 平和的に解決し、愛する人が無事戻る
- 騒ぎが起きている間、愛する人は別の場所にいて、危険にさらされてはいなかったことが発覚する
- 苦しい体験をして、人との絆が強まる
- 愛する人が安全に戻ってきたので、これからは心置きなく愛する人に尽くせるよう、重要ではないことは全部手放す

アレルゲンにさらされる

〔英 Being Exposed to an Allergen〕

具体的な状況

- （貝類、ピーナッツ、イチゴ、グルテンなど）アレルゲンを摂取する
- （ラテックス、ある種の繊維、化粧品の成分などの）アレルゲンに触れる
- 有毒な化学物質にさらされる
- スズメバチに刺される
- （紅斑性狼瘡（こうはんせいろうそう）など）光線過敏性の症状が出るのに、日光を浴びてしまう
- ヘビなどにかまれて毒が回る
- アレルギー反応があるとは知らずに薬を投与される
- 植物の油に触れたり、花粉や胞子を吸い込んだりして、重い植物アレルギーを起こす

引き起こされる軽度の問題・困難

- かゆみなどの不快感を覚える
- 喉がいがいがする
- 体がほてり、めまいがする
- 倦怠感を覚え、熱が出る
- 呼吸困難になる
- 吐き気をもよおす
- じんましんやむくみが出る
- 何が起きているのかを自分で診断しなければならない
- 心配になり、心にストレスを感じる
- 症状を和らげるための薬を購入しなければならない
- アレルギー症状が顔などに出て、一時的に変形する
- 病院に担ぎ込まれる
- 仕事や学校を休む
- コンサートや誕生日会など、楽しみにしていたイベントに出席できなくなる

起こりうる悲惨な結果

- どんどんと息が苦しくなる
- アレルゲンに触れ反応が出たのに、周りに人がいない
- 無意識の状態にあるときに、アレルギー反応が出る
- 携帯電話や車がなく、助けを求められない
- 自分が使う言語を話さない人に事情を説明しなければならない
- （運転中、小さな子どもと一緒に一人で家にいるなど）タイミングの悪いときに、アレルギー発作に襲われる
- 吸入器や薬を持っていない
- 自分の授賞式や何年もお金を貯めて計画した旅行など、一生に一度の機会を逃す
- アナフィラキシーショックを経験する
- 痙攣を起こす
- 病院から遠く離れた場所にいる
- 意識がなくなる
- 心肺停止状態になる

結果として生じる感情

不安、拒絶、絶望、自暴自棄、危惧、ヒステリー、短気、圧倒、パニック、無力感、唖然、恐怖、苦しみにもがく、脆弱

起こりうる内的葛藤

- パニックになるのを抑えようとする（がうまくいかない）
- 重症度を判断しようとして、以前危なかったときのことを思い出して、頭の中で比較する
- 自分は死ぬのではないかと恐れ、つらい思いをする
- （こういう危険があると知りながら）用意をしておかなかった自分を責める
- 助けを呼びたいが、人を騒がせたくない
- 他の人にどう思われるのかを心配し、なかなか助けを呼ぼうとしない

状況を悪化させうるネガティブな特性
いい加減、愚か、忘れっぽい、衝動的、無頓着、無責任、大げさ、病的、妄想症、向こう見ず、寡黙、恩知らず、不満げ、心配性

基本的欲求への影響

▸▸ 自己実現の欲求
アレルギーがあることが発覚し、自分の好きなことや夢の仕事を追求できなくなると、人生に充足感が感じられなくなる可能性がある

▸▸ 承認・尊重の欲求
アレルギーがあって、重い反応も出ているのにそれを深刻に受けとめていない場合、無責任だ、注意力散漫だ、または愚かだと人に思われているのではないかと気を揉むかもしれない。自分でそう思っている可能性もある

▸▸ 帰属意識・愛の欲求
自分がアレルギー持ちであることを知らない親しい友人に、大げさだとか、人の注意を引こうとしているだけだと責められることも考えられる。あとで真実が明らかになっても、人の苦しみに無神経な友人をなかなか許す気にはなれないだろう

▸▸ 安全・安心の欲求
アレルギー反応は重篤になることもあり、その場合は治療が必要になる

▸▸ 生理的欲求
深刻なアレルギー反応が出て、死を招くことも少なくない

対処に役立つポジティブな特性
おだやか、協調性が高い、規律正しい、従順、注意深い、楽観的、きちんとしている、忍耐強い、積極的、臨機応変

ポジティブな結果
- 何とか発作を乗り切る
- すぐ近くにアレルギー用の薬を持っている人がいることがわかり、無事症状を抑えられる
- 何が起きているのか、どう対処すればよいのかを知っている人を見つけて呼ぶ
- 手遅れになる前に病院に行く
- 何とか乗り切り、これからは常に薬を携帯しようと心に誓う
- ある物にアレルギー反応を示すことがわかり、これからは発作が起きないように予防策を講じるようになる
- 自分の周囲に有害物質があることに気づき、それを取り除く

安全のために分かれる

〔英 Having to Split Up for Safety〕

具体的な状況

- 怪我人を置いて、助けを求めに行く
- 災害や緊急事態が発生し、一人はその場を逃れ、もう一人はその場に残って人々を助ける
- 追手をまくため、二手に分かれる
- 一人は危険な場所を離れ、もう一人は作業のために残らなければならない
- 犯人を見つけるため、捜査チームを2つに分ける
- 感染症にかかり、隔離施設に入る、または自己隔離する
- リスクの高い活動に従事する主要職員たちを分散させる
- ミッション成功の確率を高めるため、ひとつのグループを分ける
- 再び合流できず、万が一に備えた別計画もない
- 一方が捕まる
- 使命または自分の身の安全が危ぶまれる怪我をする
- 道に迷う
- 蓄えが底をつく
- 自分のスキルを過大評価していた
- 自然災害や悪天候に備えていない
- 予備や応援が必要なのにない
- 尾行されていることに気づく
- 検問所を通過できない
- 思わぬ危険に遭遇する
- 合流点に着いたが、争った痕跡がある
- 分かれるのを拒んで代償を払う
- グループの仲間が殺される

引き起こされる軽度の問題・困難

- 連絡の手段が限られる
- グループごとに同じ物や人材を用意する必要がある
- グループに分けたあとに、資源が足りなくなる
- 徒歩で移動しなければならない
- その土地の言葉を話せない
- (捕まったり尋問されたりした場合に備えて)話をでっち上げておかなければならない
- 別々になった相方やグループを恋しがる
- 二手に分かれるのが最善だと他の人たちを説得する必要がある
- 目の前の作業に自分は適していないが、自分がやるしかない
- 逃げている間に必需品(ナイフ、予備の医薬品、地図など)を失う

起こりうる悲惨な結果

- 互いに音信不通になる

結果として生じる感情

苦悩、懸念、葛藤、自暴自棄、不信、落胆、疑念、危惧、ヒステリー、劣等感、怖気づく、孤独、圧倒、パニック、疑心暗鬼、無力感、後悔、不本意、自責、あやふや、心配、脆弱、気がかり

起こりうる内的葛藤

- 何もかもが絶望的のように思え、モチベーションを維持するのに苦労する
- 自分一人でやっていく能力がないのではと疑う
- 分かれる決断をしたことを後悔する
- 自分または他人の判断を疑う
- もう一方のグループは大丈夫だろうかと気を揉む
- 人を置き去りにした罪悪感にさいなまれる
- 他の人たちを失望させるのではないかと心配する
- 二手に分かれるにいたるまでの様々な決断を

悔やむ
- やらねばならないことに集中するため、割り切って、余計なことを考えないようにする
- リスクの高い状況で正しい選択をしなければならないという強いプレッシャーを感じる

状況を悪化させうるネガティブな特性

生意気、支配的、臆病、不誠実、せっかち、衝動的、無頓着、優柔不断、頑固、理不尽、無責任、怠け者、うっとうしい、神経質、悲観的、向こう見ず、自己中心的、協調性が低い、意気地なし

基本的欲求への影響

▸▸ 承認・尊重の欲求

他の人たちと離ればなれの状態で、自分がうまくやれるかどうか不安になるかもしれない。これまで自分の面倒を見てくれていた、または難しい作業を担ってくれていた人がそばにいなくなった場合はなおさらだ

▸▸ 帰属意識・愛の欲求

自分を最も支え、励ましてくれる人たちと離ればなれになると、グループの一員であっても、ひとりぼっちで孤独に感じるかもしれない

▸▸ 安全・安心の欲求

一人でいると、内面的に脆くなり、何かがあったり敵に襲われたりしても、対抗できない可能性がある

▸▸ 生理的欲求

二手に分かれることにして基本物資を分けたせいで、物資が底をつく可能性がある。生きるか死ぬかの状況で、必需品もなく、自然の猛威や周囲の危険にさらされることも考えられる

対処に役立つポジティブな特性

柔軟、用心深い、おだやか、慎重、協調性が高い、勇敢、独立独歩、勤勉、自然派、注意深い、楽観的、忍耐強い、粘り強い、積極的、世話好き、臨機応変、責任感が強い、賢明

ポジティブな結果

- もう一方と合流する
- 手当てが必要な人のために助けを見つけ出す
- 追手をかわす
- 無私無欲で、きつい仕事をしている仲間を支える
- 容疑者を逮捕する
- 危険区域をこっそりと通り抜ける、または敵軍をうまく避ける
- 救出される
- 思っていたよりも自分が強い人間であることに気づく
- 今回の経験から学び、今後は同じ過ちを繰り返さないよう準備を怠らなくなる
- 自分のスキルや能力を過大評価しないようになる
- もっと先を予測して行動し、リスクを意識するようになる

家が火事になる

〔英 A House Fire〕

引き起こされる軽度の問題・困難

- 煙で視界が悪い
- 呼吸困難に襲われる
- 家の中にいる子どもやペット、または他の人たちを慌てて探しに行く
- 消火にあたるべきか、逃げるべきかで躊躇し、貴重な時間を失う
- 消防署に通報しようと電話を探しているうちに時間が無駄に過ぎる
- (火は小さく、すぐに消しとめられたが) 煙害を受ける
- (消防署から遠く離れた地域に住んでいる、悪天候で消防隊の到着が遅れる、火事の現場で爆発物が見つかるなど) 消火活動が困難になる状況が発生する
- 鎮火する前に大切な物を失う
- (階段から転げ落ちる、打撲や擦傷を負うなど) 慌てたために怪我をする
- 火傷を負い、水ぶくれになる

起こりうる悲惨な結果

- 家の中にいるはずの子どもやペットが見つからない
- 自分は火を逃れたが、行方不明者がいることが発覚する
- 自宅と大切な所有物を失う
- 個人的に大切にしていた、古くてかけがえのない物が消失する
- 住宅保険や火災保険に入っていなかったために、損失を取り戻すことができない
- 保険が更新されていなかった、または保険会社が最近倒産していた事実が発覚する
- 罪に問われていて、自分の無実を証明するはずだった重要な証拠が火事で消失する
- 火の手が他の住宅や建物に広がる
- 強風に火があおられて大火事になり、風の通り道にあるものをすべて焼き尽くしてしまう
- 大切なペットを火事で失う
- 火事で負傷し、後遺症やトラウマに一生苦しむ
- 出火元は自宅だったことが判明する
- 消火にあたっていた消防員が殉職する
- 燃え盛る火の中、誰かが建物に飛び込むが、戻ってこない
- 焼死者が出る

結果として生じる感情

苦悩、絶望、自暴自棄、打ちのめされる、感謝、悲嘆、罪悪感、圧倒、パニック、無力感、後悔、安堵、屈服、衝撃、あやふや

起こりうる内的葛藤

- 火と闘うか逃げるかで逡巡する
- ペットを捜したが見つからず、運命に任せるしかない
- 自分は安全な場所に避難したが、他の人たちが逃げられなかったので、危険を冒して助けるかどうかを考える
- 全員を救うことができないので、誰を救うべきかの選択を迫られる
- 火事が過ぎ去り、生存者であることの罪悪感にさいなまれる
- 火事が起きたのは、全部または一部自分のせいである場合、罪悪感で胸がいっぱいになる
- (就寝前に子ども部屋のヒーターを消したことを確認すればよかった、家から逃げるときに貴重な家宝を持ち出せばよかったなど) 後悔で自分を責め続ける
- 火事を起こした人を許せず、人間関係に摩擦が生じる
- 起きたことに対する怒りや憤怒と格闘する

状況を悪化させうるネガティブな特性
依存症、生意気、強迫観念が強い、臆病、気まぐれ、不真面目、衝動的、無頓着、無責任、男くさい、物質主義的、向こう見ず、自滅的

基本的欲求への影響
▸▸ 自己実現の欲求
自分のライフワークや、それに関連したかけがえのない物を火事で失った場合、夢の実現が難しくなるかもしれない

▸▸ 承認・尊重の欲求
このような惨事を起こした責任が自分にある場合、犠牲者が出たなら特に、自分をよく思えず、自己憐憫や恥の意識、自己嫌悪に悩むだろう

▸▸ 帰属意識・愛の欲求
愛する人たちを火事で失った場合、心にぽっかりと穴が空き、つらい思いをするだろう。可愛がっていたペットや自宅を失ったのは「あなたのせいだ」と家族に言われた場合は、彼らとの関係に亀裂が入るだろう

▸▸ 安全・安心の欲求
火事のような脅威は自分の身の安全を脅かすだろう（自分が大切にしている人たちの身の安全を脅かす可能性もある）

▸▸ 生理的欲求
火事は、それに直面する人たちの命を危険にさらす。たとえ火事を乗り越えたとしても、住む場所を失った場合は、困難な生活が待っているだろう

対処に役立つポジティブな特性
感謝の心がある、勇敢、決断力がある、注意深い、積極的、世話好き、臨機応変、責任感が強い、利他的、ウィットに富む

ポジティブな結果
- 全員怪我もなく避難する
- 鎮火し、自宅は火を逃れる
- 自宅を失った人たちを援助するために地域社会が団結する
- 何が重要で、何が重要でないかの考え方が変わる
- 物に執着する傾向があったが、火事を経験して物にこだわらなくなる
- 火事の経験から学び、火事の危険を減らすため自宅を改築する
- 人命救助に一役買い、失くしていた自信を取り戻す
- 家に絡んだトラウマがあったが、自宅の消失が精神浄化の働きをし、人生をもう一度一からやり直す気になる
- 保険金が下り、もっと大きな家を買ったり、違う地域に引越したりして、夢が叶う

NOTE
この項目は、アパート、一軒家、別荘、またはトレーラーハウスなどの移動式住宅など、様々な種類の「家」に合わせている。

追い詰められる／閉じ込められる

〔英 Being Trapped〕

具体的な状況

- 敵から逃げている途中で行きどまりにぶち当たる
- 野生動物に追いかけられ、木に登る、または岩穴に逃げ込む
- 侵入者を避けるため、家のトイレの中に逃げ込む
- 敵軍に取り囲まれる
- 危険な悪天候や環境に見舞われ、一歩も進めなくなる
- 嘘がばれ、真実を告げるしかなくなる
- 生きづらい人生、非常に不愉快な人生を歩まざるを得なくなる
- わが子を置いて去ることはできないといった理由で、虐待を受けながらも結婚生活を続ける
- どれを選んでも勝ち目がないのに選択をしなければならない
- 貧困から這い上がれない
- 依存症から逃れられないような気持ちになる
- 脳はしっかりと働いているのに、体が動かない

引き起こされる軽度の問題・困難

- 我慢ならない人たちと苦境を共にせざるを得ない
- 逃亡計画を練らなければならない
- 頼れる物がほとんどない
- （手足を縛られている、病院のベッドに体を縛りつけられているなどの理由から）身体の自由が制限されている
- 軽傷を負う
- 助けてくれる人が誰もいない
- 自分よりも弱い立場の人たちと一緒に足止めを食い、自分が何とかしなければならないという責任を感じる
- 自分の懸念や心配を、他の人たちに大したことではないかのように言われる
- 心配のせいで不眠症になり、少し体調を崩す
- 言語の壁または怪我のせいで、他の生存者たちとのコミュニケーションが困難になる
- フラストレーションを自分一人でため込んでしまう
- （負傷する、頼れる物を失くすなど）不測の事態が発生し、逃亡計画が台無しになる
- 一人でとらわれているので、逃亡計画を相談できる相手がいない

起こりうる悲惨な結果

- 判断を下すが、状況が悪化する
- 物資を無駄にする無能なリーダーのせいで、さらに切迫した状況になる
- 土砂崩れが起き、一緒に閉じ込められていた人たちと離ればなれになる
- （狂暴な動物、不安定に積み上げられているダイナマイト、殺人の機会を狙っていた者などの）脅威と一緒に閉じ込められている事実が発覚する
- ある時刻になると、そこに閉じ込められている者たちはみな死ぬ仕掛けになっていることが発覚するが、時間切れが迫る
- ある人を信用していたのに、その人に裏切られる
- （資源がない、何かに感染する、脱水症状を起こす、動けない、放置されているなどの理由から）体調が悪化する
- 否定的で自己破滅的な思考パターンに陥る
- 仲間がいなくなる、またはなぐさめ種（ぐさ）が奪われる
- トラウマが原因で心が不調になる（PTSD、不安症、鬱病などを発症する）
- あらがっても無理だとあきらめる、リーダーに愛想を尽かす

結果として生じる感情

動揺、怒り、不安、根に持つ、敗北、意気消沈、自暴自棄、決意、落胆、羨望、怖気づく、圧倒、パニック、無力感、屈服、自己憐憫、恥、苦しみにもがく、脆弱、気がかり、価値がない

起こりうる内的葛藤

- 脱出したり、状況を好転させたりする能力が自分にはないのではないかと悩む
- 脱出を何度か試みたが失敗し、希望を持ち続けるのが難しくなる
- 前向きに考えたいのに、後ろ向きなことばかり考えてしまう
- リスクがあまりにも高すぎて優柔不断に陥り、身動きがとれなくなる
- とらわれの身になる状況を避けられなかった、または逃げられない自分を責める
- 自分よりもましな状況にいる人たちを羨む
- この状況を解決できるはずの人たちに見捨てられているような気持ちになる
- 人生における様々な後悔を振り返る
- 苦しみから逃れる最後の手段として自殺を考える

状況を悪化させうるネガティブな特性

支配的、凝り性、だまされやすい、せっかち、衝動的、怠け者、男くさい、自滅的、卑屈、小心者、寡黙、協調性が低い、知性が低い、意気地なし、不満げ

基本的欲求への影響

▸▸ 自己実現の欲求

不快だったり危険な状況に閉じ込められていると、個人的に何かを達成する時間や気力は持てないだろう。脱出することに意識を集中させているか、とらわれている事実に圧倒されて、夢を追いかけるなど無駄なことに思えるはずだ

▸▸ 承認・尊重の欲求

とらわれていると無力感を抱くようになるのが普通で、自分の能力に対する自信や信念が徐々に蝕まれていく

▸▸ 帰属意識・愛の欲求

（化学兵器による攻撃を受けて地下の避難所に閉じ込められている場合など）一人で閉じ込められていると、孤立してしまい、絆を深める相手もいないはずだ

▸▸ 安全・安心の欲求

閉じ込められた状態が続くと、身体的にも精神的にも弱々しくなり、体調が悪化するだろう

▸▸ 生理的欲求

生きるか死ぬかの状況に追い詰められ、そこから脱出できない場合や、助けてくれる人が誰もいない場合には、命を失うこともしばしばだ

対処に役立つポジティブな特性

用心深い、野心家、分析家、大胆、決断力がある、規律正しい、控えめ、熱心、勤勉、楽観的、忍耐強い、粘り強い、雄弁、積極的、臨機応変

ポジティブな結果

- 忍耐力や説得力、そして徹底した調査力で権力者の心を変え、それによって自分のこれからの人生を変える
- 自分にあるとは思っていなかったような力があることを知る
- 思いがけないところで協力者を発見する
- 自分が置かれた状況を変えることはできないが、そこで満足しながら平穏に暮らすようになる

怪物や超常的な存在に狙われる

〔英 Being Targeted by a Monster or Supernatural Force〕

具体的な状況

- 幽霊につきまとわれる
- 悪霊がのりうつる
- 嫉妬深い、またはいたずらな魔女に呪われる
- 自分と神との関係を快く思わない不死の存在に狙われる
- 強力な予言者との関与を理由に狙われる
- セイレーン〔船乗りを襲うギリシャ神話に登場する怪物〕の次の犠牲者に選ばれる
- モンスターハンターであるがゆえに、恐ろしいモンスターに狙われる
- 異世界から来たモンスターに狙われる
- 未来からやって来たサイボーグに命を狙われる
- 恐竜、クラーケン〔イカの形状をもつ空想上の海獣〕、またはドラゴンから逃れなければならない
- 狼人間や吸血鬼に襲われる

引き起こされる軽度の問題・困難

- 何が起きているのかはっきりと理解できない
- 目には見えない力で物が動かされ、どこにあるのかわからないのでそれを探すことができない
- 家の中で騒動が起き、睡眠が妨げられる
- 子どもたちが怖がっているので、なだめないといけない
- 時間を跳躍して、あっという間に年をとる
- (魔力が使われたため、または記憶が変えられているため) 襲われている間に何が起こったのかをはっきりと思い出せない
- 誰も信じてくれないだろうから、それについて話ができない
- 目に見えない力に支配されている間に起きたことでトラブルに巻き込まれる
- 呪いのせいで少し不便を強いられる (人に直接触れないように手袋をしなければならない、日光を避けなければならないなど)
- 襲われたときに、自分の持ち物が破壊される
- 時間を費やして、新たなスキルや言語、古くからの教えを学ばなければならない
- 特別な資源や武器、専門家を探さなければならない

起こりうる悲惨な結果

- 恐れを抱きながら生きる
- 耐えがたいほどの身体的苦痛を感じる
- いつ攻撃されるのか、まったくわからない
- 攻撃者に本来の自分を変えられる (狼人間に変えられる、不死の存在になるなど)
- 自分の心身のコントロールを失う
- 自分の運命や将来に関して発言権がない
- 愛する人たちや家族が危険にさらされる
- (人を殺す、血を飲むなど) 忌まわしい行為をしてしまう
- 相手の身の安全を考えて、他の人たちと深い関わりを持つのを避ける
- 暗い秘密を一人で背負わなければならない
- 強力すぎて太刀打ちできない敵に直面する
- 死が迫っていることを知っている
- 自分の行動を理解できない家族や友人を失う
- どこに助けを求めればよいのか (または誰が手を差し伸べてくれるのか) がわからない
- 恐れのあまり身動きがとれなくなる

結果として生じる感情

怒り、苦悩、不安、愕然、懸念、混乱、敗北、反抗、拒絶、意気消沈、絶望、自暴自棄、決まり悪さ、憎しみ、戦慄、ヒステリー、孤独、パニック、無力感、自尊心、激怒、自己嫌悪

起こりうる内的葛藤

- 他のみんなと同じようになりたくて、他の人とは違う自分を毛嫌いする
- 自分は正気を失ったのではないかと心配する
- 何が現実で、何が非現実なのかがわからなくなる
- 死んだあとはどうなるのだろうと心配する
- 死にたくはないが、現状から逃れるには死ぬしかないことに気づく
- 自殺したい気持ちと格闘する
- 反逆に出たいが、そのあとのことを恐れる
- 無力感や絶望にさいなまれる

状況を悪化させうるネガティブな特性

依存症、生意気、皮肉屋、大げさ、病的、神経質、妄想症、悲観的、自滅的、卑屈、迷信深い、気分屋、小心者、引っ込み思案、心配性

基本的欲求への影響

▸▸ 自己実現の欲求

自分の運命を自分で決められないと、潜在能力を完全には活かしきれないだろう。敵から命を狙われている場合は、好きなことや夢を追求しても仕方がないと思うことすらあるかもしれない

▸▸ 承認・尊重の欲求

自分自身を疑い、自分はどうかしていると思うと、自己肯定感が低くなるだろう

▸▸ 帰属意識・愛の欲求

隠し事をしなければならないため、または真実を述べても信じてもらえないため、有意義な人間関係を築いたり続けたりするのが難しくなるだろう

▸▸ 安全・安心の欲求

手ごわい敵に狙われ続けると、安全ではいられなくなるはずだ

▸▸ 生理的欲求

殺される可能性が非常に高い

対処に役立つポジティブな特性

柔軟、冒険好き、分析家、勇敢、好奇心旺盛、規律正しい、控えめ、勤勉、知的、粘り強い、臨機応変、賢明、スピリチュアル、勉強家、奔放

ポジティブな結果

- かつては信じていなかったことにも柔軟に考えられるようになる
- 視点を変えて物事を見つめ、ささいなことにこだわらなくなる
- これを越えれば、どんなことでも乗り切れることに気づく
- 将来的に役立つ重要なスキルを学ぶ
- 自分の知識やスキルを使い、モンスターや超常的な力に狙われた人たちを助ける

機械が誤作動する

〔英 A Mechanical Malfunction〕

具体的な状況

- 車が故障する
- 携帯電話のバッテリーが爆発し、電話が使えなくなる（または危ないから触れなくなる）
- いざというときに道具が壊れる
- 点検用パネルがショートする
- 緊急時に救命具が壊れる
- 移動中にボートの発動機が故障する、または燃料切れで動かなくなる
- パラシュートが開かない
- 登山中に登山用クリップが壊れる
- 飛行機の着陸装置が開かない
- 銃が弾詰まりを起こす
- 乗っているエレベーターが故障する
- 地下鉄の列車が立ち往生する
- 送電網に故障が起きる
- 会社のコンピューターシステムに大きな不具合が発生する
- 知らない人たちと一緒に閉じ込められる

引き起こされる軽度の問題・困難

- プロジェクトや任務に遅れが出る、または中断する
- 目的地に遅れて到着する
- 遅刻して他の人に迷惑をかける
- 人に助けを求めなければならない
- 機械の故障は自分の責任であるため、決まり悪い思いをする
- やろうとしていたことを完成させるために、回り道をしたり、別の方法を探したりしなければならない
- すばやく考えなければならない
- 代わりになる物を探そうとして時間を無駄にする
- 修理に費用がかかる
- その場しのぎの策、または慌てて代わりの物を見つけるが、それもうまくいかない
- 救助が来るまで足止めを食う

起こりうる悲惨な結果

- 緊急事態なのに、機械の誤作動を直すための道具や材料、人材がない
- 慌てて修理しようとして、さらに壊してしまう
- 家庭など、自分にとって意義があり、かけがえのないものを犠牲にして、機械を修理しなければならない
- 誤作動のせいで（機内、潜水艦、地下などにいる）大勢の人々を危険にさらす
- 誰かの命を救うことができない
- 誤作動のせいで、自分の運命を変えていたかもしれない機会を逃す
- 移動や通信の手段、または目的を達成する手段を失い、救出が難しくなる、または犠牲者が出る
- 失敗した場合の影響が深刻なので、何としてでも目標を達成しなければならなかったのに失敗する
- よりリスクの高い次善策を試さざるを得なくなる
- 機械が壊れて暴走し、手に負えなくなる
- 防護服をまとうなど、安全対策をしっかりとっていないときに、危険な状況が発生する
- 責任を負わされる（そして訴えられる、解雇される、または攻撃される）
- 誤作動のせいで死傷者が出る

結果として生じる感情

怒り、いらだち、混乱、自暴自棄、フラストレーション、パニック、無力感、唖然、あやふや、心配、気がかり

起こりうる内的葛藤

- 誤作動が起きることを見越せなかった点を恥じ、自分を不甲斐なく思う
- 代償があまりにも大きく、重責に堪えられなくなる
- （自分の手違いでなくても）問題を修復できない自分を役立たずだと感じる
- 誤作動のせいで、難しい選択を迫られる（目標AとBのどちらをとるか、必要不可欠なものは何か、誰を救うか、自分の命か、それとも他人の命をとるかなど）
- 妨害工作による誤作動ではないかと疑い、誰を信じればよいのかわからない
- 早急に問題を修復したいが、慎重に、忍耐強くとりかからなければならないとわかっている

状況を悪化させうるネガティブな特性

とげとげしい、せっかち、衝動的、知ったかぶり、大げさ、完璧主義、注意散漫

基本的欲求への影響

▸▸ 自己実現の欲求

一生の夢を叶えるには、運命の星がすべて一直線に並ばなければならないこともある。（彗星が現れる、100年に一度の開帳などの）どうしても逃すことができない特別なイベントがその日にあるのに、大きな誤作動が起きたときには、一生の夢も打ち砕かれてしまうだろう

▸▸ 承認・尊重の欲求

自分の監視下で誤作動が起きた場合は、（真実かどうかは別として）他の人たちに自分は役立たずだと思われているに違いないと信じ込むかもしれない

▸▸ 安全・安心の欲求

たまたま悪い場所で、タイミングが悪く誤作動が起きた場合は、負傷者が出る可能性がある

▸▸ 生理的欲求

故障しても死者を出すはずのない単純な道具や機器、たとえば、吸入器や携帯電話などがいざというときに故障し、人の命取りになりかねないこともある

対処に役立つポジティブな特性

柔軟、分析家、クリエイティブ、規律正しい、勤勉、粘り強い、積極的、臨機応変、天才肌、倹約家、賢い

ポジティブな結果

- 復旧のため、対立し合うグループが各々の違いをいったん脇に置き、協力し合う
- 創意工夫で回避策を発見し、窮地を脱する
- 適切な知識やスキルを持った人を探し出し、問題を解決する
- 時間にロスが出て予定が狂ったが、もしも予定通りに行動していたら、大惨事に巻き込まれていた
- 定期メンテナンスや準備の必要性に気づき、よりリスクの高い事態が発生したときに、それが役に立つ
- 誤作動の発生で、自分の過去の過ちを挽回するチャンスがめぐってきて活躍し、自信と自尊心を取り戻す

危険な仕事を任される

〔英 Being Assigned a Dangerous Task〕

具体的な状況

- 人間の体液や有害廃棄物、放射性物質などを清掃しなければならない
- （犯罪者、犯罪組織の手下など）危険な者同士の喧嘩を仲裁する
- 怪我をした動物を捕獲しなければならない
- 危険地域を横切って物資を届ける
- おとり捜査官として直接敵から有罪を証明する情報を集める
- 危険な軍事作戦に参加する
- 陪審員が買収または脅迫される可能性の高い裁判で陪審員を務める
- 暴力的な犯罪者を逮捕または護送しなければならない
- 災害が起きたばかりの危険な状況が続く場所で、生存者や遺体を捜索する
- 死刑を執行する、または誰かを暗殺する
- リスクの高い手術を行う
- かっとなりやすく暴力的な従業員に注意を与えなければならない
- 容赦のない人たちに狙われている家族を守らなければならない

引き起こされる軽度の問題・困難

- 任務をぐずぐずと先延ばしにしている間に、状況が悪化する
- 任務を真剣にとらえていないため、危険度が増す
- 自分の任務なのに人に押しつける
- 万が一、自分の身に何かがあったときを考え、愛する人たちのために遺言を残すなど、いろいろと準備をしておかなければならない
- 自分に危険な目に遭ってほしくない家族との間に摩擦が起きる
- 恐怖や不安、プレッシャーを感じる
- 重要な詳細が与えられていないため、任務遂行がより困難になる
- 任務を効果的に全うするのに必要な物資や機器がない
- ストレスが原因で体調を崩す（吐き気、腹痛、食欲不振など）
- 仕事にとりかかる準備をしていたのに、延期になる
- すぐにかっとなる相手に、何と言えばよいのか、どんな言葉をかければよいのかわからずに気を揉む

起こりうる悲惨な結果

- 任務を拒み、波紋を呼ぶ
- 客観的でいられなくなり、感情的になる
- 仕事をさっさと片づけようとして、へまをやらかす
- 不快な作業が延々と続く
- 知らず知らずのうちに、自分が権力者の策略の道具になっている
- 上司たちに自分を擁護してもらえず、困難な状況に追い込まれる
- 自分にはあまりにも大きい任務であるために失敗する
- 任務を成し遂げられなかったせいで、他の人たちが苦しむ
- 失敗を理由に、左遷、解雇させられる、または出世の道が閉ざされる
- 精神的にきつい作業をさせられ、心的外傷後ストレス障害（PTSD）を発症する
- 罪のない人たちが戦闘に巻き込まれる
- 重傷者または犠牲者が出る

結果として生じる感情

怒り、苦悩、いらだち、不安、反抗、失望、怯え、危惧、フラストレーション、劣等感、立腹、圧倒、パニック、不本意、反感、屈服、自己憐憫、疑惑、気がかり

起こりうる内的葛藤

- 任務を拒否したいが、その結果に直面したくない
- 任務をさばく能力が自分にあるのだろうかと疑う
- 任務の内容に興奮するが、準備がつらくて耐えられなくなる
- 「これは任務なのだから」と割り切ることがなかなかできない
- 自分の道徳的信念に反することをするように言われる
- 何もかもが怪しいと思っているが、それを証明できない
- 関与した人たちを無礼に扱う、または彼らに暴力を振るいたくなる誘惑に駆られる
- あとから自分の判断をくよくよと考える
- 命令を疑問視してはならないとわかっているが、疑念をぬぐいきれない
- （万が一のことを考えて）愛する人たちのためにいろいろと準備をするが、心配はさせたくない
- 目の前の光景が信じられず、否定したくなる

状況を悪化させうるネガティブな特性

無神経、幼稚、挑戦的、残酷、失礼、傲慢、せっかち、無責任、怠け者、神経質、悲観的、反抗的、自己中心的、甘ったれ、意地っ張り、愚直、気分屋、協調性が低い

基本的欲求への影響

▸▸ 自己実現の欲求

恐れるあまり任務を遂行できない、または、任務達成のために忌まわしい手段をとらざるを得ない場合、自分が何者なのかがわからなくなり、自分はこんなことをするような人間なのかと疑いをもつかもしれない

▸▸ 承認・尊重の欲求

自分には任務を遂行する能力がないのではないかと疑い、自信喪失に陥っていると、任務の達成がより困難になるだろう

▸▸ 帰属意識・愛の欲求

道義に反するのではないかと思っていることをやれと言われ、それを拒んだ場合、その要求を出した人との関係がぎくしゃくする可能性がある

▸▸ 安全・安心の欲求

危険な任務を負わされれば、安心できなくなるのが普通で、任務遂行中だけでなく、そのあとも平穏ではいられなくなる。任務遂行中に起きたことの記憶に悩まされ、あとになっても自分の身の安全を心配しなければならないからだ

▸▸ 生理的欲求

危険な仕事をすれば、命が失われる可能性がある

対処に役立つポジティブな特性

柔軟、野心家、感謝の心がある、大胆、自信家、協調性が高い、如才ない、おおらか、熱血、熱心、気高い、謙虚、勤勉、従順、責任感が強い、賢明、素朴、利他的

ポジティブな結果

- 介入が間に合い、人の命を救う
- 任務を完了し、貴重な情報または資源を手に入れる
- 他の人ではできない役目を務める
- 大惨事または襲撃事件を企てた人物を捕まえ、事件を未然に防ぐ
- 逆境にもめげず、正しいことを成し遂げた自分を誇りに思う
- 勇気が持てるようになり、次回からは正しい判断を下しやすくなる

危険な場所を横切る

〔英 A Dangerous Crossing〕

具体的な状況

- 朽ちた縄の吊り橋を渡る
- （土砂崩れの現場、今にも崩れ落ちてきそうな岩が多い場所、急斜面など）足元が不安な場所を移動する
- 流れの速い川を歩いて、または泳いで渡る
- ところどころ冠水している道路を車で走る
- （地雷原、氷河の割れ目が雪に覆われ見えない箇所、放射線量の多い地域など）目に見えない危険をくぐり抜ける
- 警備が厳しく、巡回パトロールが行われている領域を気づかれないように横切る
- 天敵が潜む地域を移動する
- 嵐の海路を荒波に耐えながら進む
- 資源がほとんどない砂漠など、荒涼とした土地を横切る
- ブービートラップが仕掛けられた部屋の中を移動する
- 暗闇で足元がよく見えない道を歩く
- 去ることが許されない抑圧的な危険地域から脱出する
- （夜間に移動する、ヘッドライトを付けずに運転するなど）行く先が見えにくい
- （警備員が去るまで、危険が収まるまでなど）安全になるまで待たなければならない
- 危険区域を横切っている間に物を失くすが、取りに戻れない
- （赤ん坊、病人など）敵に見つかりやすい人たちを連れて移動する
- 途中さらに人を拾って移動する
- 移動中にグループ内で仲間割れが起きる

引き起こされる軽度の問題・困難

- 荷物を軽くするため、不要なものはみな置いていかなければならない
- 計画をしっかりと立てていなかったため、思ったよりも移動に時間がかかる
- 先を急いでいるので、休憩が必要でも前進しなければならない
- 愛する人たちの安全を守るため、彼らをあとに残す
- 神経をとがらせ、危険がないか注意を払う
- 急いでいるせいで擦傷やあざができる
- リーダーとしての選択を他の人たちに疑われる
- 目立たないようにしなければならないが、そうするのが難しい

起こりうる悲惨な結果

- 横切るのは間違いだったことに気づくが、後戻りできない
- 新たな危険に遭遇するが、それを予測しなかったので、事前対策ができていない
- 助けが来ないような辺鄙な場所で負傷する
- 長い間ストレスにさらされているせいで、心の調子も体調も悪くなる（不眠症、不安症、激しい動悸などが起きる）
- みんなで肩を寄せ合うのが大事なときに、グループが分かれなければならない
- 負傷者を置き去りにしなければならない
- 裏切者がいたことが発覚する（グループの利益に反することをグループ内の誰かがやっている）
- 事故に遭い、移動がほぼ不可能になる
- （全員救出は不可能なので）誰を救うのかを決めなければならない
- 見つかって追いかけられる
- どこにも隠れる場所がないところで罠にかかる
- ある選択をしたせいで、誰かが殺される
- 仲間の一人が捕虜になる
- 捕まる、殺害される、または死亡する

結果として生じる感情

動揺、苦悩、不安、懸念、気づかい、葛藤、混乱、つながり、敗北、反抗、自暴自棄、決意、怯え、危惧、フラストレーション、罪悪感、希望、戦慄、短気、劣等感、圧倒、後悔、安堵

起こりうる内的葛藤

- 全員が無事に通過できるわけではないことに気づき、どうしたらよいのかわからない
- グループを励まし続けるために、自分の心配や恐れをひた隠しにしなければならない
- リーダーの判断に異議を唱えるものの、自分はリーダーの責任を負いたくはない
- 多数派と少数派、どちらのニーズをとるかで悩む
- （他の人たちが犠牲になった場合）生存者であることの罪悪感に苦しむ
- 選択を逡巡する（物事がうまくいっていないときや、リスクがあまりにも高い場合など）
- 自分一人で突き進んだほうが、生き残れるチャンスがあるので、そうしたい誘惑に駆られる

状況を悪化させうるネガティブな特性

挑戦的、臆病、不誠実、愚か、だまされやすい、とげとげしい、せっかち、衝動的、無頓着、優柔不断、神経質、完璧主義、悲観的、向こう見ず、小心者、寡黙、協調性が低い

基本的欲求への影響

▸▸ 承認・尊重の欲求

責任者の立場にあるのに間違いを犯した場合、自分の判断力やリーダーとしての能力を疑い、自己肯定感が低くなる可能性がある

▸▸ 帰属意識・愛の欲求

個人的なつながりよりもグループの利益を優先しなければならないときに、自分とは違った意見を持つ人がいて、意見が対立する場合、重要な人間関係が損なわれることが考えられる

▸▸ 安全・安心の欲求

危険な領域を横切るときは、当然、安全・安心が危ぶまれるはずだ

▸▸ 生理的欲求

最低限の食糧や水、休息の場が確保できないのに危険区域を横切ると、犠牲者が出る可能性がある

対処に役立つポジティブな特性

柔軟、用心深い、大胆、おだやか、慎重、決断力がある、規律正しい、知的、注意深い、忍耐強い、積極的、賢い

ポジティブな結果

- 何としても必要だった物を手に入れる
- 自分と他の人たちの安全を確保する
- （以前、自分の忠誠が疑われていた場合）グループへの忠誠を証明する
- 危険地域を横切るうちに、過去の過ちを引きずっているどころではなくなり、それを手放す
- 自分は内面に意外な強さを持っていることに気づき、これから立ち向かう困難にめげずに突き進む
- 危険区域を横切っている間に、仲間同士の信頼と協力関係が築かれる
- 失われていた自尊心を取り戻す、または他人から再び尊敬されるようになる

危険な犯罪者が自由の身になる

〔英　A Threatening Criminal Being Set Free〕

具体的な状況

- 法律の細かい解釈により、犯人が刑罰を免れる
- 公判を待つ期間に、被告人が保釈される
- 収容者が仮釈放される
- 受刑者が脱獄する
- 危険な犯罪者が証言と引き換えに訴追を免除される
- 証拠がないという理由で、容疑者が釈放される
- 権力者から恩赦を受けて、犯人が自由の身になる
- 犯人が新たな身分証明書を取得し、別人になりすまして当局の目をごまかす

引き起こされる軽度の問題・困難

- 弁護士または刑事を問い詰めて、犯人の居場所に関する情報を手に入れなければならない
- 接近禁止命令を申請する
- 犯人に自分の居場所を突きとめられないよう、日課を変えなければならない
- ちょっとしたことでいらいらし、ストレスで参ってしまう
- 自分の身辺の監視が厳しくなって自由が制限されているので、愛する人たちが腹を立て、たびたび口論になる
- 不眠症や不安症に悩まされる
- 仕事などに集中できなくなる
- 心配のあまり、喜びを感じられなくなる
- （番犬を飼う、錠を変える、常夜灯や防犯システムを設置する、テーザー銃を購入するなど）警備や護身のために投資しなければならない
- 何かが起きたときのリスクを最小限に抑えるため、家族を身近に置いておく
- しばらくの間家を離れる必要がある
- 警察の監視下に置かれる
- 警察に保護拘置される

起こりうる悲惨な結果

- （不吉なメールを受け取る、わが子が監視されている動画が添付されたメールが送られてくる、脅迫の無言電話がかかってくるなど）何らかの方法で脅される
- 犯人が自宅に不法侵入した痕跡を発見する
- 愛する人が犯人に恐怖に陥れられる、または痛い目に遭わされる
- この件の他の証人たちが行方不明になる、または「事故」に遭う
- ヒットマンに隠れ家を探し当てられる
- 別人になりすまし、これまでの人生を捨てなければならない
- 弟が誘拐され、もしも自分が証人台に立てば「殺害する」、または供述を取り下げなければ「親の店を放火する」というように、犯人に愛する人を利用されて脅される
- パニック障害など不安絡みの疾患を発症する
- 犯人に再び被害に遭わされる
- 犯人に捕まる、または殺害される

結果として生じる感情

不安、裏切られる、敗北、自暴自棄、決意、失望、不信、幻滅、怯え、危惧、フラストレーション、ヒステリー、圧倒、無力感、激怒、反感、衝撃、疑惑、苦しみにもがく、復讐、気がかり

起こりうる内的葛藤

- 脅迫がどれほど深刻なのかがわからず、自分が被害妄想を抱いているだけなのではと思う
- （同僚、親戚など）他の人たちに危険がおよぶかもしれないと警告したいが、不必要に心

配をかけたくない

- 愛する人たちの安全を守るのは自分の責任だと感じるが、この脅威から彼らを守る用意が自分にはない
- 他の人たちの命を守るために犯人を殺すのは、道徳的に許されないのではないかと悩む
- このような悪人を自由の身にした司法制度に怒りと恨みを抱く
- 脅しに屈して証言をしないほうに気持ちが傾くが、そんな自分を臆病者だと思う
- 怒りや恐れ、不安のあまり人が変わったようになり、今の自分とかつての自分の折り合いをなかなかつけられない
- （犯人が権力や金に物を言わせて自由を手にした場合）犯人の行為が道義に反すると怒り苦しむ
- 犯人を永久に刑務所に閉じ込めない限り、自分の不安な気持ちはぬぐえないとわかっている
- 警察やFBIが自分をおとりにして犯人をおびき出そうとするのではないかと心配する
- 脅威が本物なのか、自分の想像上でのことなのかがわからない

状況を悪化させうるネガティブな特性

挑戦的、気まぐれ、愚か、衝動的、男くさい、被害者意識が強い、執拗、向こう見ず、自滅的、暴力的、激しやすい

基本的欲求への影響

▸▸ 承認・尊重の欲求

犯人を服役させるのに一役買った過去がある場合、その犯人が出所して自由の身になったのは自分の力が足りなかったせいだと思うかもしれない。そのせいで自分自身や愛する人たちに危険がおよぶなら、その思いは一層強くなるだろう

▸▸ 帰属意識・愛の欲求

犯人が報復を狙っている、または、脅迫や暴力を使ってまでも自分に証言させないよう必死になっている場合、愛する人たちが狙われる可能性がある

▸▸ 安全・安心の欲求

犯罪者の中には自由の身でいるためにどんなことでもする者がいる。たとえそれが他人の安心感を打ち砕くことになってもだ

▸▸ 生理的欲求

犯人の最終目的が自分の命を奪うことであれば、警察が関与しようとしまいと、自分の命が危険にさらされる

対処に役立つポジティブな特性

おだやか、慎重、礼儀正しい、控えめ、注意深い、秘密を守る、積極的、世話好き、臨機応変、賢い

ポジティブな結果

- 新たな証拠が見つかり、犯人逮捕につながる
- 新たな目撃者が現れたり証拠が見つかったりして、自分の証言が不要になり、危険が去る
- 怒りと正義感から、犯人に法の裁きを受けさせてやると決意をかためる
- 新たなスキルや戦略を身につけ、だんだんと自分の身を守ることができるようになる
- 犯人が捕まるまで警察に保護される
- 犯人が殺害されて区切りがつき、心の傷が癒されはじめる

救援を断たれる

〔英 Being Cut Off from Help〕

具体的な状況

- 辺鄙な場所で周りに誰もいない
- 食糧や水、医薬品などを簡単に手に入れることができない
- 人に助けを求める手段がないときに負傷する、または体調を崩す
- 火事や洪水、敵に阻まれ、味方と離ればなれになる
- 他の人たちと連絡をとる手段が断たれる（インターネットに接続できなくなる、電話が壊れる、停電になって電子機器を充電できなくなるなど）
- エレベーターや洞窟に閉じ込められる
- 敵軍の捕虜になり、救出の望みがまったくない
- 辺鄙な場所で足止めを食う（孤島に漂着する、飛行機が山間部に墜落するなど）
- 敵陣の背後で捕まる
- （虐待者が配偶者を友人たちから遠ざける、王位継承時やクーデター発生時にある王族を隔離して監禁するなど）本来なら介入して助けてくれるはずの人々から引き離される

引き起こされる軽度の問題・困難

- 暑すぎる、寒すぎる、水に濡れる、プライバシーがないなど、居心地が悪い
- 物資が限られている
- （照明など光源がない場合）物がよく見えない
- 傷の手当てをしたり、痛みを緩和したりする医療品がない
- 必需品を手に入れなければならない
- 徒歩での移動を迫られる
- がれきや危険物を避けながら移動する
- 周りにどんな危険が潜んでいるのかわからない
- （GPSが使えない、星が見えない、国境で狙撃兵が見張りをしているなど）前に進むのが困難な状況にある
- 他の人たちと一緒に閉じ込められているので、彼らを落ち着かせなければならない
- どうすればいいか、どうしたら救助してもらえるかについて意見が食い違う

起こりうる悲惨な結果

- 物資が底をつき、補充する手立てがない
- 怪我が悪化する
- 自分の所在を誰も知らない（そのため、どこを捜せばいいのかがわからない）
- 理想的とはいえない状況で、救助を求めて長距離を移動しなければならない
- 酸素の量が限られている
- （気温が零下なのにコートを着ていない、移動に適さない靴を履いているなど）状況にあった服装をしていない
- 外敵が現れる、一時的に避難している建物が倒壊しそうになるなど、このまま同じ場所にとどまるのは危険になる
- 追跡される
- （妊娠している、数時間おきに薬を服用しなければならない、発作を起こしやすいなど）注視が必要な深刻な健康上の問題を抱えている
- 怪我や不眠などのせいで頭が朦朧として、考えることができない
- グループの一人が全員の安全を脅かす存在であることが発覚する

結果として生じる感情

受容、不安、懸念、根に持つ、気づかい、自信、絶望、自暴自棄、決意、ホームシック、希望、謙虚、劣等感、触発、孤独、緊張、圧倒、無力感、屈服

起こりうる内的葛藤

- リーダーの計画を疑問視するが、他に名案がない
- 生き残れるかどうかわからないが、みんなを励ます必要がある
- (たとえ自分にできたことは何もなかったとしても)この窮地に陥ったのは自分のせいだと責める
- (緊急事態に備えていなかった、行先を誰にも告げなかった、必需品を持っていかなかったなど)自分の不備を責める
- とどまるべきか、前進すべきかで非常に悩む
- 自分だけを守るか、グループのことを考えて行動するかで揺れ動く
- (閉所に閉じ込められている、見捨てられたなどの理由で)ふつふつと恐怖を感じる
- あきらめたい誘惑に駆られる

状況を悪化させうるネガティブな特性

いい加減、浪費家、気まぐれ、不真面目、無責任、うっとうしい、向こう見ず、注意散漫、自滅的

基本的欲求への影響

▸▸ 承認・尊重の欲求

自己肯定感が低い人だと、プレッシャーを感じている状況では能力を発揮しきれないだろう。ここぞというときに失敗すると、自尊心はさらに蝕まれていくかもしれない。失敗が他人に影響をおよぼすならなおさらだ

▸▸ 安全・安心の欲求

一人取り残されている状態で、安全な場所に移動するのが危険な場合や、負傷していて手当てが必要な場合は、大変なことになる可能性がある

▸▸ 生理的欲求

生きるか死ぬかの状況では、どのような環境に取り残されていて、どのような物資が手に入るのかにもよるが、自分の命が危なくなることも考えられる

対処に役立つポジティブな特性

柔軟、おだやか、慎重、自信家、規律正しい、独立独歩、勤勉、几帳面、積極的、世話好き、臨機応変、責任感が強い、賢明、素朴、スピリチュアル、協力的、倹約家、寛容、利他的、賢い

ポジティブな結果

- 救出される
- 自分で助けを求めに行き、窮地を乗り切る
- 逆境にもめげず、それを乗り越える気概が自分にあることに気づく
- 昔使っていたスキルや、昔に学んだ知識や技術を思い出し、グループが窮地を脱する手助けをする
- ピンチをチャンスとみなし、内に秘められた力を発揮する
- 自助努力だけで窮地を乗り越えることができ、自信を深める
- 途中で他の人たちを助ける

き

最後の抵抗を試みる

〔英 Having to Make a Final Stand〕

具体的な状況

- 敵軍が国境を越えて攻め入るのを、何としてでも阻止しなければならない
- 自分の道徳的信念が危険にさらされ、どんな代償を払ってでも、正義を守り通さなくてはならない
- (わが子、身体的または精神的にハンディキャップを背負っている人、権利を奪われた人々など) 弱い立場の人々を守るため、自分よりも強い勢力に立ち向かう
- (壁や崖、海など) 物理的障壁のぎりぎりまで追い詰められ、闘うしかない
- 闘技場に立つ剣闘士など、闘わなければ死が待っている状況に追いやられる
- 万策尽きて、最後の抵抗を試みる

引き起こされる軽度の問題・困難

- 今やらなければならないことに集中するため、心を鬼にしなければならない
- (ポケットの中、戦闘用の荷物の中、手の届く範囲など) 身近に武器になり得るものはないかとすばやく確かめなければならない
- 高台や、守りに有利な場所を探す
- 猛攻を遅らせるための障壁を立てる (時間がある場合)
- 時間が許す限り、武器をかき集め、罠を仕掛け、バリケードを築く
- 部下に武器になりそうなものを調べさせ、分配させる
- 武器を持っていない、または脅威に立ち向かうにはほとんど役に立たない物しか持っていない
- これから直面する闘いに自分は適していない
- 援軍や物資、助言が必要なのに、どれもない
- 立ち向かう脅威が複数ある、または敵が複数いる
- 負傷している、または疲労で体力を消耗している
- 悲嘆や恐怖を脇に置き、気持ちを集中させなければならない
- 大切な人に言っておきたいことを伝える時間がほとんどない (または相手が自分の声の届かない遠くにいる)

起こりうる悲惨な結果

- 自分の監督下にいる人たちに慈悲を乞うが、却下される
- 部隊を集めて鼓舞激励する必要があるのに、そうすることができない
- 恐怖にとらわれて身動きできなくなり、行動に出ることができない
- 敵の追従者たちが知らなかった真実を暴露して、彼らを動揺させたかったのに、そうする前に捕まって、口を封じられる
- 自分にとって捕虜になるのは不名誉なことなのに、捕まってしまう
- わざと残酷に振る舞い、自分の苦しみを長引かせようとする敵と直面する
- 捕まって拷問を受ける (すぐには殺されない)
- 道徳的信念を捨てることを拒んだせいで殺される
- 生き残っているのは自分だけになる (仲間たちや愛する人たちが殺されていくのを見た)
- 相手にできるだけダメージを与えてから死のうとするが、すぐに切り殺される
- 決意を翻し、降参する

結果として生じる感情

苦悩、裏切られる、根に持つ、確信、敗北、反抗、絶望、自暴自棄、決意、打ちのめされる、嫌悪、怯え、弱体化、危惧、恥、陰気、恐怖、苦しみにもがく、あやふや、嫌疑が晴れる、脆弱

起こりうる内的葛藤

- 負けたような気持ちになるが、相手に強がって見せる必要がある
- 自分と一緒に闘っている人たちに敬愛や称賛の念を覚えるが、彼らの命が失われるのかと思うと残念で仕方がない
- 何が起ころうとも、自分の信念と自分らしさを貫くことに意義があるのだとかたく信じ、恐怖を押し返そうとする
- 怯えを抑え、使命に集中しようとする
- 悲哀と決意が入り混じるなか、自分が守ろうとしているもののこと（生き方や信念、逃げる時間が必要な人たちなど）を考える
- （やり残したことがある場合）無念でつらい思いをするが、仕方がないと覚悟する
- 先を恐れ、終わりが早く来てほしいと願う
- 降参したいが、その選択肢はないとわかっている
- 捕虜になれば拷問を受けるだろうが、いずれ逃亡の希望もあると、闘うべきか降参すべきかで悩む

状況を悪化させうるネガティブな特性

無神経、生意気、臆病、不正直、不誠実、気まぐれ、愚か、だまされやすい、せっかち、優柔不断、抑制的、うっとうしい、悲観的、自滅的、卑屈、小心者、知性が低い、意気地なし、不満げ

基本的欲求への影響

▸▸ 帰属意識・愛の欲求

捕まった場合には、愛する人たちから引き離されて孤独を感じるだろう。また自分だけが生き残った場合は、自分のグループが消滅したことで、一人さまようような気持ちになるかもしれない

▸▸ 安全・安心の欲求

この状況では、捕まろうと殺されようと、自分の身の安全が犠牲になるのが当然だ

▸▸ 生理的欲求

残念ながら、「最後の抵抗を試みる」状況では、自分の命を失う場合がほとんどだ

対処に役立つポジティブな特性

柔軟、大胆、おだやか、慎重、芯が強い、規律正しい、熱心、気高い、影響力が強い、忠実、楽観的、きちんとしている、積極的、正義感が強い、天才肌、寛容、奔放、利他的

ポジティブな結果

- 援軍が間に合い、戦況が好転する
- 攻撃に耐え抜き、自分が守っていた人たちが全員逃げることができた
- 別の場所でもっと大きな戦闘があり、そこで味方が勝って停戦になり、自分の命が救われる
- 自分が敵軍に向かってやった行動や放った言葉がきっかけで、敵軍の兵士たちがリーダーに背く
- 死んだと思われて置き去りにされたが、あとで仲間に救出され、手当てを受ける
- 殺されずに捕まり、あとで逃亡に成功する

NOTE

「追い詰められる／閉じ込められる」の項目に似ているが、この項目では、これ以上後退できず、勝ち目がまったくなくても最後の抵抗を試みるしかないような状況を扱う。

自然災害

〔英 A Natural Disaster〕

具体的な状況

- 洪水
- 津波
- 激しい雷雨
- 地震
- 竜巻
- ハリケーンや台風
- 大吹雪
- 土砂崩れ
- 雪崩
- 人の身の安全を脅かす山火事
- 陥没穴
- 火山噴火
- 迫り来る小惑星の衝突

引き起こされる軽度の問題・困難

- 自宅の周囲に土嚢を積み上げて洪水に備える、雨戸を付ける、ガスの元栓を閉めるなど、来たる災害に備えなければならない
- 避難する人々の車で道路が渋滞し、車が動かない
- 休暇を切り上げる
- 避難しなければならない
- 所有物を置いたまま、慌てて逃げなければならない
- フライトの遅延や欠航が起きる
- 避難所に移動する
- 頑なな家族が警報を無視する、または災害など起きないと言い張る
- 嵐が過ぎ去るまで家畜を避難させる場所を探す
- (燃料が不足する、スーパーの棚から食品がなくなるなど) 住民が災害に備えているため、物資の需要と供給のバランスが崩れる

起こりうる悲惨な結果

- 避難を拒む人を見捨てなければならない
- 避難所がどこもいっぱいで行くところがない
- 避難して誰もいなくなった家に空き巣が入るなど、災害を利用した犯罪の犠牲になる
- 準備をする間もなく、突然災害に襲われる
- すぐに逃げなければならない
- 家畜やペットを自力で逃げられるようにして置き去りにしなければならない
- 家族と離ればなれになる
- (重症者の病棟にいる、クルーズ船に乗っている、石油掘削施設にいるなどの理由で) 避難できない
- 政府が救済給付金を出さない
- 災害をしのぐための助けや救援物資、避難場所がない
- 停電が起き、救急施設が混乱に陥り、災害そのものよりも危険な状態になる
- 自宅、生活の糧、または事業を災害で失う
- 負傷する、または重病になる
- 家族や友人を失う

結果として生じる感情

不安、混乱、自暴自棄、決意、打ちのめされる、不信、怯え、危惧、恐れ知らず、戦慄、自信喪失、無力感、衝撃、脆弱

起こりうる内的葛藤

- 生きるか死ぬかのときに善悪の問題に悶々とする
- 家族と離ればなれになってつらい思いをし、自分は親または配偶者として失格なのではと心配する
- (家族で車の旅をしようと主張して、旅の途中で竜巻に巻き込まれた場合など) 見境なく自然を責めたい気持ちになる
- (一人で行動したほうが有利になるのではと思い) グループにとどまるか、それとも離れるかで悩む

- 誰かの命を救えなかったせいで、心の傷を負う
- 災害に恐れおののいているが、子どもたちの前ではしっかりしなければならない

状況を悪化させうるネガティブな特性

いい加減、せっかち、無責任、物質主義的、大げさ、向こう見ず、注意散漫、意気地なし

基本的欲求への影響

▸▸ 承認・尊重の欲求

緊急事態が起きると、自分の危機対処能力やリーダーシップスキルの有無が浮き彫りになる。そういう力がないことが露呈する場合は問題になりかねない。災害時にうまく立ち回れないと、他人が自分をどう見るか、自分が自分自身をどう見るかが変わる可能性がある

▸▸ 帰属意識・愛の欲求

愛する人を救えなかった、または守れなかった場合、他の人たちに責められ、その人たちとの関係に溝ができるかもしれない

▸▸ 安全・安心の欲求

避けられない自然災害が起きると、自分の身の安全が危ぶまれる

▸▸ 生理的欲求

自然災害が発生すると、自分の命が危険になるだけでなく、災害が去っても、生きていくのが困難になる可能性がある

対処に役立つポジティブな特性

柔軟、おだやか、慎重、協調性が高い、熱心、注意深い、粘り強い、雄弁、積極的、世話好き、臨機応変、責任感が強い、賢明、スピリチュアル、倹約家、利他的、賢い

ポジティブな結果

- 災害は予測されたほど深刻な被害をもたらさなかった
- 避難所を見つけ、救援物資も手に入り、援助も受けたので、自分も家族も安全でいられる
- 奇跡的に自宅や事業、土地が無事だった
- いがみ合っていた家族が災害を経験してひとつになる
- 災害に備えていたので、自分も愛する人たちも当面生きていけるだけの必需品が揃っていた
- 自分を蹴落とす可能性のあった敵や自分を脅かしていた物が、災害で姿を消す
- 何が大切なのかを見直し、より充足した人生が送れるように自分や生活を変える

生活が脅かされる

〔英 A Way Of Life Being Threatened〕

具体的な状況

- 技術が発展し、自分のキャリアが時代にそぐわなくなる
- 領土拡大を狙う隣国に国境付近の町が脅かされる
- 活火山や原子炉などがある危険地区に住んでいて、危険度が増している
- 企業が近辺の土地を買い占め、事業目的に合わせて再開発を進めている
- 自分の子や孫が長年続いた家業を継ぎたがらない
- 借金がかさみ、家族の土地を失う
- 先住民族が所有していた土地を入植者が侵害する
- 征服者や地主に土地を追われる
- 大衆文化が変化し、自分個人の理想や信念とは相容れない
- 政府の行き過ぎた政策のせいで、市民の自由や自主性が奪われる
- （略奪者に脅かされる、自然災害で土地が破壊され自立した生活ができなくなる、気候変動や不況などのせいで）農村の生活が困難になる

引き起こされる軽度の問題・困難

- 自分の日常生活に様々な支障が出る
- （騒音や人口が増えるなど）生活環境が変化する
- 変化に順応するために、自分が変わらなくてはならない
- 物価上昇や、他の人たちを経済的に養う必要があるといった理由で、生活費がかさむ
- プライバシーがなくなる
- 他の人たちと資源を共有しなければならない
- 新しいルールや規制が成立し、自分の自由が何らかの制限を受ける
- 雇用され続けるため、今の生活レベルを維持するため、または家族を養うために、（言語、テクノロジー、新しいやり方など）新しいことを強制的に学ばされる
- 町に駐留軍の数が増えていく
- 資源と快適な生活に必要な物が減るなかで暮らす
- 生活を脅かされないために、自分が本当は誰に忠誠を誓っているのかを隠さなければならない
- 脅威に対抗して、自分たちが何をすればいいのか、どう対処すればいいのかについて、家族と口論になる
- これ以上生活が脅かされることがないように、すぐにかっとなる家族に衝動的に反応しないよう説得しなければならない

起こりうる悲惨な結果

- 重要な物資や資源が底をつく
- 武力衝突に巻き込まれる
- 規制があまりにも厳しく、不合理または不当な法律や条件に強制的に従わせられる
- 大企業や、資金力のある地元の商店、または自分の製品やスキルが時代遅れになるテクノロジーの出現により、業界から締め出される
- 敵対的買収に耐える
- 戦争や暴動が起き、自分の大切な人たちを連れて逃げざるを得なくなる
- 虐待や差別に苦しむ
- 反対勢力との話し合いに応じ、脅威は権力者たちによって仕組まれたことだと気づくが、他の人たちを説得させることができない
- 当局に強制移動させられる、または投獄される
- 脅威を甘く見たせいで、大惨事が起きる
- 小競り合いが起きて愛する人を失う

結果として生じる感情

怒り、裏切られる、根に持つ、葛藤、軽蔑、敗北、反抗、幻滅、危惧、フラストレーション、苦痛、劣等感、懐古、無力感、自責、評価されない、あやふや、気がかり、価値がない

起こりうる内的葛藤

- 自尊心を失い、自分に価値などあるのだろうかと思ってしまう
- 企業や政府、または味方だと思っていた人々に裏切られた気持ちになる
- (強制移住させられたため) 突然、自分の文化的アイデンティティを失い動揺する
- 嘆きから静かな深い悲しみへと感情が移り変わる
- 変化を恐れてはいるが、変化が起きれば、ポジティブな方向に物事が進む可能性を秘めているのもわかっている
- 自分の家族にとって新たな機会になると思うが、それが犠牲を強いられることを伴うので怒りを覚える
- (相手につらい思いをさせてやりたい、復讐したいなど) 悪意を持ってしまうが、それは自分の中心にある価値観には合致しないので悩む

状況を悪化させうるネガティブな特性

挑戦的、支配的、邪悪、衝動的、不安症、理不尽、被害者意識が強い、物質主義的、大げさ、反抗的

基本的欲求への影響

▸▸ 自己実現の欲求

強制移住させられたり、自分の生活を変えさせられたりして、自分が何者なのか、自分はこの社会のどこに属しているのかがわからなくなる

▸▸ 承認・尊重の欲求

懸命に努力し、仕事ができるようになったと思ったら、同じ作業をより速く上手にこなす機械が導入された……のでは、エゴに大きな打撃を受けるはずだ

▸▸ 帰属意識・愛の欲求

異なるグループが同じ土地や作物を奪い合っていると、互いに怒りや偏見を抱くようになる。また、誰がまたは何が脅威なのかについて、家族間で意見が食い違うと、家族関係が緊張する可能性がある

▸▸ 安全・安心の欲求

(正当な理由があろうとなかろうと) 自分の生活が危機にさらされていると感じると、自分が脅威とみなしたものをすぐに攻撃してしまいがちだ。状況が悪化して対立や暴力に発展すると、自分や愛する人たちに危害がおよぶことも考えられる

▸▸ 生理的欲求

強制移住させられると、住居や土地だけでなく、何もかも失ってしまう可能性がある

対処に役立つポジティブな特性

柔軟、芯が強い、クリエイティブ、独立独歩、勤勉、自然派、面倒見がいい、客観的、積極的、プロフェッショナル、世話好き、臨機応変、賢明、スピリチュアル、倹約家、寛容、奔放

ポジティブな結果

- 反対の声を上げ、開発計画を白紙に戻させる、または競争相手や脅威を追い払う
- 強制移住を恐れていたが、取り越し苦労だったことが判明する
- 同じ地域に住む集団に悪意はなく、共生を望んでいるだけだと知る
- 新しいテクノロジーまたは新しいやり方を取り入れ、暮らしが楽になる
- 同じ状況にいる人たちと協力し合い、集団としての力を利用する
- 新しいキャリアを目指す、または引越しするなど、やりたかったが可能だとは思わなかったことに着手する

戦争が勃発する

〔英 War Breaking Out〕

引き起こされる軽度の問題・困難

- 政情に関し、自分と対立する意見を持つ友人や家族と口論になる
- 燃料や食料品の価格が高騰する
- ある地域から出られなくなり、移動できない
- （移動許可、特定品目の購入など）生活必需品を手に入れるにも手続きが煩雑になる
- 以前は簡単に手に入った物がだんだんと手に入らなくなる
- 戦況が悪いほうへ向かっている環境で子どもを育てる
- 報復を恐れ、世間で支持されていない信念を持っていることを隠さなければならない
- 交戦地帯の外側にいる愛する人たちと離ればなれになる
- 他の人のために明るく振る舞わなければならない
- 安全を求め、生まれ故郷を離れなければならない
- 残って戦うか、逃げるかで家族と意見が食い違う
- （避難所にいる、難民を預かっている、難民として他人の家に世話になっているなど）他人と空間を共有しているので何かと不便が生じる
- 経済的に苦しくなり、生計を立てられなくなる

起こりうる悲惨な結果

- 空襲に遭う、または侵略される
- 自分または愛する人が重傷を負う
- 恐ろしい出来事から子どもを守ることができない
- 子どもがプロパガンダに感化されて、自分には嫌でたまらない信念を持つようになる
- 自宅が破壊される
- 敵軍に自宅から追い出される
- かよわい立場の家族と共に危険地域を横切らなければならない
- 食糧や必要な医薬品など、重要物資が手に入らなくなる
- 圧倒的に優勢な敵軍との戦闘で戦う
- 兵士として戦っているときに弾薬が底をつく、または助けが必要なときに通信手段を失う
- （消防隊がいない、救急医療を受けられない、電話通信網が機能していない、送電網が破壊されているなど）社会基盤が崩壊し、混沌状態に陥る
- （自分の人種、職業、政治的信条などを理由に）敵軍に狙われる
- 敵に強制され、敵を助けるために自分の特殊技能を使う
- 迫害されたり殺害されたりするのを避けるため、身を隠さなければならない
- 信用していた人に裏切られ、敵に引き渡される
- 戦争捕虜になる
- 戦火で家族を失う

結果として生じる感情

怒り、不安、愕然、懸念、気づかい、葛藤、拒絶、意気消沈、絶望、自暴自棄、打ちのめされる、失望、幻滅、怯え、興奮、危惧、フラストレーション、戦慄、圧倒、無力感、衝撃、あやふや、気がかり

起こりうる内的葛藤

- 戦況を伝えるニュースが耳に届くが、何を信じればよいのかわからない
- 子どもたちに何と伝えればよいのかわからない
- 様々な不便に直面して動揺するが、もっとひどい状況の人たちもいることを思って、罪悪感を覚える
- なかなか前向きでいられない

- 将来を案じる
- 不正行為を目撃するが、恐ろしくて仲裁できない
- 他の人たちを助けたいが、どうしたらよいのかわからない
- トラウマから、鬱病や心的外傷後ストレス障害（PTSD）などの精神疾患を発症する
- 自分の善悪の観念が脅かされる疑問に直面する
- 生き残るために仕方なく下した決断に恥を覚える、または自己嫌悪に陥る
- 心が折れるような状況が続き、その中でわき上がるあらゆる感情をどう処理すればよいのかわからない
- 不正が起きているのに誰もとめようとしないのを見て、憤りや絶望を感じるが、それを抑える

状況を悪化させうるネガティブな特性

反社会的、幼稚、支配的、臆病、皮肉屋、狂信的、愚か、無知、優柔不断、頑固、物質主義、病的、神経質、向こう見ず、自滅的、心配性

基本的欲求への影響

▸▸ 承認・尊重の欲求

戦争は世の中を二極化させ、人々の最も醜い部分を露呈させる。自分の考えや行動が臆病だ、扇動的だ、あるいは単に明らかに間違っているとみなされると、他の人たちに敬意を払われなくなるかもしれない（そして、二度と敬意を払ってもらえない可能性もある）

▸▸ 帰属意識・愛の欲求

自分の本当の気持ちや意見を表に出すのを恐れていると、たとえ愛する人たちや友人に囲まれていても、孤独に感じるかもしれない

▸▸ 安全・安心の欲求

戦争は危険を伴うもの。戦争が続く限り、安心することはできないだろう

▸▸ 生理的欲求

交戦地帯で戦っている、または生活していると、命を失う危険がある

対処に役立つポジティブな特性

柔軟、冒険好き、感謝の心がある、大胆、おだやか、慎重、協調性が高い、決断力がある、如才ない、規律正しい、控えめ、気高い、もてなし上手、公明正大、楽観的、愛国心が強い、思慮深い、粘り強い、積極的、臨機応変

ポジティブな結果

- 絶望的な状況にいる人を助けることができる
- 大義のためならときには犠牲も必要であることに気づく
- 見知らぬ人たちに助けられ、どこにでも善人はいるのだと気づく
- 人の勇気ある行動を見て、自分も勇敢になろうと触発される
- 置かれた状況を自分ではどうすることもできなくても、それに対してどう反応するのか、どういう態度をとるのかは自分次第であることに気づく
- つらく苦しいときでも勇気と希望を忘れない

NOTE

最も悲惨で破壊的な対立・葛藤のシナリオのひとつが戦争で、その影響は遠く広く波及する。キャラクターの国が外国に侵攻されたなら、キャラクターが国内にとどまっても、国外へ逃げようとしても、あらゆる類の問題にぶち当たるだろう。戦闘に関わっているなら、もっと直接的な危険に直面するはずだ。戦争は人間にとって非常に重要な様々な欲求に影響をもたらすので、選択肢を多く与えてくれる用途の広い対立・葛藤のシナリオだ。

毒におかされる

〔英 Being Poisoned〕

具体的な状況

- ミュンヒハウゼン症候群〔わざと毒や有害物質を飲んで体調を崩し、人の注目を引く虚偽性の精神疾患〕
- 代理ミュンヒハウゼン症候群〔毒を他者に与え、その相手を介護しながら支配しようとする精神疾患〕
- 大事なときに病に倒れるよう、敵やライバルの手によって（食べ物やお茶などに）毒を盛られる
- うっかりと何かを飲み込み、気持ちが悪くなる
- しっかりと火の通っていない肉や魚を食べて具合が悪くなる
- 環境中の有害物質にさらされる
- （塗料や美容製品に含まれる）鉛や、（断熱材に使われる）アスベストなどの物質に長年さらされ、健康問題を引き起こす
- 放射性物質にさらされ被爆する
- 薬、ドラッグ、またはアルコールを過剰摂取する

引き起こされる軽度の問題・困難

- （めまい、頭痛、錯乱、発汗、吐き気、震えなど）不快な症状が出る
- 会社を病欠しなければならない
- 仕事や私生活の約束を取り消したり、様々な任務から手を引いたりしなければならない
- 医者通いをする
- 体の中で何が起きているのかを調べるため、いくつもの検査に耐える
- ストレスや不安から不眠症になる
- 体が疲れやすくなる
- 職場や家庭での仕事がおろそかになる
- 認知作業が困難になる
- 筋力が弱り、体の動きがぎこちなくなる
- 回復に思ったよりも時間がかかる

起こりうる悲惨な結果

- 毒を盛られたことに気づかない
- 血を吐く
- 内臓出血が起きる
- 激痛が走る
- 毒を飲んだことに気づいたが、医者にそれを伝える前に意識不明になる
- 入院の必要がある
- 入院が長引き、高額の医療費がかさむ
- 介護人が代理ミュンヒハウゼン症候群を患っているのに正直に話さないため、介護の仕事を続けることが許される
- 診断が遅れたために、毒が回って、体へのダメージが大きくなる
- どの毒が体に回っているのかがわからない
- 毒は特定できたが、治療方法がない
- 死亡する

結果として生じる感情

不安、愕然、裏切られる、気づかい、自暴自棄、打ちのめされる、不信、幻滅、怯え、危惧、ヒステリー、パニック、疑心暗鬼、平穏、無力感、激怒、衝撃、唖然、疑惑、恐怖、苦しみにもがく、復讐、気がかり

起こりうる内的葛藤

- 毒を盛られたことに気づいたが、誰にやられたのか（または誰を信じていいのか）わからない
- 誰が毒を盛ったのかは知っているが、それを人には言えない
- 死ぬのが怖い
- 自分が毒を盛られたトラウマが家族を精神的に苦しめているのがつらい
- 手遅れの状態になり、人生における後悔が走馬灯のように脳裏に浮かぶ
- 信用していた人に毒を盛られ、裏切られ傷

つけられて苦しむ
- うっかり毒を飲んでしまった自分を責め、腹を立てる
- 苦しむのは嫌だが、注目はされたい（ミュンヒハウゼン症候群の場合）

状況を悪化させうるネガティブな特性

いい加減、衝動的、不安症、知ったかぶり、大げさ、病的、注意散漫、意気地なし

基本的欲求への影響

▸▸ 自己実現の欲求

毒のせいで長期にわたりひどい副作用に苦しむと、自分にかけがえのない喜びをもたらしてくれる活動に従事するのが難しくなるかもしれない

▸▸ 承認・尊重の欲求

不注意から毒を摂取し、長期にわたって体調を崩す場合は、避けられたことだったと自分で自分を憎み、自分を憐れむ気持ちでいっぱいになる可能性がある

▸▸ 帰属意識・愛の欲求

代理ミュンヒハウゼン症候群の被害者である場合、人に対して強い不信感を抱くようになり、親密な人間関係を築くのが困難になるかもしれない

▸▸ 安全・安心の欲求

毒が回れば、生死の境をさまよう可能性がある。誰を信じてよいのかもわからなくなり、明らかに安心感を失うはずだ

▸▸ 生理的欲求

ミュンヒハウゼン症候群を患ったとき、服毒量を間違えると、死にいたることも考えられる

対処に役立つポジティブな特性

おだやか、慎重、勇敢、几帳面、注意深い、きちんとしている、粘り強い、雄弁、積極的、臨機応変、責任感が強い

ポジティブな結果

- 毒の種類を特定できたので、解毒剤を用いて一命をとりとめる
- 病院に運び込まれて胃を洗浄してもらい、ダメージが最小限に抑えられる
- 介護人に病気にさせられていた生活から解放され、充実した人生を歩みはじめる
- 自分に毒を盛った人間が収監されて一区切りつき、心身を癒しつつ前に進む
- ミュンヒハウゼン症候群を患っているという診断が下り、適切な治療を受ける

NOTE

毒におかされるとき、故意に盛られてしまう場合と、偶然に飲み込んでしまう場合とがある。いずれのケースも、自分が毒を摂取したことに気づかなかったときには、誤った診断が下り、適切な処置が遅れて悲惨な結果になる可能性がある。

人に気づかれる

〔英 Being Recognized〕

具体的な状況

- 公の場で芸能人がファンに取り囲まれる
- テレビタレントの露わな姿が動画に映っている
- 犯罪に手を染めた自分が、証言者またはインターネットの未解決事件を追うのが好きなコミュニティの人たちに特定される
- ひき逃げをして、誰かに車のナンバープレートの番号を書き留められる
- 運転中に警察に呼びとめられているところを、通りかかった親戚または雇用主に見られる
- 居場所について嘘をついていたのに、ニュース番組の中継で背景に映り込んでしまう
- 襲撃事件の犯人が被害者によって特定される
- おとり捜査の捜査官が実生活で知っている人に気づかれる
- 証人として保護されている間に休暇に出かけ、古い知人に遭遇する
- 群衆の中に紛れ込んで行方をくらまそうとしているところを友人に見られる

引き起こされる軽度の問題・困難

- ファンに囲まれるようになって日が浅く、ファンの扱い方がまだわからない
- わが子までもが脚光を浴びるようになる
- ファンが満足のいくように接する必要がある
- 自分がどこにいたか、言い訳をする必要がある
- 他の人たちにも気づかれる前に、その場を去らなければならない
- 自分と遭遇したことを誰にも言わないでほしいと頼む（または懇願する）必要がある
- 面が割れたため、訪問や外出を切り上げなければならない
- 「ヘンリー・カヴィルにいつも間違えられるんだよ」と、本人なのに別人のふりをしようとする
- 自分であることを否定する
- 家族からの気まずい質問に答える
- カメラや携帯電話を持った人を避ける必要がある
- 目立たないようにしなければならない
- 捕まらずに目撃者を黙らせないといけない
- 自分に気づいた人がどれだけのことを知っているのかを探り出す必要がある

起こりうる悲惨な結果

- 面が割れ、警察のおとり捜査が台無しになる
- （既婚者なのに）誰かとデートしているところを見られる
- 自分の評判を落とすような人と一緒にいるところを見つかる
- （薬物の購入、売春婦を誘うなど）不正な行為を働いている様子をとらえた動画がインターネット上で拡散される
- 浮気相手と一緒にいるところをとらえた動画が配偶者に送られ、結婚生活が破綻する
- おとり捜査をしている、国家機密を売っている、または敵と共謀しているところが見つかり、命を狙われる
- （病欠したはずなのに、カジノにいるところを見られるなど）嘘をついたせいで職を失う
- 一般国民の信用を失う事件と結びつけられ、（政治家、指導者、CEOなど）自分のキャリアがぶち壊しになる
- 警察の保護の下に置いてもらわなければならない
- 悪事が発覚し、家族と疎遠になる
- 罪に問われる

結果として生じる感情

愉快、いらだち、不安、懸念、葛藤、怯え、決まり悪さ、多幸感、狼狽、感謝、罪悪感、幸福、短気、立腹、むら気、感動、パニック、

喜び、自尊心、反感、屈服、肯定、価値がある、切なさ

起こりうる内的葛藤

- 問題が起きているのに、何事もないかのように振る舞う
- (レポーター、熱狂的すぎるファン、警察官などに) どなりつけたい気持ちを抑える
- 自分がどこにいて、誰と一緒にいたか、理屈を並べて言い訳するのに躍起になる
- 変に疑われないようにしながら、自分を見かけたことを口外しないように頼まなければならない
- 居場所がばれて憤慨または失望する一方で、隠し事をしていることに罪悪感を覚える
- よくないことだと知りながらも、相手をうまく釣って黙らせる
- このことが人に知れたらどうなるのだろうと心がパニック状態になる
- 普通の生活を送っていたらどんなふうになるのだろうと空想する

状況を悪化させうるネガティブな特性

無神経、冷淡、不誠実、失礼、傲慢、とげとげしい、神経過敏、わがまま、気分屋、不満げ

基本的欲求への影響

▸▸ 自己実現の欲求

有名人になってはじめのうちは脚光を浴びて喜んでいても、やがてそれには代償があることに気づく。夢の仕事に就いたものの、果たしてこれだけの代償を払う価値があるのかと疑問に感じることもあるかもしれない。私人としての顔と公人としての顔をはっきりと分け、長年を過ごしてきた人ならば、アイデンティティの危機を迎え、自分は本当は何者なのだろうと思い悩むこともあるかもしれない

▸▸ 承認・尊重の欲求

恥ずべき行為に従事しているところを見つかり、評判だけでなく、キャリアも台無しになる可能性がある

▸▸ 帰属意識・愛の欲求

家名を汚すようなことをしでかすと、愛する人たちに見捨てられることも考えられる

▸▸ 安全・安心の欲求

人を陥れた場合は、報復のために狙われる可能性があり、自分の身の安全が危ぶまれるだろう

▸▸ 生理的欲求

恥ずべき行為または違法行為をしたのが見つかると、人生が丸つぶれになり、社会から追放される可能性がある。もしもそうなると、生きていくための基本的欲求を満たすのが難しくなるかもしれない

対処に役立つポジティブな特性

感謝の心がある、魅力的、自信家、礼儀正しい、規律正しい、控えめ、誘惑的、気さく、ひょうきん、太っ腹、忍耐強い

ポジティブな結果

- 隠し事や二重の生活をする必要がなくなる
- 隠し事がばれたのをきっかけに、今まで勇気がなくてできなかったことをする (離婚など)
- ありのままの自分で生きることにし、他人の目を心配するのをやめる
- 表舞台を去り、名前を伏せて、ひたすら平凡で平穏な生活を送る
- 悪いことをしているのが見つかったのをきっかけに、助けを求め、自分の問題に健全な方法で向き合う

武器なしで脅威と対峙する

〔英 Facing a Threat While Unarmed〕

具体的な状況

- 警察官が容疑者と揉み合っている最中に武器を失くす
- 被害者が武器も持たずに誘拐犯を撃退しなければならない
- ハイキング中に熊やピューマなどに襲われる
- ダイビング中に鮫に襲われる
- 暗い路地で人に襲われる
- 武器を持って家に侵入してきた強盗に、武器も持たずに直面する
- 銃を突きつけられて襲われる
- (手術後で入院している、足を骨折して自宅療養している、酔っぱらっているなど) 対抗できないときに襲撃される
- 揉めているだけだったのに、相手がナイフまたは銃を取り出して威嚇しはじめる

引き起こされる軽度の問題・困難

- 油断していた隙を狙われ、劣勢を強いられる
- (ビーチサンダルで走って逃げなければならない、パジャマを着ていたとき、または裸のときに襲撃されるなど) 服装のせいで劣勢に追い込まれる
- (辺りが暗い、襲撃者が隠れているなどの理由で) 襲撃者がどこにいるのかがはっきりわからない
- 身を隠せる場所を探さなければならない
- 相手の動きを耳で聞き分ける、または相手に見つからないように、激しい呼吸を抑えなければならない
- 不自然な体勢でじっとしている必要がある
- (衝動的、対立的、男くさい性格、愚かであるために) 形勢を不利にしかねない人と一緒にいる
- 感情が高ぶるのが当たり前の状況で、冷静さを保つ必要がある
- 一緒にいる幼い子どもや年老いた親を、責任を持って守らなければならない
- 一人なので、他の人に助けを求めるなど望めない
- 襲われて軽傷を負う (切り傷、擦り傷、目の周りに青あざができるなど)

起こりうる悲惨な結果

- (実際に注意を怠っていた場合) 自業自得だと人に責められる
- 安全だと思っていた場所がもはや自分にとっては安全でなくなる
- 襲撃をかわしたが、次は自然と闘わなければならない (凍てつく寒さ、砂漠の横断など)
- 襲撃者にうっかりしたことを言ってしまい、形勢を不利にする
- 恐怖が引き金となって、(犬にかまれた、肉体的苦痛、拷問などの) 記憶が蘇り、最悪のタイミングで体が麻痺したように動かなくなる
- (薬物のせいで意識が朦朧としている、手術後で体力が弱っているなど) 不調が原因で、自己防衛できない
- 逃げるが、襲撃者に捕まる
- 長い間、食べ物や水が喉を通らない、または眠れなくて苦しむ
- 出先で強盗に金を奪われ、家に戻れない
- 誘拐される
- 死んだと思われ、誰も来ない場所に置き去りにされる
- 一生の傷を負う
- あとで心的外傷後ストレス障害 (PTSD) に苦しむ
- 他の誰かが殺されるのを目撃する

結果として生じる感情

不安、懸念、自暴自棄、決意、怯え、弱体化、決まり悪さ、危惧、狼狽、戦慄、ヒステリー、怖気づく、緊張、圧倒、パニック、無力感、衝撃、唖然、心配、脆弱、用心、気がかり

起こりうる内的葛藤

- 極度のストレスからパニック状態になる
- 頭が回らず、立ち上がって闘うべきか、逃げるべきかを決められない
- 自分一人では太刀打ちできないと感じる
- 選択肢を検討するが、どれもリスクが高くて決められない
- 立場の弱い他の人たちを守らねばならないと思うと気が焦り、なかなか集中できない
- 頭が回らず、常識破りな打開策を思いつかない
- そもそもこういう状況に陥ったのは自分のせいだと自分を責める
- 自分だけでなく、他の人たちをも守ることができなかったため、自尊心が打ちのめされる

状況を悪化させうるネガティブな特性

無神経、強迫観念が強い、挑戦的、失礼、愚か、衝動的、優柔不断、大げさ、神経質、向こう見ず、意地っ張り、愚直、激しやすい

基本的欲求への影響

▸▸ 自己実現の欲求

事件のことを長期にわたって引きずると、何かを恐れたり心配してばかりいて、充実した人生を精いっぱい楽しむことができないかもしれない

▸▸ 承認・尊重の欲求

襲われたのは自業自得だと思っていると、自己憐憫や自己嫌悪を繰り返す危険なサイクルに陥る可能性がある

▸▸ 帰属意識・愛の欲求

愛する人たちが襲われて殺害された場合、または、「こういうことになったのはお前のせいだ」と人に非難される場合、支えを最も必要とするときに自分を支えてくれる人がいないことに気づくだろう

▸▸ 安全・安心の欲求

襲われたあとは、二度と安心を感じられなくなるかもしれない

▸▸ 生理的欲求

状況によるが、このような性質の事件が起きると、命が失われる可能性はある

対処に役立つポジティブな特性

用心深い、おだやか、慎重、芯が強い、協調性が高い、勇敢、決断力がある、如才ない、規律正しい、控えめ、注意深い、雄弁、積極的、臨機応変、奔放、利他的、賢い

ポジティブな結果

- 脅威を無力化する、乗り越える、またはかわすことができる
- 脅威をうまくかわして、襲われた記憶を長く引きずるようなことにならずにすむ
- 理性的に考えて状況を乗り越えることができ、新たな自信をつける
- 襲撃事件に関わった人たちとの間に絆を築く
- 犯人が法の裁きを受ける
- 同じような事件が再び起きないよう、様々な予防策を講じる
- 今後に備え、護身の技術を身につける
- 襲われたときの経験を他の人たちと共有し、身の安全を守る方法を伝える

復讐のターゲットになる

〔英 Being Targeted for Revenge〕

具体的な状況

- 世間の注目を浴びた裁判の陪審員や弁護士が、有罪判決を受けた被告の家族につきまとわれる
- 要求に従わないからと犯罪集団に狙われる
- 個人的信念や政治的信条を理由に政治家の暗殺が企てられる
- 子どもの頃に傷つけた相手に、人生を台無しにされる
- スポーツ選手が負かした相手に襲撃される
- 悪い成績評価をつけられたことを恨んだ学生が教師の車に鍵で傷をつける
- 容疑者殺害事件に関与した警察官の家族が狙われる
- 囚人が犯した罪（幼児虐待、誘拐など）が原因で他の囚人たちの反感を買い、襲われる
- 浮気をされて恨みを持った愛人にわざと性感染症をうつされる
- 高慢な鼻をへし折るため、悪意を持った学生が人気の女子生徒を狙う
- いじめの被害者が自分をいじめた相手を辱めるための復讐を企てる
- いじめに対して声を上げたせいで、いじめをする本人にもっと嫌がらせを受ける

引き起こされる軽度の問題・困難

- いつ襲われるのか、どのように襲われるのかがわからない
- イベントや外出を先延ばしにしなければならない
- 心配のあまり、護身の練習をして時間を無駄にする
- 自分や家族が危険にさらされるような活動や移動をなるべくしない
- 復讐を避けるため、自分の予定を変更しなければならない
- 何が起きているのかをわが子に説明しなければならない
- 巻き込まれたくない友人や関係者が、自分と距離を置きたがる
- ルールを押しつけられ、行動を制限されたわが子がいらいらする
- 自分は過剰に反応しているだけだと周囲の人に思われる
- 告訴する、脅迫の被害を警察に届け出る、または接近禁止命令の申請を裁判所に提出する
- インターネット上で自分についての不快な投稿やコメントを読む
- （復讐が意図的にわかりにくく、こっそりと行われた場合）はじめのうちは、相手に悪気はないと思い込む
- （罪を犯したと誤解されている場合）自分の無実を証明しなくてはならない
- 弁護士や警察官などの事実関係を確認してくれる人たちに会わなければならない

起こりうる悲惨な結果

- 復讐を企てる本人と直接対決し、状況を悪化させる
- 家を離れるのは安全でないと感じ、家に閉じこもる
- 職場に戻るのはリスクがあまりにも高いので、仕事ができなくなる
- これまで自分が力を注いできたことを全部台無しにしてやると脅迫され、重要なプロジェクトを中断する
- 襲撃されて怪我を負う
- 無実の罪に問われ、自分を有罪だと信じる友人や家族を失う
- 自分の評判が永久に台無しになる
- 新しい人生を始めるために名前を変える、または町を去らなければならない
- 長年隠してきた秘密が明るみに出る（その秘

ふ

密が復讐の理由になっている）
- 弁護士代がかさみ、金銭面で苦労する
- わが子がトラウマに苦しむ
- 心的外傷後ストレス障害（PTSD）または重度の不安症を発症する
- 犠牲者が出る

結果として生じる感情

怒り、苦悩、不安、防衛、不信、怯え、危惧、ヒステリー、自信喪失、怖気づく、緊張、圧倒、パニック、疑心暗鬼、無力感、激怒、後悔、自己憐憫、衝撃、苦しみにもがく、心配、脆弱、用心、気がかり

起こりうる内的葛藤

- どう反応すればよいのかわからない
- 何が起きているのかを誰かに打ち明けたいが、そうすると事態が悪化するのではないかと恐れる
- 常に不安を感じる
- 相手に復讐を決意させた可能性のある自分の行動を何度も振り返る
- 弱々しい気持ちになり、低い自己肯定感に悩まされる
- （悪事を働いた自分に相手が復讐しようとしている場合）自分が不当に扱われていると感じる一方で、仕方がないとも思う
- 助けを求めたいが、そうすると、自分の罪を認めることになる、またはしっかりと守ってきた秘密をばらすことになる

状況を悪化させうるネガティブな特性

無神経、挑戦的、支配的、失礼、衝動的、無頓着、大げさ、病的、神経質、執拗、妄想症、向こう見ず、心配性

基本的欲求への影響

▸▸ 自己実現の欲求

相手が復讐として自分のスキルにダメージを与えようとしている、または自分の好きなことを妨害しようとしていて、それに成功した場合、自分を真に幸せにしてくれるようなことを追求できなくなるかもしれない

▸▸ 承認・尊重の欲求

自分の評判を傷つけられた場合、他の人からの尊敬を失う可能性がある

▸▸ 帰属意識・愛の欲求

自分が復讐の対象になると、自分の愛する人たちも危険にさらされやすくなる。誰かが巻き込まれると、自分との関係に摩擦が生じるはずだ

▸▸ 安全・安心の欲求

とりわけ自分が狙われる場合は常に、身体的だけでなく、感情的にも精神的にも脆い状態に置かれる

▸▸ 生理的欲求

襲撃されて重傷を負った場合は、命を危険にさらす可能性がある

対処に役立つポジティブな特性

用心深い、大胆、おだやか、慎重、自信家、勇敢、決断力がある、如才ない、控えめ、独立独歩、注意深い、楽観的、雄弁、積極的、臨機応変、賢明、奔放

ポジティブな結果

- 相手は敵であり、友人ではないことがはっきりとわかるようになる
- 自分を脅かす相手の正体を明かし、本当はどういう人間なのかを他の人たちに知らしめる
- つらい時期を自分と一緒に過ごしてくれた家族との絆が深まる
- 思わぬ人から支えてもらえる
- 復讐を企てた相手が法の裁きを受ける
- 相手を刺激するような行動をとっても、それが自分に返ってこないよう、より注意深くなる（自分の足どりがわからないようにする）

見知らぬ人に襲われる

〔英 Being Assaulted by a Stranger〕

具体的な状況

- 襲われて金品を奪われる
- 妄想障害を持っている人、または薬物でハイになっている人に襲われる
- 他の人と間違われて襲われ、ひどい目に遭う
- 性的暴行を受ける
- ヘイトクライムの標的になる
- 自宅に押し入ろうとした強盗、または不法侵入者を阻止しようとして暴力を振るわれる
- サディスティックな誘拐犯に他の被害者と無理やり戦わされる
- しごきや悪魔祓いのような儀式の標的にされる
- ひどい扱いを受けている人をかばったせいで、今度は自分が標的になる

引き起こされる軽度の問題・困難

- 突然襲われ、その衝撃のせいで方向感覚を失う
- (目の周りの青あざ、打撲、筋肉痛、擦傷など) 軽傷を負う
- 何が起きたのかを他の人たちに説明しなければならない
- 弱々しい気持ちになるが、それを隠さなければならない
- 友人や愛する人たちに襲われるところを目撃され、屈辱感を味わう
- (大学の奨学金を受けるための面接、自分の結婚式など) 重要な用事の前に襲撃され、怪我の痕がまだ生々しく残っている
- 揉み合っているうちに、自分の持ち物が壊れる
- 服が台無しになる
- バッグや財布が奪われる
- 警察に届け出なければならない
- 襲われたときの詳細を思い出そうとしても思い出せない

起こりうる悲惨な結果

- パニック発作が起きる
- 重傷を負う
- 性的暴行を受ける
- 誘拐される (そして虐待が続けられる)
- 「先に攻撃を仕掛けたのはお前だ」とぬれぎぬを着せられる (被害者が責められる)
- 襲撃者が去ったあと、助けを求めるが、誰も助けに来ない
- 犯人が逃げる、または捕まらない
- 暴行を加えられているところが録画され、インターネット上に拡散される
- 襲撃時に奪われた情報を犯人に利用され、深刻な問題が起きる (なりすまし、クレジットカードで物を購入される、住んでいる場所を突きとめられるなど)
- 犯人が捕まるが、権力とコネを使って法の裁きを免れる
- 自宅を離れるのが怖い、わが子に対して過保護になるなど、精神的に苦痛を受けたせいで、生活に大きな影響が出る
- 見知らぬ犯人を突きとめて復讐することばかり考える

結果として生じる感情

混乱、軽蔑、不信、嫌悪、弱体化、危惧、憎しみ、屈辱、苦痛、自信喪失、パニック、無力感、激怒、衝撃、恐怖、復讐

起こりうる内的葛藤

- 安心していられなくなり、身の危険を感じる
- とっさに襲われて混乱するが、そのあとすぐに何とか落ち着こうとする
- パニック状態になる
- 自分が襲われていることが信じられない
- 反撃に出ようとするが、そんなことをすれば余計に相手を怒らせるのでは、または反撃し

ても効果がないのではと逡巡する
- 弱気になる
- 襲われたあと、愛する人たちも襲われてはいないだろうかと心配になる
- フラッシュバックや心的外傷後ストレス障害（PTSD）に苦しむ
- 法の裁きを求めるが、つらい体験を思い出したくない
- 襲われたことを忘れようとするが、忘れられない

状況を悪化させうるネガティブな特性

無神経、失礼、愚か、とげとげしい、男くさい、向こう見ず、自滅的

基本的欲求への影響

▸▸ 自己実現の欲求

襲撃されて深刻な被害を受けた場合、回復への道は長くなるだろう。かつては有意義な目標を追求して満ち足りた人生を送っていたのに、心に傷を負ったせいで、喜びを感じられなくなることも考えられる。自分の人種やジェンダーなどを理由に攻撃されたのであれば、前進するのが特に難しくなるだろう

▸▸ 承認・尊重の欲求

見知らぬ人に襲われたときの無力感は払拭するのが難しいかもしれない。理不尽にも、「こういう目にあったのは自分のせいだ」と自分を責めることもありえるだろう。このような心の傷は自尊心をずたずたにする可能性がある

▸▸ 帰属意識・愛の欲求

暴行（特に性的暴行）を受けたあとは、他の人たちに自分の弱みを見せにくくなり、人間関係に支障が出るかもしれない

▸▸ 安全・安心の欲求

見知らぬ人に襲われれば、安心感は奪われる。暴行が深刻（そして無差別）であればあるほど、安全・安心の欲求を再び満たすのが非常に難しくなるだろう

▸▸ 生理的欲求

身体に危害を加えられれば、命の危機に瀕する

対処に役立つポジティブな特性

芯が強い、自信家、如才ない、規律正しい、純真、従順、客観的、雄弁、積極的、寛容、ウィットに富む

ポジティブな結果

- 護身の講習を受け、今後見知らぬ人に襲われそうになっても、それをかわすだけのスキルを身につける
- 見知らぬ人に襲われた経験のある人たちの気持ちをよく理解できるようになり、彼らを支援する
- 反撃して相手を退散させたことで、力をつけたような気になる
- 相手を振りきって逃げ、怪我もなかった
- 友人たちが助けてくれて、忠誠心や親密度が増す
- 犯人が捕まり、有罪になる

NOTE

当然だが、人に襲われれば安全は損なわれ、コントロールも失い、身体的にも精神的にもつらい出来事になる。襲撃そのものがショックなのはもちろんのこと、その後も苦しみは続くはずだ。こうした点を考慮して、この対立・葛藤を取り入れよう。

身を隠す／追手から逃げる

〔英 Having to Hide or Escape Detection〕

具体的な状況

- 外敵（動物または人間）に追われる
- 戦時中または占領時代に敵地をこっそりとくぐり抜けなければならない
- 自宅に入ってきた侵入者に見つからないように隠れる
- （魔力を持っている、ある身体的特徴がある、ある人種に属している、普通とは異なるなどの理由で）捕捉または処刑の対象として狙われる
- 自分が予言者であるために脅威とみなされ、ある人に狙われ、その人を避けている
- 証人である自分を悪漢から隠すため、警察に保護してもらわなければならない
- 監視の目を盗んで、押し込み強盗、脱獄などの禁止行為を働く
- 敵の警備員が監視しているイベントで情報提供者と接触を図る
- （無許可で軍から離隊している、事情聴取を求められているなどの理由で）警察を避ける
- 門限を過ぎてから忍び込む（または出て行く）
- 愛人のホテルの部屋またはアパートに気づかれずに忍び込む必要がある

引き起こされる軽度の問題・困難

- 不自然な体勢でじっとする、または狭所に閉じこもる必要がある
- 物音を立てずにじっとしていなければならない
- 隠れ場所を離れる前に（警備員や看守などのシフト交替まで、眠り込んでいるのがわかるまでなど）待機しなければならない
- 愛する人たちと離ればなれになる
- 頼れる人が自分しかいない
- 生まれながらにして不器用、または声が大きい
- 着心地の悪い変装をしなければならない
- 変装用の一風変わった小道具を手元に用意しておかなければならない
- 常に敵を警戒しなければならず、リラックスできない
- 安心して動けるまで、（部屋や家、特定の場所に閉じ込められるので）自由を奪われる
- 危うく捕まりそうになり、嘘をつく、相手をたぶらかす、または脅す必要がある

起こりうる悲惨な結果

- 監視カメラに映って居場所がばれ、追いかけられる
- 敵に襲撃されて負傷する
- 敵が愛する人たちを人質にとり、自分をおびき出そうとする
- （金が底をつく、隠れ場所を失うなど）重要な何かを失ったことで、隠れ続けるのが困難になる
- （認知力に限界がある、松葉杖を突いているなどの理由で）見つからずに逃げるのが難しい人と一緒に身を隠さなければならない
- 仲間が冷静を失い、人目を避けたいのに注目を集めてしまう
- 間違った人を信用し、裏切られる
- アドレナリンが長いあいだ放出されっぱなしで、ストレスで参ってしまう
- 押し込み強盗やスパイ行為の現行犯で捕まる、または既婚者の恋人とあいびきしているところを見つかる
- 自分と一緒に行動していた他の人たちが負傷する、または殺害される

結果として生じる感情

怒り、苦悩、不安、懸念、自暴自棄、決意、落胆、怯え、危惧、短気、怖気づく、切望、緊張、懐古、パニック、疑心暗鬼、無力感、心配、脆弱、気がかり

起こりうる内的葛藤

- 妄想にとりつかれる
- （自分に危害を加える人々から逃げ隠れしながら暮らす生活が続く場合）疲労し、自由が奪われ続けているせいで苦しむ
- じわじわと追い詰められるなか、自分の使命や高邁な目標に忠実でいようとする
- 自分が助かりたいばかりに、かよわい仲間を見捨てたい誘惑に駆られる
- 愛する人たちが自分に近づこうとする敵に巧みにだまされた、または危害を加えられたために、罪悪感にさいなまれる
- 他の人たちに頼れば彼らが危険にさらされるが、頼らざるを得ない
- 降参して、潜伏し続ける苦しみを終わらせたい誘惑に駆られる
- 誰を信用すればよいのかわからない

状況を悪化させうるネガティブな特性

強迫観念が強い、挑戦的、支配的、浪費家、凝り性、せっかち、衝動的、男くさい、物質主義的、神経質、妄想症、向こう見ず、わがまま、自己中心的

基本的欲求への影響

▸▸ 自己実現の欲求

隠れて生きる身では、自分にとって最善で、ありのままの人生を送ることはできないのが普通だ。脅威が過ぎ去るまでは普通の人生に戻れないため、自分にとっていちばん大切な夢を追いかけることは、一時的にお預けになるだろう

▸▸ 承認・尊重の欲求

脅威に立ち向かって闘わず、身を隠している自分のことを友人や愛する人たちは快く思わない可能性がある。また自分も、投降せずに逃げ続け、他の人たちを危険にさらしている状況を申し訳なく思うかもしれない

▸▸ 帰属意識・愛の欲求

逃亡中または長期間身を隠さなければならない場合、一人で生活する可能性が高いため、人の親切を受けたりしながら、他の人たちと一緒に暮らす生活を恋しく思うだろう

▸▸ 安全・安心の欲求

脅威が続く限り、この欲求が危ぶまれるのは明らかである

▸▸ 生理的欲求

見つかってしまえば、危害を加えられるか、殺害される可能性があるだろう

対処に役立つポジティブな特性

柔軟、冒険好き、用心深い、おだやか、慎重、規律正しい、控えめ、おおらか、想像豊か、独立独歩、几帳面、忍耐強い、粘り強い、臨機応変、利他的

ポジティブな結果

- 闘うのも選択肢のひとつだが、ときには後退し、自分の隊を再編成することも必要だと気づく
- 仲間たちが加勢するまで、または物資が到着するまで時間を稼ぐ
- ささいな物事に感謝し、多くを持たなくても満足できるようになる
- 目立たないように行動するための新たなスキルを身につける
- 誰もが敵というわけではなく、この世には善人もいることを知る
- 危機一髪のときにとった、とっさの判断が正しかったため、自信を深める
- 禁欲さを身につけ、苦難の中でも高邁な目標に忠実であり続ける

NOTE

キャラクターが脅威から身を隠さなければならない状況に直面するシナリオはいくつも考えられる。この項目では、キャラクターが見つからないように逃げなければならないときの、緊張度が高く、あわやという危機が何度も訪れる例を豊富に紹介しよう。

目撃者が脅迫される

〔英 Witness Intimidation〕

具体的な状況

- 犯行を目撃したあと、名前を名乗らない人物から連絡が来て、口外するなと警告される
- 自分の別れた配偶者と関係のある悪党たちに、沈黙するように脅迫される
- 内部告発者を黙らせるため、公にされればスキャンダルになるような、告発者の性的な写真が本人の元に送りつけられる
- 10代の子どもがいじめを目撃し、「口外すればお前もいじめてやる」と脅される
- 担任教師が評判を落とすような行為をしている姿を目撃した生徒が、「試験に合格するもしないもお前次第だ」と脅される
- 検察側の主要な証人が、年老いた母の家に悪党が忍び込んだことを知る
- 陪審員が脅迫状と共に、監視されているわが子の姿が写った写真を受け取る

引き起こされる軽度の問題・困難

- まともに頭が働かない
- 自宅にいてもびくびくし、安心できない
- 人に見られ、監視されている気がする
- 有罪を証明する証拠を隠さなければならない（その証拠をもとに脅されている場合）
- 友人や愛する人たちに連絡を入れ、警戒させないように、さりげなく無事を確認する
- なぜそんなに黙り込んでいるのか、または気がそぞろなように見えるが大丈夫かと訊かれ、うまくはぐらかさなければならない
- 自分を罪に陥れようとする手紙や小包がさらに届くのではと心配し、万が一届いた場合は、家族に自分の秘密がばれないように、自分が受け取れるよう待機しなければならない
- 脅迫の内容を警察に知らせるか否かで悩む
- 証言するか、それとも「記憶違いだった」と述べて事件をうやむやにするかを決めなければならない
- あらゆる人に「ああしろ、こうしろ」と言われる
- ぐずぐずしているうちに状況が悪化する
- 愛する人たちに、ある決断をするよう圧力をかけられる
- 不眠症や潰瘍、高血圧などの体調不良に悩まされる
- 仕事や学業に集中できない
- 気が散って、いらいらしているので、配偶者や子どもたちと揉める

起こりうる悲惨な結果

- 最初の脅迫を真剣に受けとめなかったので、注意を促す目的で再び脅迫される（無差別攻撃を受ける、愛する人がひき逃げに遭う、自宅に誰かが押し入るなどと示唆される）
- 他の人たちに目撃内容を口外したせいで、その人たちも狙われる
- 自分を脅迫しているのと同じ者たちによって他の目撃者が殺される
- 自分が信用していた人たち（警察、上司など）が事件に関わっていた事実を知る
- 自分の口を封じようとして、家族が誘拐される
- わが子たちが恐怖に怯えながら暮らす
- 身を隠さなければならない
- 家族を遠くへやるが、目的地に到着していないことが発覚する
- 証言するのを拒否するか、供述を撤回するように、上から圧力をかけられる（銀行が債権を回収しにくる、事業が立ち行かなくなるような制裁が加えられるなど）
- 圧力に屈して証言を変える
- 自分が声を上げなかったため、脅迫者が他の人たちにも危害を加える
- 脅迫に抵抗して証言をしたため、無実の罪を着せられる
- 暗殺されそうになる

- 永遠に黙らせるために、捕らえられて殺される

結果として生じる感情

怒り、苦悩、不安、裏切られる、反抗、絶望、自暴自棄、不信、幻滅、疑念、怯え、弱体化、決まり悪さ、危惧、狼狽、自信喪失、怖気づく、パニック、疑心暗鬼、無力感、後悔、自己憐憫、苦しみにもがく

起こりうる内的葛藤

- どうしたらいいのかわからない
- 脅迫に抵抗するか屈するかの間を揺れる
- 「ああすべきだった」「もしもあのとき……」と後悔で頭がいっぱいになる
- 何が正しいのかはわかっているが、怖くてそれを実行できない
- 脅迫を受けていることを誰かに打ち明けたいが、その人の身に危険が迫る事態は避けたい
- 間違ったことだとわかっていても、脅迫者たちの命令に従うべき理由を探してしまう
- 声を上げると、自分の人生が見境もなく台無しにされるのではと心配する
- 脅迫者の要求に屈すると、今後も脅迫され続け、二度と安心できないし、自由でいられなくなるのではないかと恐れる

状況を悪化させうるネガティブな特性

無神経、無気力、挑戦的、臆病、皮肉屋、愚か、忘れっぽい、だまされやすい、うっとうしい、神経質、妄想症、悲観的、自滅的、卑屈、愚直、激しやすい、意気地なし、心配性

基本的欲求への影響

▸▸ 自己実現の欲求

脅迫されていると、目の前で起きていることや、それに対して自分がとるかもしれない行動が、即座にどのような結果をもたらすのかばかりを考えてしまい、将来に目を向け有意義な関心事を追求する時間や気力が残らなくなるはずだ

▸▸ 承認・尊重の欲求

何が正しいのかはわかっているのに、怯えてそれを実行できないと、自己像がけがれてしまうだろう。また「正しい」決断を下さない自分に、他の人たちが愛想を尽かすことも考えられる

▸▸ 帰属意識・愛の欲求

脅迫されていることを恥じて、または愛する人たちを巻き添えにしたくないばかりに、誰にも相談しないことが多く、精神的な支えを最も必要とするときに孤独になる

▸▸ 安全・安心の欲求

脅迫を受けていると、自分の身の安全は常に脅かされる。脅威が取り除かれるまでは安心できないだろう

▸▸ 生理的欲求

極端な場合だが、道義に反したことを平気でする権力者なら、自分の秘密が露呈しないよう、あらゆる手を尽くし、秘密を知る者を殺害することも考えられる

対処に役立つポジティブな特性

大胆、おだやか、慎重、自信家、協調性が高い、勇敢、決断力がある、如才ない、控えめ、熱心、気高い、独立独歩、影響力が強い、公明正大、情熱的、忍耐強い、粘り強い、責任感が強い、奔放

ポジティブな結果

- 正しいことを実行するのは不可能に思えたが、正義をつらぬくことができて、自信を深める
- 悪を正すことができる
- 脅迫されているのは自分だけではないと知り、その人たちと協力し合ってそれを阻止する
- 他の人たちにとってのお手本になる

その他の困難

- 嫌な人に邪魔される
- 記憶を失う
- 恐怖心や恐怖症が頭をもたげる
- 健康問題が生じる
- 自殺を考える
- 指導者の立場を強制される
- 自分が何をしたいのかわからない
- 自分を許すことができない
- 信仰の危機が訪れる
- セキュリティをくぐり抜けねばならない
- 楽しみにしていたイベントが中止になる
- 特定のグループに潜入しなければならない
- 肉体疲労
- 人間の死体を発見する
- 望まない超能力がある
- 呪いをかけられる
- 人違いされる
- 魔法をかけられる
- 無意識に抑圧されていた記憶が蘇る
- 盲目的に人を信用しなければならない
- もっともらしい嘘をつかなければならない
- 予定が突然変わる
- 悪いタイミングで悪い場所に居合わせる

嫌な人に邪魔される

〔英 An Unwanted Intrusion〕

具体的な状況

- 宗教勧誘員がドアベルを鳴らす
- 自分がハイになっているとき、またはパートナーとロマンチックなひとときを過ごそうとしているときなど、都合の悪いときに客が来る
- デートの最中に元恋人に声をかけられる
- 不快な人がしつこく誘ってくる
- 過去に自分を虐待し、傷つけた人がメッセージを送ってくる
- （過去にいざこざがあって）口をきかない関係の人にばったり出くわす
- 接近禁止命令を出されている人が自宅に姿を現す
- 義理の家族が職場に自分を訪ねてくる
- 仕事をしようとしているのに友人がアパートに立ち寄る
- おしゃべり好きな家族が休日に電話をかけてくる
- 「ボランティアに協力してくれませんか」といつも人に尋ね回っている慈善事業のコーディネーターに話しかけられる
- お金を貸してほしいと親戚から電話がかかってくる

引き起こされる軽度の問題・困難

- 礼儀正しく接したくないが、そうしなければならない
- 会話がぎこちない
- 迷惑な人に耐えなければならない
- 本心を隠そうと努める
- 会話をできるだけ早く終わらせるための口実を考える
- 訪問者に帰ってもらうために嘘をつくが、あとでばれる
- 話したくない態度を露わにしているのに、相手に通じていないので、その場を去ろうとしても離れられない
- その人を招き入れざるを得ないような気持ちになる
- 就業時間内に訪問を受けたことを上司に叱られる
- 訪問者によって楽しみが中断される
- 邪魔が入ったため、生産性が落ちる
- （会議、子どものお迎え、デートなどに）遅刻する
- 別の機会にも顔を合わさなければならない人なのに、ぶっきらぼうな態度をとる
- 相手が聞く耳を持たない、または察しが悪いため、無礼な態度をとらなければならない
- 友人、恋人、または配偶者の前でばつの悪い思いをする

起こりうる悲惨な結果

- 嫌な人から訪問を受けたことについて他の誰かに文句を言っていたら、本人に伝わってしまう
- 相手の言うことを失礼にならないように、あるいは優しく聞いてやっていたら、それを利用される
- 邪魔な訪問客がなかなか去らないせいで、現在の恋愛関係が危うくなる
- 公の場で相手に激怒し、2人の関係が余計に悪くなる
- 自分をかつて虐待していた人物が再び目の前に現れ、安心感が奪われる
- 相手を招き入れたあとに、自分を襲うため、自宅に押し入るためなどの策略だったことに気づく
- 邪魔をしないでほしいと相手にはっきりと断ったため、相手が復讐しようとする、またはストーカー行為に走る
- 有害な人物を再び自分の人生に招き入れてしまう

結果として生じる感情
動揺、いらだち、不安、根に持つ、軽蔑、不信、怯え、狼狽、フラストレーション、罪悪感、憎しみ、屈辱、自信喪失、怖気づく、立腹、緊張、圧倒、パニック、疑心暗鬼、反感、疑惑、心配、脆弱

起こりうる内的葛藤
- 落ち着きを失わず、冷静になろうと努める
- 何か言ってやりたいが、言えば後悔するのはわかっている
- 一応は友好的に応対するが、これ以上訪ねてこないように、よそよそしい態度を見せたい
- 相手に対して抱いている恨みをなかなか払拭できない
- 相手に引き取ってもらうには何を言えばいいのか、または何をすればいいのかわからない
- 相手を遠ざけたい、または近くにいてほしくないと思っていることに罪悪感を覚える
- 自分の家なのに弱い立場に立たされているような気持ちになる、または安心していられない
- フラストレーションや怒りが、礼儀正しくしようという気持ちとせめぎ合う

状況を悪化させうるネガティブな特性
無神経、無気力、意地悪、挑戦的、防衛的、不正直、失礼、つかみどころがない、とげとげしい、偽善的、不安症、手厳しい、操り上手、大げさ、悲観的、恨みがましい、愚直、執念深い

基本的欲求への影響
▸▸ 自己実現の欲求
思いがけない訪問者が、特に都合の悪いときに自分の空間に侵入してくると、その人をもてなして平穏を維持しなければならないという気持ちと、自分の時間を楽しみたいという欲求のバランスをうまくとれず、内面に摩擦が生じる可能性がある

▸▸ 承認・尊重の欲求
過去に自分を虐待した人や、自己嫌悪に陥らせた人に再会すると、自己肯定感が低かった昔の気持ちを思い出し、さらに自己肯定感を下げることが考えられる

▸▸ 帰属意識・愛の欲求
訪問者が家族や誰かとの共通の友人である場合、不親切に応対すると、他の家族や友人との関係が緊張するかもしれない

▸▸ 安全・安心の欲求
接触を図ってきた人物が自分を脅してくる、または過去に見せたのと同じ暴力的な態度を示す場合、当然のことながら、不安に陥れられるだろう

対処に役立つポジティブな特性
柔軟、感謝の心がある、芯が強い、魅力的、自信家、勇敢、如才ない、温和、正直、もてなし上手、謙虚、独立独歩、優しい、大人っぽい、客観的、楽観的、思慮深い、勘が鋭い、賢明、寛容

ポジティブな結果
- かつてのポジティブな人間関係が復活する
- 今回の訪問を利用して、人間関係を修復する
- 自分がしたいことを犠牲にして他人に奉仕することで、内面的に満足する
- 自分の感情を抑えられるように鍛え、健全な方法で相手に反応できるようになる
- 相手との間に健全な境界線を確立する

NOTE
楽しんでいる最中に人に邪魔をされるといらだつものだ。その邪魔者ができれば会いたくない人だった場合は特に迷惑である。事態を複雑にするために、嫌な人が訪ねてくる設定にしてみてはどうか。不快な人に言い寄られる場合は、上巻の「望んでいないのに言い寄られる」の項目を参照のこと。

記憶を失う

〔英 Experiencing Memory Loss〕

具体的な状況

- 何かの慢性疾患を発症し、短期記憶を失う
- 頭を強打し、記憶を失う
- 心に傷を負うような出来事を経験し、記憶が押さえつけられる
- 年をとり、直近の過去の出来事を思い出せなくなる
- 急性疾患を患い、一時的に記憶がなくなる
- 薬物を摂取しているせいで、認知機能が衰える
- 何かの薬をこっそりと飲まされ、記憶がなくなる
- 何日も眠れない日が続いたせいで、詳細を鮮明に思い出せない
- 心の健康に問題があり、過去の出来事を正しく思い出せない
- 強度のストレスを感じる状況が続き、ぼんやりとした記憶しかなく、詳細が思い出せない

引き起こされる軽度の問題・困難

- 他人から信用されなくなる
- 他人に憐れまれる
- やむを得ず自由が制限される
- それは記憶違いだと他の人たちに指摘されると、フラストレーションを覚える
- 物をどこに置いたかわからなくなることが頻繁になる
- やり方を忘れてしまい、料理や靴紐の結び方など日常的な作業に助けが必要になる
- ルールを覚えられなくなり、大好きだった趣味をあきらめなければならない
- 問題があることを認識できない
- 同じ質問や会話を繰り返していたことに気づき、嫌な気持ちになる
- 一文を言い終わらないうちに何を言おうとしていたかを忘れる
- 締切や予約を忘れてしまう
- しばらくの間、人に運転してもらい、あちこちに同行してもらう必要がある
- 自分の名前など、重要な個人情報を忘れる
- 愛する人や友人を認識できない

起こりうる悲惨な結果

- 自分が誰なのかが永久に思い出せなくなる
- 常に迷い、混乱している気持ちになる
- 安全に一人暮らしができなくなる
- 仕事ができなくなる
- 学業不振に陥る
- （健康面や金銭面のこと、パスワードの入力など）生活の諸々を他人に任せなければならなくなる
- 運転免許証を取り消される
- 記憶を助ける薬を服用するが、副作用で気分が悪くなる
- ケアホームに入れられるも、愛する人たちが訪問してくれたことを忘れてしまうので、見捨てられたような気持ちになる
- 記憶が失われていく自分の姿を見るのがつらすぎて、愛する人たちが遠ざかっていく

結果として生じる感情

動揺、怒り、根に持つ、混乱、防衛、拒絶、意気消沈、自暴自棄、不信、落胆、幻滅、決まり悪さ、フラストレーション、悲嘆、孤独、無力感、自己憐憫、恥、評価されない、気がかり、価値がない

起こりうる内的葛藤

- 何かを思い出そうと頑張るが、思い出せない
- どの程度の記憶喪失が正常で、どの程度が異常なのかがわからずに悩む
- 証拠があるにもかかわらず、自分には記憶の問題などないと自分に言い聞かせる
- 好きな活動を続けたいが、いろいろとできな

いことが出てきて、フラストレーションがたまる
- 腹が立って、他の人たちに八つ当たりしそうになる
- 記憶のない自分を恥ずかしく思う
- 記憶がどんどんと失われていくのではないかと心配する
- かつて得意だったことができなくなり、自己肯定感が下がる
- 自分を子ども扱いしたり、事細かく世話を焼いたりする家族に腹を立てるが、彼らの支援が必要なこともわかっている

状況を悪化させうるネガティブな特性

無神経、意地悪、幼稚、支配的、防衛的、いい加減、忘れっぽい、凝り性、気むずかしい、頑固、理不尽、神経過敏、悲観的、向こう見ず、意地っ張り、気分屋、協調性が低い、恩知らず

基本的欲求への影響

▸▸ 自己実現の欲求

自分を幸せにすることができなくなり、自分のアイデンティティの重要な部分や、自分にとって大切なことを思い出せなくなると、思い通りに自己実現するのは難しい

▸▸ 承認・尊重の欲求

記憶に問題があるのに診断が下りていないと、自分ではどうすることもできないことで批判され、問題を内在化させてしまう可能性がある

▸▸ 帰属意識・愛の欲求

家族の世話になることが増えてフラストレーションを表に出すと、家族に手荒に扱われたりして、自分は見捨てられ、愛されていないと感じてしまうかもしれない

▸▸ 安全・安心の欲求

記憶が失われ、誰かが見ていないと基本的な作業ができなくなると、自分自身だけでなく他の人たちにとっても、危険な環境が生まれる

対処に役立つポジティブな特性

柔軟、感謝の心がある、おだやか、自信家、協調性が高い、決断力がある、規律正しい、ひょうきん、幸せ、正直、謙虚、優しい、大人っぽい、楽観的、きちんとしている、粘り強い、臨機応変、責任感が強い、賢明、型破り、賢い

ポジティブな結果

- 記憶喪失に苦しむ人たちを励ます存在になる
- つらい経験を忘れる
- 人生に対してもっと前向きになり、ささいなことにも感謝する
- 介護人たちと親しくなる
- 自分ともっと一緒にいられるように、家族が近くへ引越してくる
- 早期に助けを求めて、失われた記憶を取り戻す、または記憶喪失の進行をとめる治療を見つける
- 治験に参加したおかげで、記憶力に改善が見られる

恐怖心や恐怖症が頭をもたげる

〔英 A Fear or Phobia Rearing Its Head〕

具体的な状況

- 以前は問題でもなかった、新たな恐怖症を発症する
- 誰かのふとした言動が引き金となり、恐怖を感じる
- 自分の恐怖心に向き合わなければ、他の誰かが苦しむ状況にいる
- 克服したと思っていた恐怖心が再び頭をもたげ、後退する
- 敵やライバルに自分の恐怖症を利用される
- 最善を尽くさなければならないときに、恐怖症の症状が出る

引き起こされる軽度の問題・困難

- (自分の恐怖症がめずらしい類のものである場合) 自分の本能的な反応に最初は困惑するが、あとでどうしてだろうと考え込む
- 一瞬凍りついて体が動かなくなり、一歩も前に進めない
- 自分の恐怖反応を他の人に勘づかれないようにする
- 体面を保つために嘘をつく
- からかわれる
- 恐怖に襲われて間違いを犯す、またはまずい決断を下す
- 配偶者やパートナーに勇気がないと思われ、見くびられる
- 悪夢を見る、または不眠症に悩まされる
- 恐怖を感じる引き金となるような事象を避けるため、不便ながらも予防策を講じなければならない
- 恐怖症を抑える薬を持ち歩いていないとき、恐怖に襲われる
- 恥ずかしい思いをしないよう、人付き合いを避けて自宅にこもる
- 人にあたり散らす (感情を間違った方向に向ける)

起こりうる悲惨な結果

- 恐怖に襲われて反応し、怪我をする (驚いて階段から落ちる、その場から逃げて車にひかれるなど)
- 人にひどく馬鹿にされ、自分の評判が傷つけられる
- 仕事で能力を発揮できない、欠勤が多すぎるなどの理由で職を失う
- 大切な趣味や娯楽をあきらめなければならない
- 好機を与えられたのに断り、仕事で活躍できる範囲が限られる
- 恐怖心のせいで愛する人たちに悪影響がおよぶ (親密さを恐れて結婚生活に亀裂が入る、人混みを恐れているため、人でにぎわっている場所には家族で外出できないなど)
- 相手に自分の恐怖心を理解してもらえず、友人関係や恋愛関係が崩れる
- 他のことにも恐怖を感じるようになる
- 不健全な問題解決法に頼る
- 恐れに屈し、恐怖に支配される
- 特定の出来事が引き金となって心に傷を負い、心的外傷ストレス障害 (PTSD) やひどい不安症、または妄想症を発症する

結果として生じる感情

苦悩、不安、懸念、気づかい、混乱、敗北、自暴自棄、嫌悪、怯え、弱体化、危惧、狼狽、戦慄、屈辱、ヒステリー、怖気づく、圧倒、パニック、疑心暗鬼、無力感、恐怖、脆弱

起こりうる内的葛藤

- 恐怖に支配されたくはないが、社会生活に影響が出るのを許してしまう
- 再発した恐怖症に再び立ち向かえるだけの強さが自分にあるのだろうかと悩む
- 絶望感を抱えて苦しむ

- 自分でどうにかできる状態ではなかったとしても、不快な反応を示したことに責任を感じる
- （恐怖心が妄想症へと悪化する場合）自分は正気なのだろうかと疑う
- 自分が示す反応は健全ではないとわかっているが、他にどう反応すればよいのかわからない
- 恐れてしまう自分を責める
- 自分は怖がっているのに他の人はそうでもないので、「劣等感」を抱く
- 自分の殻に閉じこもり、他人をシャットアウトするのは健全ではないとわかっているのに、そうしてしまう

状況を悪化させうるネガティブな特性

臆病、だまされやすい、不安症、理不尽、男くさい、大げさ、神経質、妄想症、悲観的、自滅的、迷信深い、意気地なし、心配性

基本的欲求への影響

▸▸ 自己実現の欲求

恐怖症と闘っている場合、奔放さに欠ける自分は、潜在能力を活かしきれていないと感じる可能性が高い。恐怖症を長く患い、それに向き合えていない状態が続くと、うまく社会生活を営めないことも考えられる

▸▸ 承認・尊重の欲求

恐れを克服できない、または健全な方法で恐れに向き合えないと、自尊心が持てなくなる可能性がある

▸▸ 帰属意識・愛の欲求

恐怖心や恐怖症のせいで他の人とうまく付き合えず、自分の人生に関わっている人たちが理解も同情も示さない場合、その人たちとの絆が壊れるかもしれない

▸▸ 安全・安心の欲求

恐怖症にかかると、何が実際に危険なのか、それとも自分が危険だと思っているだけなのかがわからなくなる可能性がある

対処に役立つポジティブな特性

柔軟、冒険好き、分析家、大胆、おだやか、慎重、自信家、勇敢、クリエイティブ、知的、注意深い、楽観的、勘が鋭い、積極的、臨機応変、スピリチュアル

ポジティブな結果

- 再発した恐怖症を克服する
- 恐怖に再び支配されないように、何が原因で恐怖症や恐怖心が出るのかを理解し、生活環境を変え、自分を大切にすることを最優先する
- 恐怖とうまく向き合うための新しくて効果的な方法を見つける
- 他の人たちを励ます存在になる
- 恐怖症を抱えて生きている人に対して思い込みのある人の考え方を変える
- 自分と同じ悩みを抱えている人たちと出会い、つながる
- 恐怖症を抱えていても、充実した幸福な人生を生きることができるのだと気づく
- 恐怖にもめげず、勇気と精神的回復力を振り絞って底力を見せ、困難を乗り越える
- 同じ物事に恐怖を覚える人たちと出会い、自分一人ではなかったことに気づく

健康問題が生じる

〔英 A Health Issue Cropping Up〕

具体的な状況

- 同僚から風邪などの重症化しないウイルスに感染する
- わが子が学校から病気をもらってくる
- 愛する人が病気になり、看病をするうちに自分も感染する
- 持病が悪化する
- 持病から新たな合併症を併発する
- ワクチンを接種していないため、またはワクチンを接種してから随分時間が経っているため、病に感染する
- 他の家族も持っている遺伝性疾患を自分も抱えている事実が発覚する

引き起こされる軽度の問題・困難

- イベントや家族の集まりに参加できない
- 少しの間、日常的な作業ができなくなる
- 病気休暇が残っていない
- 他の人に病気をうつす
- 病気のせいで顔色がさえない
- 他の人たちに心配をかける
- 人に面倒を見てもらわなければならない
- すぐに医者にかかるための健康保険またはお金がない
- 長期にわたり疲労感が続く
- 頻繁に休息しなければならない
- 病気のせいで弱々しい気持ちになるのが嫌で仕方がない
- 病気のせいで頭がぼんやりするのを何とかしようとする
- 病気で気分が悪いにもかかわらず、働かなければならない
- 病気なのに出社したことを叱られ、家に帰される
- 隔離されている間、孤独を感じる
- (病気がちの場合) 他の人たちに虚弱または繊細だと思われる
- 他の人たちに大げさな人、または健康ばかり心配している人だと思われる

起こりうる悲惨な結果

- ちょっとした健康問題だったのに深刻になる
- 今の症状はより深刻な病の兆候だと知る
- 知られている治療がどれも自分には効かない
- 入院しなければならない
- 高額な医療費がかさみ、破産手続きをしなければならない
- 働き続けることができない
- 合併症を併発して後遺症が一生残る
- 学校を休む日があまりにも多く、進級または卒業できない、奨学金を失う
- ばい菌に感染するのを恐れるようになる
- 免疫障害をもつ愛する人に病気をうつしてしまう
- 末期疾患だと告げられる

結果として生じる感情

動揺、不安、気づかい、敗北、拒絶、失望、落胆、羨望、フラストレーション、短気、孤独、むら気、ネグレクト、圧倒、無力感、屈服、悲しみ、自己憐憫、陰気、脆弱、旅行熱、気がかり

起こりうる内的葛藤

- 病気になった自分を責める
- 仕事や学業がうまくいかず、フラストレーションが募る
- 自分が病気になり、病気の家族の世話ができず、罪悪感を覚える
- 最悪の状況を想像し、思考が堂々めぐりになる
- 診断が実際よりも悪いのではないかと怯える
- 他の人たちと一緒にいたいが、隔離されなければならない

- 責任を果たせず、他の人たちを失望させたことに罪悪感を覚える
- しなければならないことのリストがどんどんと長くなり、ストレスを感じる
- 今後も様々な疾患にかかるのではないかと、異常なほど気にしすぎる
- （イベントに参加したい、人にあれこれかまわれたくないなどの理由で）病気が深刻であることを人に言いたくないため、嘘をつきたくなる

状況を悪化させうるネガティブな特性

支配的、防衛的、気むずかしい、生真面目、せっかち、理不尽、無責任、大げさ、うっとうしい、妄想症、悲観的、意地っ張り、協調性が低い、恩知らず、うぬぼれ屋、不満げ、仕事中毒、心配性

基本的欲求への影響

▸▸ 自己実現の欲求

病気になっている間は、自分の潜在能力を活かしきれず、自分は不完全燃焼の人生を送っていると思ったり、自分は不幸だと感じるかもしれない

▸▸ 帰属意識・愛の欲求

自分の世話をしなければならない家族が腹を立てている、または、いやいや面倒を見ている場合、自分は求められていない、または愛されていないと感じはじめる可能性がある

▸▸ 生理的欲求

病気のせいで不眠や食欲不振になったり、水分を十分にとれなかったりして、自分で自分の面倒を見られなくなる可能性がある

対処に役立つポジティブな特性

柔軟、感謝の心がある、芯が強い、協調性が高い、ひょうきん、温和、幸せ、謙虚、内向的、従順、楽観的、忍耐強い、粘り強い、積極的、臨機応変、責任感が強い、賢明、スピリチュアル、奔放

ポジティブな結果

- 健康を意識するようになり、持病がいつ悪化するのかを予測し、予防できるようになる
- 仕事を休み、体を休めることができる
- 自分の症状と治療方法への理解が深まる
- 家事などを一時的に手伝ってくれる人が見つかる
- 元々内向的なので、隔離期間をうまく利用して、一人の時間を楽しむ
- 自分の世話をしてくれる人との関係が改善する
- 病気で休んでいる間、読書やビデオゲームなど、したかったことに没頭できる

NOTE

この項目では、急性または慢性の疾患や症状など、不都合なときに浮上する健康問題を扱う。怪我などの傷が原因で起きる健康問題はここでは扱わないので、「怪我をする」の項目を参照のこと。

自殺を考える

〔英 Contemplating Suicide〕

注意：本項目の内容はトラウマを誘発する危険もあります。注意して読み進めてください。

具体的な状況

- 引きこもって、家族の集まりにも参加しなくなる
- いつも寝てばかりいる、または睡眠不足が続いている
- 悲しみや鬱状態が長引いている
- 不潔にしていても気にしなくなり、身なりにかまわなくなる
- 「気持ち的に追い詰められている」「人の重荷になっている」「死にたい」などと口走る
- リストカットなどの傷跡が隠せないほどになって見えている
- かつては楽しんでいた活動や趣味をやらなくなる
- （薬物の使用、避妊具を使わない性行為、危険運転など）向こう見ずな危険行為をする
- 自殺の方法を調べる
- 自分の所有物を手放す
- 自殺の計画を練る
- 人に助けを求める、セラピーを受けるなど、予防策を講じる
- 自殺を図るが、未遂に終わる（SOSを送るつもりの自殺未遂も含める）
- （耐えがたい重圧から自分を解放すると心を決めているので）急に落ち着いて見えたり、幸せにすら見えたりする

引き起こされる軽度の問題・困難

- 他の人のために幸せそうな顔をしなければならない
- 家族からの質問や気づかいを避ける
- （怒りや絶望など）激しい感情がこみ上げてくるのを隠さなければならない
- （心の痛みが表面化して）体に不快な痛みを感じる
- 自殺の計画や道具、インターネットの検索履歴を他の人に見つからないようにする
- 「あなたの精神状態を心配している」と人に言われ、たじたじになる
- 何事にもあまり喜びを感じることができない
- セラピーを受けさせられる、薬を飲まされるなど、強制的に予防治療を受けさせられる

起こりうる悲惨な結果

- 心と体の痛みに圧倒されたような気持ちになる
- 自殺を考えていることを人に話したが、真剣に受けとめてもらえない
- 「大げさに考えすぎだ」「自殺しても解決しない」など、状況を余計に悪化させる助言を受ける
- 何か大きなこと（またはささいなこと）が起き、正気でいられなくなる
- 近しい人が自殺し、自殺がより現実的に感じられ、自分にもできそうに思える
- 鬱がひどくなる
- 頻繁に自殺を考えるようになり、頭から離れなくなる
- 自殺を試みる
- 自殺する

結果として生じる感情

怒り、不安、葛藤、敗北、絶望、疑念、怯え、苦痛、孤独、圧倒、無力感、自己嫌悪、恥、苦しみにもがく、価値がない

起こりうる内的葛藤

- 人生は二度とよいほうへ向かわないのではないかと恐れる
- 助けや支えを必要としている自分は、人の重荷になっているのではないかと感じる

- 一人で絶望感を深め、自分には価値がないとばかり考えている
- 自殺を考えたくないが、その思考をとめる方法がわからない
- 人生にもよいことがあると頭ではわかっているのに、それが見えない
- 大きなことにも、ささいなことにも耐えられないような気持ちになる
- 本当に自殺をしたら、誰が傷つくのかがわかっているので、罪悪感にさいなまれる
- 助けが必要だが、弱々しいとか、欠陥があるとか思われたくない
- 自殺を考えているのは問題だと認めたくない
- 自殺をしても解決にならないのはわかっているが、何としてでも苦しみから逃れたい

状況を悪化させうるネガティブな特性

依存症、強迫観念が強い、つかみどころがない、病的、悲観的、向こう見ず、自滅的、寡黙、引っ込み思案

基本的欲求への影響

▸▸ 自己実現の欲求

自殺を考えていると、自分には目的や希望がないと感じるかもしれない。そうなると、当然ながら、日々生きていくのが精いっぱいになる

▸▸ 承認・尊重の欲求

精神的に苦しんでいると、自分には価値がないと感じる可能性がある。その気持ちが強まると、自分などいないほうが世の中はよくなると言って自分を偽りやすくなる

▸▸ 帰属意識・愛の欲求

自殺したくなるほど苦しんでいると、引きこもりがちになり、支えが絶対に必要なのに孤立してしまうことが考えられる

▸▸ 安全・安心の欲求

自殺願望が強くなると気持ちが脆くなる。危機を乗り切る力がすり減れば、自分を傷つける可能性は高くなる

▸▸ 生理的欲求

状況が変わらず、必要な助けも得られない場合、自分の命を自ら絶つ可能性が高くなる

対処に役立つポジティブな特性

感謝の心がある、芯が強い、協調性が高い、勇敢、クリエイティブ、太っ腹、正直、客観的、楽観的、正義感が強い

ポジティブな結果

- 自殺願望が強くなったときに、いつでも話を聞いてくれる人を見つける
- 暗い考えを押しのけるのに役立つ対処法を見つける
- 自殺願望の原因（心の健康問題、心の傷、憂鬱など）を特定することができ、助けを求める
- 自分が得意なことや、思索、慈善活動、瞑想などを通じて、生きる目的を見つける
- 他の人が自殺願望を持っているときの兆候に気づき、賢明な相談役になって、その人の話に耳を傾ける

NOTE

自殺を考えるのは、様々な種類のトラウマや心の健康の問題を抱えているときが多い。誰かを失って落ち込んでいるときや、ふさぎ込んでいるときなど、人生のつらい時期を過ごしているときなどもそうだ。自殺を考えていると、自分一人で何もかも抱え込んでしまいがちで、それ自体が深刻な葛藤の原因になる。人が自殺を考えるときは、苦しみの重さに耐えかねているはずなので、書き手は、キャラクターの置かれている状況や、キャラクターが自分自身をどう見ているのかをよく見極めてから、このコンフリクトを用いるようにしよう。

書き手であるあなた自身が自殺を考えるほど苦しんでいる場合、この項目を読むと、さらにつらい思いを引き起こしかねません。あなたが今そうした状況にいるのなら、私たちがあなたを気にかけていることを忘れないでください。そして誰かと話をしてください。多くの国でホットラインが用意されていますから。

指導者の立場を強制される

〔英 Being Forced to Lead〕

具体的な状況

- 企業のオーナーが亡くなり、その地位を引き継ぐ立場にある
- 生きるか死ぬかの緊急事態が発生し、誰かが仕切らなければならない
- グループプロジェクトに参加するが、リーダーになってくれる人が誰もいない
- 誰も就きたがらない指導者的な役割に就くよう脅される
- 敵陣の背後にある軍事企業のトップに就かなければならない
- 他に誰もやりたがらないので、仕方なく抵抗組織のリーダーになる
- 医療危機の最中に保健省のトップとして責任ある立場に立たなければならない
- 職場でプロジェクトリーダーに任命される
- スポーツチームを率いる人がいないと解散になるので、自分がリーダーになるしかない
- ある領域でリーダーになれる資格を持っているのが自分しかいない
- 負債を抱えている自分に、リーダーになって成功すれば報酬を約束すると声がかかる

引き起こされる軽度の問題・困難

- 他の人たちからの批判に直面する
- 必需品や資源が欠乏し、リーダーとして何とかしなければならない
- 訓練を受けていない、経験がない、または無関心なグループやチームを統率する
- 自分がやりたいことをする時間が減る
- 責任感に伴うストレスに耐える
- うまく統率できず、他人からの信用を失う
- （統率力、機転、数字に強いなど）必要不可欠なスキルがない
- リーダーとして自分がどう行動すべきかについて、意見の合わない友人たちとの間に摩擦が起きる
- 下にいる人たちとの性格上の違いから、指導力を発揮するのが困難になる
- （自分の年齢、ジェンダー、人種など）不当な理由で自分の指導力に抵抗を感じている人たちがいる
- 無気力なため、または失敗に対する恐怖があるため、指導者でありながら、なるべく何もしない
- グループ内の誰かが自分の指導力に疑問を抱き、挑戦的な態度をとる

起こりうる悲惨な結果

- 大事なときに、恐怖で身動きがとれなくなる
- 屈辱的な敗北を経験する
- 左遷され、自分よりも能力の低い人が後継者になる
- 他人に迷惑をかけるような、まずい決断を下す
- 統率力がないために、自分の評判が台無しになる
- 命令に従わなければ、自分の命が危ない
- 外部で自分を助けてくれる人や気晴らしが見つからない
- 自分の努力を妨害しようとしている者がいることが発覚する
- 失敗するよう罠にはめられていることに気づく
- （身びいきをした、会社の資産を自分の利益になるように利用した、人を差別したなど）倫理に反した決断を下したせいで、他の人たちから敬意を払われなくなる
- 八方ふさがりのときに指導力を発揮するよう期待される
- 部下が死亡する
- 完璧であろうとして、無理な基準を自分に強いる
- 勝つ見込みがない状況に直面する

結果として生じる感情
不安、懸念、気づかい、混乱、拒絶、自暴自棄、不信、疑念、怯え、戦慄、劣等感、自信喪失、怖気づく、緊張、懐古、圧倒、不本意、恐怖、あやふや、脆弱、気がかり

起こりうる内的葛藤
- 自分の指導者としての能力を疑う
- 決断を下しても、あとでいつもくよくよ悩む
- 指導者をやめたいのに、簡単にやめられない
- あのとき指導者になりたくないと単純に断っていれば、どうなっていただろうかと考える
- 責任者をやめたくて、プロジェクトを妨害することを考える
- パニック状態になり、頭がうまく働かない
- 大事なときに優柔不断になる
- 自分自身を信用できなくなる
- 自分に厳しすぎる

状況を悪化させうるネガティブな特性
冷淡、臆病、残酷、不正直、不誠実、いい加減、つかみどころがない、愚か、貪欲、せっかち、衝動的、優柔不断、理不尽、知ったかぶり、怠け者、見栄っ張り、向こう見ず、非倫理的、意気地なし

基本的欲求への影響
▸▸ 自己実現の欲求
リーダーとしての自分の主な責任が他の人たちのニーズに応えることでしかない場合、自分自身や自分のやりたいことに集中する機会は持てないと感じるかもしれない

▸▸ 承認・尊重の欲求
指導力がうまく発揮できないと、自分の評判が失墜し、チームから敬意を払われなくなる可能性がある

▸▸ 安全・安心の欲求
リーダーの立場に追いやられ、指導力を発揮できるかどうかに自分の仕事がかかっていると脆い気持ちになり、うまく統率できなければ、職を失うかもしれないと恐怖を覚えるかもしれない

対処に役立つポジティブな特性
柔軟、分析家、大胆、自信家、勇敢、クリエイティブ、決断力がある、如才ない、規律正しい、正直、謙虚、影響力が強い、知的、公明正大、優しい、忠実、客観的、きちんとしている、プロフェッショナル、責任感が強い、賢い

ポジティブな結果
- 他の状況でも使えるような指導力を身につける
- 自分の弱点を埋めてくれる人たちに仕事をふり、強力なチームを築く
- 他の人たちを安全または成功に導く
- 効果的に人を指導するには、どのテクニックがうまくいくか（またはうまくいかないか）を学習する
- 自分のとった行動が称賛される、または英雄とみなされる
- 人の命を救う
- 指導力を発揮して昇進する
- 指導者ぶりが板につく

自分が何をしたいのかわからない

〔英 Not Knowing What One Wants〕

具体的な状況

- どういう仕事をしたいのかを決められず、大学の専攻を頻繁に変える
- 恋愛関係にあるのに充実感が得られず、その理由がわからない
- CEOが、「それを見れば私たちが何を求めているのかがわかるはずだ」と、特定の従業員に新しいアイデアを何度も提出させる
- 真剣な付き合いができないため、恋人ができてもいつも別れる
- 妊娠したが中絶すべきかどうかを悩んでいる
- 得意分野をひとつに絞れず、事業を様々な方向に進める
- 人生の重要な選択肢について、態度をはっきりさせることができずにいる

引き起こされる軽度の問題・困難

- (タイムリミットが迫っている、愛する人が強引である、競争が行われているといった理由で)決断を下すよう圧力をかけられる
- 全容が見えないのに決断を下さなければならない
- 成功しない道を進んで時間を無駄にする
- 眠りが浅い、または不安な夢を見る
- 目指すものが頻繁に変わるので、費用がかかる
- 多芸は無芸
- 再教育を受け、新たなスキルや情報を学び続けなければならない
- 悪気のない親戚に将来はどうするつもりかといつも訊かれる
- 愛する人たちが勝手に自分の将来について明確な展望を持っていて、そのことにいらいらする
- どんな機会にも飛びつく
- 毎日、浅はかな気晴らしや気分転換ばかりしている
- 生活を守るため、プロジェクトに関心があると雇用主に嘘をつく
- 自分の仕事を嫌っている
- 複雑な感情を整理するため、セラピーに通わなければならない
- 自分の進む道を知っている集中力や決断力のある人たちと会話すると、いらいらする

起こりうる悲惨な結果

- あまりにも選択肢が多くて圧倒され、結局何も選ばない
- 前進する計画もなく、行き詰まりを感じる
- 他の人たちに自分のことを決めさせる
- 自分の決めたことがパートナーを傷つける
- 自分の決めたことを後悔する
- 他にすることがないため、行き詰まっているのに、現状の人間関係や仕事を続ける
- 仕事に対するやる気を疑問視され、昇給や昇進を見送られる
- 慣れたことをし続け、すばらしい機会を逃す
- (経済的損失を挽回できなくなる、配偶者が離婚を求める、チャンスが他の人に与えられるなど)、あまりにも長く待ちすぎて、最悪のことが起きる
- 事業がつぶれる、または家庭が崩壊する
- 他の人たちの助言に従うが、結果は惨敗で、惨めな思いをする
- 方向性もモチベーションもない自分に愛想を尽かして人が去っていく
- 情熱がまったく感じられない人生を送る
- 自分の人生の成り行きに落ち込む

結果として生じる感情

受容、苦悩、不安、懸念、葛藤、混乱、好奇心、意気消沈、絶望、不満、弱体化、決まり悪さ、羨望、罪悪感、短気、嫉妬、圧倒、自己嫌悪、恥、あやふや、旅行熱

起こりうる内的葛藤

- 決断を下せない自分には何か問題があるのだろうかと悩む
- 手本になる人たちと自分を比べ、自分には何かが欠けていると気づく
- 選択肢の是非を比較するが、どれもみな同じようによく見える、または悪く見えるため、決められない
- 自分のしたいことをはっきりとわかっている人たちを恨めしく思うが、そう思った自分のことを嫌な奴だと感じる
- 自分が何をしたいのかを知る前に家庭を築いたので、家族を重荷に感じる
- したいことはわかっているが、怖くてそれを追求できない
- 真実を悟られたくないため、うわついたふりをしているが、そんな自分を嫌っている

状況を悪化させうるネガティブな特性

依存症、反社会的、無気力、臆病、不正直、不誠実、いい加減、偽善的、無知、せっかち、衝動的、優柔不断、抑制的、不安症、理不尽、無責任、嫉妬深い、怠け者、完璧主義

基本的欲求への影響

▸▸ 自己実現の欲求

完全な自己実現とは、充足感を得るために何をしなければならないかを知っているということで、何がしたいのかわからない人は、それを知るのが難しい

▸▸ 承認・尊重の欲求

自分のことを気まぐれだ、煮え切らない奴だと思っている友人や家族には見くびられるだろうし、人に尊重されなくなると、自分が自分をどう見るかにも影響しかねない

▸▸ 帰属意識・愛の欲求

友人や家族が、人生の方向性が定まっていない自分に我慢できなくなり、もしもそれが彼らの将来の妨げになっていると感じたとしたら、自分を見捨てるかもしれない

対処に役立つポジティブな特性

柔軟、冒険好き、野心家、大胆、芯が強い、自信家、勇敢、クリエイティブ、決断力がある、規律正しい、温和、幸せ、想像豊か、独立独歩、勤勉、自然派、楽観的、情熱的

ポジティブな結果

- 可能性をいろいろと試し、人生で自分がやりたいことを見つける
- 重要な決断を先延ばしにし、気持ちが整理できたときに選択する
- したいことが見つかるのを待っている間に、現状で満足するようになる
- 賢明な友人や助言者に相談し、貴重な意見をもらう
- いろいろなことを試している間に、自分がしたくないことがわかってくる
- 成功のチャンスが遠のいていくが、自分が本当にしたかったことではないので、それでいいのだと気づく
- 自分に圧力や期待をかけている人たちから離れ、自分が本当にしたいことを発見する

自分を許すことができない

〔英 Being Unable to Forgive Oneself〕

具体的な状況

- 自動車事故で人に怪我をさせる
- 大切な人間関係を終わらせた責任が自分にもある
- 自分の監督下にある人が虐待またはネグレクトの被害に遭う
- 判断を誤って一生に一度のチャンスを逃す
- 自分の決断のせいで、家族の老後の貯蓄がなくなる
- 誘惑に負け、とんでもない結果を招く（浮気が原因で離婚にいたる、薬物におぼれて自分の夢が台無しになるなど）
- 自分の子育て方法が間違っていて、わが子に取り返しのつかないダメージを与えてしまったことに気づく
- 友人が苦境に立っているのに、助けることも相談に乗ることもしない
- （戦争中、ホームレス時代、幼少の頃などに）生き残るために道徳的一線を越える
- 自己防衛で人を殺す
- 愛する人が自殺する前、鬱のサインを見せていたのに気づかなかった
- おかしいと思っていたのに声を上げなかったせいで、その人が大量殺人事件を起こす
- 自分は罰を受けて当然だと思い込んでいるため、虐待されていても逃げない

引き起こされる軽度の問題・困難

- 謝らなければならないが、謝罪だけでは不十分だとわかっている
- つらい出来事を思い出すことになるが、家族たちには真実を伝える必要がある
- 状況を警察に話さなければならない
- 日々の仕事に集中できない
- セラピーを受けるために仕事を休まなければならない
- 状況を正す、または償う方法を考えようとする
- 日常作業においてさえも、自分に厳しくなりすぎる
- 自分のしたことを他の人たちが快く思っていない
- 自分の行動によって傷ついた人に遭遇し、何を言えばよいのかわからない
- 不安症を抱える、または悪夢を見る
- 愛する人たちが状況を読み違え、自己憐憫にひたっているだけなのだと思い込む

起こりうる悲惨な結果

- 精神状態が不安定で、日々のことになかなか集中できない
- 近しい人が自分を許そうとしない
- 間違いを正す方法が見つからない
- 思ったよりも他の人たちへの打撃が大きい
- 人目を気にしすぎて、または自分を恥じるあまり、自宅から一歩も外へ出ない
- 自分には価値がないと感じ、愛する人たちと距離を置く
- 自分の結婚生活が崩れる
- 訴えられる
- 有罪になる
- 過去の出来事に対して過補償になり、人をうんざりさせる（べったりと人に依存する、常に人の後押しを求める、過度に警戒するなど）
- 地域社会でのけ者扱いされる
- つらさに耐えるため自滅的な行為に走る
- （物を食べない、自傷行為に走るなど）極端な手段で自分を罰する
- 過去の出来事から完全には立ち直れない
- 自己嫌悪や鬱状態に陥る

結果として生じる感情

苦悩、不安、愕然、敗北、意気消沈、絶望、自暴自棄、打ちのめされる、嫌悪、疑念、弱体化、決まり悪さ、羨望、フラストレーション、

悲嘆、罪悪感、劣等感、孤独、自責、自己嫌悪、恥、苦しみにもがく、価値がない

起こりうる内的葛藤

- 前に進みたいのにできない
- 他の人たちは許しているのに、自分は自分を責め続けている
- あのときに戻ってやり直したいとくよくよ悩む
- 自分に非があるかないかにかかわらず、事故に対し責任を感じる
- 謝罪する必要があるのはわかっているが、勇気が出ない
- 誰もかれもが自分を非難し、決めつけていると思い込む
- 自分は無能で価値がなく、どこかに欠陥があると感じる

状況を悪化させうるネガティブな特性

依存症、臆病、残酷、皮肉屋、防衛的、不正直、つかみどころがない、愚か、偽善的、無知、衝動的、無頓着、頑固、理不尽、嫉妬深い、手厳しい、見栄っ張り、向こう見ず、自滅的

基本的欲求への影響

▸▸ 自己実現の欲求

自責の念に駆られ、自分には夢を追う価値などないと思い込んでいることで、夢の追求を拒む可能性がある

▸▸ 承認・尊重の欲求

自分を許せないでいると、自尊心が持てず、やがて自己嫌悪に代わっていく可能性がある。また、自分の過ちを他の人たちに責められ、許してもらえず、承認・尊重の欲求がまったく満たされなくなることも考えられる

▸▸ 帰属意識・愛の欲求

自分がとった行動のせいで人が苦しむのを見て、自分を許せずにいると、自分は愛されるに値しない人間になり果てたのだと思う可能性がある

▸▸ 安全・安心の欲求

自分を責め、危険行為に走る場合、身の安全が脅かされるだろう

▸▸ 生理的欲求

自分を憎むあまり、自殺を考える可能性がある

対処に役立つポジティブな特性

柔軟、感謝の心がある、芯が強い、自信家、規律正しい、温和、幸せ、謙虚、自然派、客観的、楽観的、思慮深い、哲学的、責任感が強い、賢明、スピリチュアル、奔放、賢い

ポジティブな結果

- 他の人たちに許されたことをきっかけに、自分を許すようになる
- 自分も含め、許しに値しない人などいないことに気づく
- 押し殺した感情に向き合えるようになる
- 助けを必要としている人たちのために、より力強い支援を提供できるサポートグループを作る
- 他人ともっとうまく意思疎通が図れるようになる
- 困っている人たちを助ける奉仕活動に携わり、心の平穏を見つける
- ストレスや否定的な考えを抑制するのに役立つ趣味を見つける

信仰の危機が訪れる

〔英 Having a Crisis of Faith〕

具体的な状況

- 礼拝の場で怪しい活動が行われていたことを知る
- 自分の宗教についての議論を耳にし、その信仰に疑いを持つ
- 成長して自分で物事を考えられるようになり、常に教わってきたことを疑いはじめる
- 道徳上の罪を犯したかどで、宗教のコミュニティから追放される
- 宗教の指導者が不純な思惑や許せない欠陥を持っていることが発覚する
- 世の中の宗教では救えない人々が苦しんでいる姿を見る
- とても克服できそうにない依存症に苦しんでいる
- 熱心に祈っているのに願い事が実現しない
- 愛する人が突然死ぬ
- 自分の信念体系には合わない宗教的理想を突きつけられる
- 宗教の教えの中には、絶対的真実として揺るぎないものもあれば、うち捨てられたものもあり、教えの矛盾を疑問視する
- 末期疾患を患い、希望がすべて奪われる
- 暴力的な犯罪の犠牲者になる
- 何度も流産を経験する
- 最善の努力をしたのに結婚生活が破綻する
- 次から次へとつらい体験をする

引き起こされる軽度の問題・困難

- 宗教の指導者に質問をするが、遮られる
- 依然として信仰を疑わない家族や友人と口論になる
- 宗教のコミュニティに自分のことを決めつけられる
- 宗教のグループを去るように、他の人たちから圧力をかけられる
- 信仰の危機を招いた困難に耐えるため、ネガティブな行為に走る
- 何が重要で、何を優先すべきなのかを考え直す必要がある
- 疑問に対する答えを探しているが、偏見のない情報源がなかなか見つからない

起こりうる悲惨な結果

- この世における自分の居場所を失ったような気持ちになる
- 愛する人たちと対立して不仲になる
- 心の支えを失う
- コミュニティの人たちに歓迎されなくなったと感じる
- 心の隙間を埋めるため、何かを探し求めていたところ、カルトに引きこまれる
- 間違った理由で自分の宗教を否定する（親に反抗するために、宗教が不健全だと咎めるものを受け入れるなど）
- 急に宗教グループを去ると決め、あとで後悔する
- 自分が知っていることは何もかも嘘なのではないかと恐れ、パニック発作を起こす

結果として生じる感情

怒り、裏切られる、根に持つ、葛藤、混乱、敗北、意気消沈、自暴自棄、打ちのめされる、落胆、幻滅、疑念、決まり悪さ、フラストレーション、悲嘆、苦痛、自信喪失、孤独、後悔、反感、価値がない

起こりうる内的葛藤

- 信仰心を持っていることが自分のアイデンティティの一部だったが、それを見直し、宗教が定める人生の選択肢を疑う
- 人生を新たに出直す必要があるのはわかっているが、そうする勇気がない
- これまでよい選択をしてきても、一度でも悪

い選択をするとそれが打ち消されるのではないか、または悪い選択が勝ってしまうのではないかと悩む
- 信仰の危機を乗り越えるだけの強さが自分にはないのではないかと悩む
- 自分が苦しんでいることを人に打ち明けたいが、一蹴されて聞いてもらえないのではないかと心配する
- 自分自身の欠点を人のせいにする
- 疑いを抱いている自分はだめな人間なのではないかと感じる
- 誰に話せばよいのかわからない
- 自分のアイデンティティと知っていることのすべてが、がらがらと落ち崩れ落ちていくような感覚を味わう
- 自分の永遠の魂はどうなるのだろうかと心配する

状況を悪化させうるネガティブな特性

無気力、強迫観念が強い、皮肉屋、偽善的、無知、せっかち、衝動的、不安症、知ったかぶり、物質主義、悲観的、偏見がある、向こう見ず、自滅的、意地っ張り、非倫理的、うぬぼれ屋、意気地なし

基本的欲求への影響

▸▸ 自己実現の欲求

自分が何者なのか、この世での自分の目的は何なのかが信仰によって定義されている場合、信仰心を失うと、自分の根本が揺るぎ、これまで信じてきたことを一から疑わずにはいられなくなるだろう

▸▸ 承認・尊重の欲求

信仰を疑う自分に罪悪感を抱いていると、自分をよく思えないかもしれない。宗教コミュニティ内の人たちも、疑念を抱く自分を快く思わないかもしれない

▸▸ 帰属意識・愛の欲求

自分が属すコミュニティにとって欠くことのできない信仰を否定すると、友情や支えを失い、だんだんとコミュニティへの帰属意識が薄れていくだろう

対処に役立つポジティブな特性

柔軟、感謝の心がある、芯が強い、自信家、クリエイティブ、規律正しい、外向的、気さく、ひょうきん、太っ腹、謙虚、独立独歩、知的、大人っぽい、客観的、楽観的、忍耐強い、思慮深い、スピリチュアル、賢い

ポジティブな結果

- 新たなものの見方をするようになる
- 失った信仰心を取り戻す
- 新たな友情を築く
- 人生の再スタートを切る
- 自分の信仰心を深めるような方法で信仰の危機を乗り越える
- 同じことで思い悩んでいる人たちを勇気づける存在になる
- 疑念をポジティブにとらえ、答えを探し求めるのも健全な信仰心の表れだと考える
- 問題は宗教にあるのではなく、それを代表する組織や人に問題があるのだと気づき、変化を起こそうと模索する

セキュリティをくぐり抜けねばならない

〔英 Needing to Circumvent Security〕

具体的な状況

- 銀行に侵入するために警備の目を盗む必要がある
- 脱獄を計画している
- ホテルで愛人と密会するために、監視カメラを避けなければならない
- 情報を入手するため、コンピューターシステムをハッキングする必要がある
- セキュリティの脆弱性を特定するため、ホワイトハッカーがネットワークシステムに侵入しなければならない
- 塀で囲まれた施設内に侵入し、中にいる人を誘拐する、または解放する
- 国境を越えて外国に不法侵入する
- 政治家や著名人の警護をかいくぐってヒットマンが近寄る
- 収蔵品を盗むため、警備員に見つからないよう美術館に忍び込む
- 自宅前で見張っている警察官に気づかれずに、そっと家を出る
- 敵対区域で敵軍の兵士たちをはぐらかさなければならない
- 違法の物を密輸するため、空港の保安検査場をうまく通り抜けなければならない
- 教師の目を盗んで生徒が学校から抜け出す
- パートナーと共同名義の口座からお金が引き落とされているのに気づき、オンラインで出入金の履歴を調べるため、パートナーのパスワードを推測しなければならない
- 未成年客がバーやナイトクラブにこっそりと入ろうとする

引き起こされる軽度の問題・困難

- 細かいことまでびっしりと決めた計画を練る
- 様々なスケジュールや設計図を手に入れておく
- ありとあらゆる不測の事態を考慮しておく
- 計画を成し遂げるのに十分な時間とプライバシーを用意する
- 怪しげで入手困難な物を、足がつかないよう入手しておかなければならない
- 後援を担当する人を信用しなければならない
- 親や配偶者、または計画に入っていない人に話す、辻褄を合わせるための作り話を用意しなければならない
- 雇った人を信用できない、または無能であることが発覚する
- 土壇場で変更があり、計画が崩れる
- 人に気づかれないようにしているときに、知っている人に声をかけられる
- 警報を鳴らしてしまう
- 部屋に侵入するときに、監視カメラを解除するのを忘れる
- 当局に呼びとめられ、もっともらしい嘘をつかなければならない

起こりうる悲惨な結果

- 見つかって仕事を失う
- 計画に勘づかれ、自分に対する警備や監視が厳しくなる
- 追手をかわすため雲隠れしなければならない
- 計画決行の日や予定が繰り上がり、慌てる
- 計画をいよいよ決行するというときになって、重要な人を失う
- しくじりを犯し、疑いの目を向けられる
- 利用するつもりだった貴重または意外な手段を失い、不意打ちに失敗する
- 見つかる
- 逮捕される
- 収監される
- 共謀者に裏切られる
- 警備の目をごまかそうとしたが失敗し、手ごわい敵に気づかれる

結果として生じる感情

いらだち、不安、懸念、気づかい、葛藤、混乱、自暴自棄、落胆、疑念、危惧、狼狽、フラストレーション、戦慄、短気、怖気づく、立腹、圧倒、パニック、不本意、あやふや、脆弱

起こりうる内的葛藤

- 自分や家族を守りたくなり、犯行の決行におよび腰になる
- 自分がこれからやろうとしていることについて罪悪感を覚える（しかし結局は実行する）
- 道徳的一線を越える必要があるが、それだけの代償を払う価値があるのかどうか悩む
- リスクが高い場合は特に、恐怖に屈しないよう自分に発破をかけなければならない
- 自分の価値観に疑問を感じ、自分が別の人間になりつつあるのではないかと悩む
- 計画を成功させるのに必要なスキルが自分にあるのだろうかと悩む
- やらねばならないことだができればやりたくない、でも自分がやらなければ、不正が続くのはわかっている

状況を悪化させうるネガティブな特性

生意気、挑戦的、臆病、いい加減、気まぐれ、愚か、忘れっぽい、貪欲、せっかち、衝動的、無頓着、優柔不断、向こう見ず、意地っ張り、知性が低い

基本的欲求への影響

▸▸ 自己実現の欲求

夢を実現する、または困難に立ち向かうために警備や監視の目を盗まなくてはならない場合、実行に失敗すれば満足感を得られず、自分に与えられたあらゆる可能性から遠ざかることが考えられる

▸▸ 承認・尊重の欲求

捕まると、自己嫌悪に陥るだけでなく、自分の評判が落ち、将来が台無しになる可能性がある

▸▸ 帰属意識・愛の欲求

愛する人たちと意見が食い違い、彼らが自分の目標や動機を快く思っていない場合、気まずくなって関係に亀裂が入るかもしれない

▸▸ 安全・安心の欲求

捕まれば拷問を受ける、評判が台無しになる、自由を失う、または愛する人たちから見放される場合、計画が完了するまでは心安らかではいられないはずだ

▸▸ 生理的欲求

準備に何が必要かによるが、目標を追求している間、睡眠や食事を省いたり、十分な休息をとらなかったりするかもしれない

対処に役立つポジティブな特性

用心深い、分析家、大胆、おだやか、慎重、魅力的、自信家、勇敢、クリエイティブ、決断力がある、控えめ、効率的、熱心、知的、几帳面、注意深い、きちんとしている、忍耐強い、勘が鋭い、粘り強い、臨機応変

ポジティブな結果

- （金、情報、自由、満足など）自分が求めていたものを手にする
- 自分のスキルに自信を持つようになる
- これからも一緒に仕事をできそうな有能な人たちのネットワークを見つける
- 計画を成功させたことで世間に認知される、または報酬を得る
- やってはいけないことが何かを学び、次回に活かす
- 目標に向かって自分がどこまで邁進できるか、自分の限界はどこにあるのかがわかるようになる

楽しみにしていたイベントが中止になる

〔英 An Anticipated Event Being Canceled〕

具体的な状況

- 悪天候のため、スポーツのイベントが中止になる
- 会場がダブルブッキングされていたため、会議の日程を変更しなければならない
- 新婚旅行の予定地が自然災害に見舞われ、行けなくなる
- 家族の誰かが死亡し、休暇旅行に行けなくなる
- 会場が改装中で、追って通知があるまでイベントが見送られる
- 警備上の不安があり、コンサートまたは集会が中止になる
- パンデミックのせいで、卒業式が行われない
- 慈善公演の司会者が病に倒れる、または突然亡くなり、公演が中止になる
- 土壇場で結婚式が取りやめになる
- 金銭トラブルに見舞われ、退職するつもりが無期延期になる
- 夫婦の片方が病に倒れ、結婚50周年記念の予定が中止になる

引き起こされる軽度の問題・困難

- がっかりする
- イベントの新しい日程が決まるまで待たなければならない
- イベントの準備に費やした時間を無駄にしたと嘆く
- 他人に八つ当たりする
- 中止の知らせを参加者たちに慌てて伝える
- 飛行機代やホテル代に費やしたお金が無駄になる
- 先払いしてあった諸費用を追跡し、返金の確認に時間を費やす
- イベント会場に着くまで中止のことを知らなかった
- 別の方法で時間をつぶさなければならない
- 楽しみにしていた子どもたちに中止になったことを伝えなければならない
- 腹を立てて文句たらたらの同行者と一緒に移動している間、明るく振る舞い続ける努力をする
- 予定を変更して、新たに計画を練り直さなければならない
- 詳細がほとんどわからず、予定変更をするのが難しい
- それほど親しくもない友人や知人に泊めてもらわなくてはならない

起こりうる悲惨な結果

- （テロ攻撃、建物の崩壊、突発的な吹雪など）身の安全が危ぶまれるような事件が起きてイベントが中止になる
- 一晩泊まる用意がなく、どこのホテルも満室なのに、泊まる場所を探さなければならない
- （末期疾患を抱えている、服役しなければならないなどの理由で）イベントに出かける機会はこれが最後だったのに、中止になった
- 慈善イベントが中止になり、受益者に寄付ができない
- イベント中止についてソーシャルメディアで長々と文句を垂れ流し、自分の評判を下げる
- イベント中止の決定をした人物や組織を激しく非難して騒ぎ立てたせいで、今後そのイベントには参加させてもらえなくなる
- 一生に一度の機会を逃す

結果として生じる感情

動揺、怒り、不安、裏切られる、根に持つ、混乱、拒絶、自暴自棄、失望、不信、不満、フラストレーション、短気、立腹、むら気、ネグレクト、無力感、激怒、後悔、自責、反感、自己憐憫

起こりうる内的葛藤

- （不慣れな場所で足止めを食っている場合）どこへ行き、何をしたらよいのかわからない
- 失望をなかなか払拭できず、前へ進めない
- イベントに行けず平静を失うが、（中止の理由が人の死だったため）中止くらいで動揺した自分が無神経だったと感じる
- （イベントに行くことについて複雑な気持ちでいた、他の参加者と確執がある、ホテルの部屋で一人静かな夜を過ごしたいなどの理由で）がっかりすると同時に安堵する
- 結婚式が中止になったのは単なる偶然ではなく、間違った相手と結婚しようとしているからかもしれないと不安になる

状況を悪化させうるネガティブな特性

無神経、幼稚、挑戦的、支配的、皮肉屋、失礼、傲慢、とげとげしい、頑固、理不尽、手厳しい、物質主義、大げさ、恨みがましい、甘ったれ、気分屋、執念深い

基本的欲求への影響

▸▸ 自己実現の欲求

イベントが自分の目標と密接につながっていた、または夢の実現への足掛かりだった場合、中止のせいで自己実現は後回しになるだろう

▸▸ 帰属意識・愛の欲求

イベントがずっと中止されたままで、そこでしか愛する人たちに会えない場合、彼らと一緒に時間を過ごせずにつらい思いをするかもしれない

▸▸ 安全・安心の欲求

泊まる用意も持たずに自宅から遠く離れた街に足止めを食った場合や、イベントを中止に追い込んだ危険な状況に巻き込まれた場合は、自分の身の安全が危ぶまれる可能性がある

対処に役立つポジティブな特性

柔軟、冒険好き、おだやか、魅力的、クリエイティブ、如才ない、おおらか、外向的、ひょうきん、想像豊か、独立独歩、優しい、大人っぽい、楽観的、忍耐強い、臨機応変、賢明、天真爛漫、倹約家

ポジティブな結果

- 知らない街を歩き回って一日を過ごす
- 一日を自分一人でのんびり過ごす
- 地元の人たちと交流し、新しい友だちを作る
- （イベントの主催側にいる場合）準備に費やせる時間が増える
- イベントの新たな日程が決まるのを我慢強く待った甲斐があって、大いに楽しむ
- 緊急事態が起きてイベントが中止になり、チケット代の返金分で急な支払いができる
- もし中止になっていなかったら、自分がいたはずの会場で惨事が起き、事件に巻き込まれていたので、命が助かった
- イベントに行かなくなったので、家族や旅行に一緒に行くはずだった仲間と、ゆっくり時間を過ごして絆を深める

特定のグループに潜入しなければならない

〔英 Needing to Infiltrate a Group〕

具体的な状況

- 証拠集めのため、おとり捜査官として犯罪組織に潜入する
- 病院から医薬品や医用品を手に入れるため、病気を装う
- 子どもに近づくため、デイケアの職員のふりをする
- スポーツの対戦チームを妨害するため、敵チームに入る
- ライバル会社の商品に関する情報を入手するため、その会社のデータベースをハッキングする
- 選挙の対抗馬の戦略を探るため、相手の選挙運動に加わる
- 情報を入手する目的で会社に就職する
- 自分も有名になれるよう、著名人と一緒に仕事をする
- 自分の社会的地位を高めるため、秘密結社に入ろうとする
- 家族を脱退させる目的でカルトに入る

引き起こされる軽度の問題・困難

- 攻撃計画を練らなければならない
- グループに入ろうとする前に、入念に別人になりすます準備をする必要がある
- すっと入り込めるように、団体の信念や儀式を研究しなければならない
- グループの他の人たちがよそよそしい、または歓迎してくれない
- グループに入るのを拒否され、もう一度挑戦しなければならない
- グループには簡単に入れたが、必要な物を手に入れることができない
- 自分の動機、望み、価値観、過去などについて嘘をつかなければならない
- 見つかって追放される
- しっぽを出してしまう
- 戦略を変える必要がある
- 内部の者が自分に疑いを持ちはじめる
- グループ内の言葉遣い、文化、しきたりなどの知識がない
- 他の人に見つかったら、身元がばれかねない物を持っている
- グループの一員として必要なスキルを持ち合わせていない
- 親しい友人や愛する人たちにも、自分の本当の目標や動機を秘密にしておかなければならない
- （真相を明かせないせいで）自分が家族的価値観を捨てつつあると思い込んでしまった他の家族との関係に摩擦が起きる

起こりうる悲惨な結果

- 嘘がばれる
- 捕まって起訴される
- 知っている人に気づかれ、グループへの関与を疑われる
- 失敗して仕事を失う
- 自分のチームの誰かが情報漏洩し、自分を危険にさらす
- グループ内の誰かと恋に落ちる
- 洗脳され、グループの価値観を自分の中に取り入れる
- 愛する人たちには受け入れがたいことを自分がしようとしているように見え、その人たちに拒絶される
- グループ内の友人に自分の動きを勘づかれ、友人をどうすべきか決めなければならない
- 殺される

結果として生じる感情

不安、懸念、気づかい、葛藤、反抗、幻滅、疑念、怯え、危惧、劣等感、自信喪失、怖気づく、緊張、圧倒、パニック、不本意、自己

憐憫、疑惑、心配、脆弱、用心、気がかり

起こりうる内的葛藤

- 見つかったらどうなるのかは考えないようにする
- 気づかれずにすっとグループの内部に入れる能力が自分にあるのだろうかと疑う
- おとり捜査官であることを隠し続けるため、道義に反したことをしたい誘惑に駆られる
- グループの人たちを嫌悪しているのに、彼らのことを親身に思っているふりをする
- だんだんとグループのイデオロギーや信条に抵抗しにくくなる
- 別人のふりをしているうちにのめり込み、自分が何者なのかがわからなくなる
- 状況が長引くにつれ、自分のやっていることに勝ち目があるのだろうかと疑問に思う

状況を悪化させうるネガティブな特性

反社会的、生意気、支配的、臆病、いい加減、気まぐれ、愚か、だまされやすい、衝動的、優柔不断、神経質、妄想症、反抗的、向こう見ず、注意散漫、気分屋、知性が低い、意気地なし

基本的欲求への影響

▸▸ 自己実現の欲求

道義に反する活動に従事したり、自分の才能や独自性を否定したりしなければならない場合、本当の自分らしく生きることができずにフラストレーションが募るかもしれない

▸▸ 承認・尊重の欲求

欲しい物を手に入れるために嫌なことまでしなければならない場合、自分が自分でなくなってしまったと思いはじめ、自己嫌悪に陥る可能性がある

▸▸ 帰属意識・愛の欲求

おとり捜査官として仕事をしていることを他の人たちには話せない場合、親しい友人や愛する人たちに、なぜ人に言えない仕事をしているのかと非難めいた目で見られるなどして、彼らとの関係が緊張するかもしれない

▸▸ 安全・安心の欲求

自分の正体がばれていないか常にびくびくしていると、安心できるときなどまずないだろう

対処に役立つポジティブな特性

用心深い、分析家、大胆、おだやか、芯が強い、魅力的、自信家、クリエイティブ、決断力がある、規律正しい、控えめ、効率的、熱心、知的、几帳面、注意深い、きちんとしている、忍耐強い、勘が鋭い、粘り強い、臨機応変

ポジティブな結果

- 惨事を阻止する
- 成功して昇進する
- グループの人たちに共感を覚える
- 思いがけない友情を築く
- 生還を果たす
- 今後のミッションにも使える新たなスキルや戦略を身につける

肉体疲労

〔英 Physical Exhaustion〕

具体的な状況

- 疲労がたまりすぎて、限界を超えてしまう
- 栄養失調や飢餓のせいで、体力が消耗している
- 病気のせいで、痛々しいほど体力がなくなる
- 寝ずに無理して起きているせいで、体調を崩す

引き起こされる軽度の問題・困難

- 手際が悪くなる
- 反応が遅れて、切り傷、火傷などの怪我をする
- 価値のある物を落として壊す
- 作業を終わらせることができない
- 疲労のせいで他の人たちを危険な目に遭わせる
- 判断を誤り、過ちにつながる
- 坂道を転げ落ちてまた登らなければならないなど、失敗を正したり挽回したりするためにさらに労力を費やすはめになる
- 愛する人たちに「体を休めたら」「他の誰かに代わってもらったら」と勧められて身構える
- 体力が消耗し、誰かに代わってほしいと頼まなければならない
- 疲れのせいで手が回らなくなった部分について、他の人たちに頼らなくてはならない
- 仕事の質が悪くてトラブルを起こす
- 自分に喜びをもたらす何かをする体力が残っていない
- 体がもたないので、友人や家族との予定をキャンセルしなければならない
- 長期の療養を余儀なくされ、時間が足りなくなる

起こりうる悲惨な結果

- 倒れて療養が長引き、予定が完全に狂う
- 疲労のせいで免疫系が弱り、重い病気にかかる
- 高所から落ちる、または怪我をする
- のこぎりを使っていて、板を支えていた人の手を切るなど、人の体を傷つける事故、または死亡事故を起こす
- 無理をして、一生後遺症が残る怪我をする、または一生続く慢性的な痛みを抱える
- 力が尽きてしまい、誰かを怪我させる
- 仕事で成果を出せていないため、名誉ある指導者の立場からはずされる
- 誰か別の人に一時的に代わってもらうが、その人のせいで自分の仕事がさらに増える
- 失敗が確実な人と交代する
- 迫る危険から人を救出できない
- 愛する人たちがゆっくりしたほうがいいと助言してくれたのに、それを無視したため、彼らの堪忍袋の緒が切れ、自分を信用しなくなる
- 他の人たちが自分を救出するはめになり、危険にさらされる

結果として生じる感情

怒り、苦悩、敗北、反抗、絶望、自暴自棄、決意、怯え、弱体化、決まり悪さ、罪悪感、屈辱、劣等感、無力感、後悔、反感、屈服、自己嫌悪、自己憐憫、恥、苦しみにもがく、評価されない、あやふや、脆弱、価値がない

起こりうる内的葛藤

- 疲れの兆候に気づくが、無視することにする
- 自分の体を大切にしたいが、そうすると他の人たちを失望させるのではないかと心配する
- このまま続ける体力がないのではと自分を疑う
- 重要な人たちに、自分は弱い、または信用できないとみなされるのではないかと不安になる
- 苦しんでいない人たちと自分を比べ、自分には何かが足りないのではないかと思う

- （自分を大切にしなかった、不健康だったなどの理由で悪いことが起きた場合）自己嫌悪や恥と格闘する
- 助けが必要なのはわかっているのに、プライドが高すぎて助けを受け入れられない
- 助けが欲しいが、それを必要としていることに腹が立つ

状況を悪化させうるネガティブな特性

無神経、生意気、気むずかしい、傲慢、とげとげしい、理不尽、大げさ、完璧主義、悲観的、偏見がある、恨みがましい、自滅的、協調性が低い、恩知らず、不満げ

基本的欲求への影響

▸▸ 自己実現の欲求

睡眠は生存に不可欠で、何よりも優先されるべきものである。睡眠に比べれば他のものはそれほど重要ではなく、疲労に苦しんでいるのなら、十分な休息がとれるまでは夢やしたいこと、趣味はいったんお預けにするべきだ

▸▸ 承認・尊重の欲求

疲労を感じると、身体的にも精神的にも弱くなり、やれることが限られてくる。そういう姿を他の人たちに見られると、弱々しいとみなされ、見くびられる可能性がある。自分でもそう思っている場合は、当然、自己肯定感が下がるだろう

▸▸ 帰属意識・愛の欲求

愛する人たちが自分のことを思って賢明な助言を与えてくれているのに、それに耳を傾けず無理し続けると、彼らとの関係が緊張するかもしれない

▸▸ 安全・安心の欲求

疲労がたまっていると手際が悪くなったり、反応が遅れたり、頭がぼうっとしたりして、怪我につながることがしばしば。長期間疲労をため込むと、病気にもなりやすい。つまり、疲労は様々な形で自分の身の安全と安心に影響をおよぼしている

対処に役立つポジティブな特性

- 冒険好き、野心家、勇敢、規律正しい、熱血、気高い、勤勉、大人っぽい、粘り強い、賢明

ポジティブな結果

- 疲労がたまりはじめたことに気づき、手遅れになる前に立ちどまって体を休める
- 体が疲れているのは自分のせいではなく、恥や決まりの悪さを感じることでもないと気づく
- 同じように疲労しきっている人たちにより深く同情するようになる
- 自分が助けを受け入れたがらない根本的な原因を特定し、それに対処する
- プライドをへし折られ、弱さは誰もが感じるものなのだと気づく
- 自分に警告してくれた人たちは、自分を気づかってくれていたからそうしたのであって、自分について決めつけをしていたわけではないことに気づく

人間の死体を発見する

〔英 Discovering a Dead Body〕

具体的な状況

- 森の中をハイキングしていて、下生えの中に転がっていた死体につまずく
- 家の改装中、壁の中に死体が隠されているのが見つかる
- 湖水を放水したら、底に人間の骨が見つかる
- 家庭清掃業者が冷凍庫の中を掃除していたら、死体の一部を発見する
- 友人の車のトランクの中から死体が見つかる
- 帰宅途中に夜道を歩いていると、路地に死体が転がっているのを発見する
- しばらく連絡がないので友人を訪ねてみると、変わり果てた姿になっているのを発見する
- 高齢の隣人を訪ねてみると、自宅で死んでいるのを発見する
- 爆撃、地震、または銃乱射事件のあとの捜索で遺体が見つかる
- 自動車の死亡事故現場に最初に駆けつける
- 辺鄙な場所で行われた、ぞっとするような儀式に使われた死体を発見する
- 戦場で負傷した味方の兵を安全な場所まで担いできたが、既に死んでいるのに気づく
- 殺人現場に最初に駆けつける
- 漂流しているボートに乗っていた全員が死亡しているのを発見する

引き起こされる軽度の問題・困難

- 死体に触ってもいないのに、自分がけがれたような気分になる
- 死体を目にして嘔吐する
- うっかり犯行現場を乱してしまう
- 起こったことを警察に供述しなければならない
- 死体を発見したせいで一日が台無しになり、楽しみにしていた予定を逃す
- 死体を発見した場所にこれ以上いてはいけないと身の危険を感じる
- 恐ろしいほど好奇心旺盛な人たちから質問攻めにされる
- 状況にうまく対応できなかったため非難される
- 不眠症に苦しむ
- 危険を感じる
- 死者の愛する人たちにいろいろと訊かれる
- 報道陣に追い回される
- 死体が発見されたと聞いて、わが子が怖がる
- （死体の一部が発見されたため）自宅が犯行現場と化し、一時的にどこかへ寝泊まりしなければならなくなる

起こりうる悲惨な結果

- （無罪にもかかわらず）犯罪に巻き込まれる
- 心的外傷後ストレス障害（PTSD）など、長期にわたる精神疾患を発症する
- 死について病的なほど執拗に考える
- 死体発見により、誰かがどうしても隠そうとしている秘密が明らかになる
- 犯人に脅迫され、供述を変えるか、詳細の一部を伏せるかしなければならない
- 犠牲者のことばかり考える
- 犯行現場に関して自分が覚えていることと、警察の報告書とが一致せず、警察による不正や隠蔽が疑われる
- 年齢が幼いために、自分が一体何を見たのか完全には理解できない
- 亡くなった人を実は知っていることが発覚する

結果として生じる感情

苦悩、不安、愕然、気づかい、混乱、好奇心、拒絶、自暴自棄、打ちのめされる、不信、嫌悪、怯え、危惧、狼狽、戦慄、ヒステリー、自信喪失、圧倒、パニック、疑心暗鬼、衝撃、唖然、恐怖、脆弱

起こりうる内的葛藤

- 驚きのあまり動けなくなり、まずは何をすれ

ばいいのかわからない
- 自分が何を目にしたのか、なかなか飲み込めない
- パニックになりそうなのを抑えようとする
- 目にしたものをどう説明すればいいのかわからない
- 自分にはどうすることもできなかったはずなのに、その人の死に責任を感じる
- 死体を発見したことを通報しなければならないのはわかっているが、巻き込まれたくない
- 死体にまつわるイメージが頭から離れない
- 犠牲者の最期や死に方が頭から離れない
- 自分もいつか死ぬのだという思いが頭から離れない
- 目にしたものが頭から離れず、夢に出てきそうなので、寝るのが怖い
- 恐怖や疑念など、様々な感情が次々とわいてきて圧倒される
- 死体を発見したときから自分の人生は変わってしまい、元には戻れないのだと感じる

状況を悪化させうるネガティブな特性

無気力、冷淡、臆病、残酷、不正直、失礼、邪悪、愚か、噂好き、不安症、無責任、手厳しい、病的、妄想症、注意散漫、疑い深い、協調性が低い、非倫理的

基本的欲求への影響

▸▸ **承認・尊重の欲求**

自分の供述を近隣の人々が信じない場合や、恐ろしい出来事に自分が巻き込まれる場合は、周囲の自分を見る目が変わるかもしれない

▸▸ **安全・安心の欲求**

殺人犯に追いかけられたり、死体から何かに感染したりするなど、死体に絡んだ様々な出来事が自分の身の安全を脅かす可能性がある

対処に役立つポジティブな特性

用心深い、分析家、おだやか、慎重、協調性が高い、勇敢、共感力が高い、気高い、純真、公明正大、優しい、大人っぽい、情け深い、几帳面、客観的、注意深い、勘が鋭い、責任感が強い、スピリチュアル、奔放、賢い

ポジティブな結果

- 犠牲者の愛する人たちが区切りをつけられるよう手助けする
- 発見された死体が証拠となって、長年の未解決事件が解決する
- 自分の協力で、犯人が犯行を繰り返す前に逮捕される
- 命の尊さをあらためて知る
- 地元で英雄扱いされる
- 行方不明者を発見し、その人にかかっていた賞金をもらう
- 尋常でない状況においても冷静さを失わなかったことを褒められる

望まない超能力がある

〔英 Having Unwanted Powers〕

具体的な状況

- 人が頭の中で考えていることが聞こえる
- 自分が触れるものはすべて塵に変わる
- 死んだ人を霊視できる
- 優れた聴力を持ち、何でも聞こえる
- 人の痛みを自分の身体で感じることができる
- 人の願いを叶えることができる（ただし自分の願いは叶えられない）
- 透明人間になれる
- すばらしい歌声を持っているが、一人でいるときにしか歌えない
- どんな重傷を負っても死なない、不死の存在である
- 普通の人よりもはるかに嗅覚が優れている
- 未来が見通せる
- 人がどのように死んでいくのかが見える予知能力を持っている
- 無意識的にタイムスリップする、または瞬間移動する能力があるが、それをコントロールすることはできない
- 激しい感情で天候を変えることができる
- 他人のあらゆる感情を読み取る強力なエンパスを持っている
- 他の人たちが悪用したくなるような何かができる能力を持っている

引き起こされる軽度の問題・困難

- 超能力をコントロールする能力がない
- 他の人たちとうまく意思疎通が図れない
- 人に不躾な質問をされる
- 超能力を披露してほしいと何度も頼まれる
- 超能力で何かを割る、または破壊する
- 超能力を使うと体調不良が起きる（頭痛、耳鳴り、吐き気など）
- よく眠れない
- のけ者扱いされている、またはのけ者になっているような気持ちになる
- 五感に過度な負担がかかる
- 他の人たちに見世物扱いされる
- 友人や知人たちに恐れられる
- 噂される
- 超能力を持っているせいで、人に勝手な思い込みをされる
- うっかりと超能力を使ってしまわないよう、不快・不便な予防策を講じなければならない（耳栓をする、人に触れることができないようにする、きつい臭いのする場所を避けるなど）
- 超能力をおこす引き金になるものを異常に警戒し、避ける必要がある

起こりうる悲惨な結果

- 超能力を使って恐ろしいことをしでかすが、元に戻せない
- うっかり友人に怪我をさせる
- みんなに避けられる
- 超能力を持つ自分にどう対処してよいかわからなくなったパートナーが去る
- 敵に怒りを覚えたときに超能力を使ってしまい、とんでもないことが起きる
- 友人も支えてくれる人もなく、完全に孤立する
- 自分の不幸を願う人たちに追いかけられる
- 超能力を捨てることができない
- うっかり世界を破壊してしまう

結果として生じる感情

苦悩、不安、愕然、根に持つ、気づかい、敗北、絶望、自暴自棄、打ちのめされる、羨望、フラストレーション、悲嘆、罪悪感、謙虚、ヒステリー、孤独、切望、圧倒、疑心暗鬼、自己嫌悪、自己憐憫、恥、苦しみにもがく

起こりうる内的葛藤

- 誰かに話したいが、拒絶反応を示されたり、話を信じてもらえなかったりするのを恐れる
- 超能力をとめたいが、その方法がわからない
- 友人を作ろうとするが、自分がどう思われるのかを心配する
- 他の人たちになかなか馴染めない
- 自暴自棄になり、ネガティブなことばかり考える
- 人に八つ当たりしないよう、フラストレーションを抑えようとするが、抑えきれない
- 自分は愛されない人間のような気がする
- 超能力のせいで、いつ恥をかくのか、他の人に迷惑をかけるのではないかと気が気でない

状況を悪化させうるネガティブな特性

支配的、残酷、皮肉屋、腹黒い、貪欲、とげとげしい、生真面目、せっかち、衝動的、知ったかぶり、操り上手、いたずら好き、詮索好き、向こう見ず、わがまま、気分屋、非倫理的、うぬぼれ屋、執念深い

基本的欲求への影響

▸▸ 自己実現の欲求

超能力のせいで、自分の目標にますます手が届かなくなるときには、自分の潜在能力を活かしきれなくなるはずだ

▸▸ 承認・尊重の欲求

自分が持つ超能力が、人に危害を加える、または恥ずかしいものである場合、他の人たちに勝手に自分のことを決めつけられ、自尊心が損なわれる可能性がある

▸▸ 帰属意識・愛の欲求

他の人にはない力を持っていると、自分の居場所を失ったり、帰属意識が危ぶまれたりするかもしれない。また、その力が悪用したくなるものであれば、自分を利用しようと他の人たちが近寄ってくることも考えられる

▸▸ 安全・安心の欲求

どんな超能力を持っているのかによるが、思いがけず自分を危うくする場合もある

対処に役立つポジティブな特性

柔軟、大胆、魅力的、自信家、クリエイティブ、規律正しい、控えめ、気さく、ひょうきん、太っ腹、想像豊か、勤勉、影響力が強い、楽観的、きちんとしている、奇抜、臨機応変、天才肌、奔放、型破り

ポジティブな結果

- 自分の苦悩を和らげる方法、または超能力を消滅させる方法が見つかる
- 人助けのために超能力を使えるようになる
- 超能力を使って、人を楽しませる、または金を稼ぐ
- 超能力に目的を見つける
- 自分を無条件に愛してくれる人を見つける

呪いをかけられる

〔英 Being Cursed〕

具体的な状況

- 早死にすると宣告される
- 自分が触れるものすべてが壊れる
- 魔女や魔法使いに永遠にこき使われる
- どんな恋愛をしても失敗するように運命づけられる
- 動物に姿を変えられ、人間性を失う
- 悪魔と取引し、自分の魂と引き換えに有益なものを手にする
- 呪われた品を盗み、生涯不幸に見舞われる
- 霊魂を怒らせ、一生つきまとわれる
- 神聖な場所をかき乱し、重篤な病にかかる、または死ぬ
- 呪いによって自分のジェンダーが永久に変わる
- 人に触れるとその人を傷つけてしまう
- 仕事で能力を発揮できず、職を失う
- 自分の姿を永遠に変えられてしまう
- 自分が何者なのかがわからなくなる
- 五感のうちひとつまたはそれ以上を永遠に失う
- 自分はもう長くないことを知っている
- 何者かに支配される
- 自分の悪運が身近な人に影響をおよぼしている
- 呪いを解くことができない
- 何にも共感しなくなり、冷淡になる
- 呪いをかけた者がそれを解くことを拒む
- 今世だけでなく来世も呪われる
- 呪いがかかっていなければ自分は決してやらないような恐ろしいことをする
- 誰かに危害を加える、または殺人を犯す

引き起こされる軽度の問題・困難

- 自分に違和感を覚える
- 食欲不振になる
- まだらにしか記憶がなく、特定の時期の記憶が抜け落ちている
- 呪いを解く方法を探さなければならない
- 呪いのせいで怪我をする、または傷跡が残る
- 呪いをかけられていることを他の人に気づかれないようにしなければならない
- 自分にかけられた呪いが頭をもたげるような状況を避ける
- 呪いのせいで一時的に体調を崩す、または苦痛にもがく
- 悪夢を見る
- 悪魔や幽霊、または呪詛(じゅそ)者がいつ再び現れるのかわからない
- 貴重な家宝が呪われる、または破壊される

起こりうる悲惨な結果

- 呪いをかけられてある場所に縛られ、そこから動けなくなる
- 愛する人たちを守るために彼らと距離を置く

結果として生じる感情

苦悩、不安、愕然、裏切られる、根に持つ、敗北、意気消沈、絶望、自暴自棄、打ちのめされる、不信、落胆、悲嘆、罪悪感、戦慄、屈辱、ヒステリー、孤独、圧倒、無力感、激怒、後悔、反感、自己憐憫

起こりうる内的葛藤

- 自分は呪われて当然であるかのように感じてしまう
- 楽観的でい続けるのが難しい
- 希望が感じられない
- のけ者になったような気持ちになる
- 悲嘆に暮れて、またはパニックに陥り、心に余裕がなくなる
- 他の人たちを救うために、自らの命を絶つことを考える
- 自分にかけられた呪いを人に転嫁し、その選択をとった罪悪感に耐えながら生きなければ

ならない

状況を悪化させうるネガティブな特性
不正直、不誠実、失礼、愚か、貪欲、とげとげしい、衝動的、理不尽、嫉妬深い、悲観的、独占欲が強い、向こう見ず、恨みがましい、自滅的、自己中心的、非倫理的、恩知らず、執念深い、暴力的

基本的欲求への影響
▸▸ 自己実現の欲求
徐々に体が衰弱していく呪いをかけられると、自由が奪われ、自分のアイデンティティにも影響する。自由とアイデンティティが奪われれば、自己実現しきる可能性はほぼなくなる

▸▸ 承認・尊重の欲求
自分に呪いがかかっていることが他の人たちに知れわたれば、自分の評判や自尊心が傷つくだろう

▸▸ 帰属意識・愛の欲求
呪いをかけられて生きている場合、社会にのけ者扱いされ、他の人たちと長く続くような人間関係を築くことが困難になるかもしれない

▸▸ 安全・安心の欲求
呪いのせいで、自分や愛する人たちが慣れ親しんだ快適な生活が手に入らなくなると、自分たちの身の安全が危ぶまれる可能性がある

▸▸ 生理的欲求
呪いをかけられたことが心の傷になっている、またはそのせいで自分の殻に閉じこもっている場合、眠れなくなる、性衝動がなくなる、恒常性が保たれなくなるといった症状が出ることが考えられる

対処に役立つポジティブな特性
柔軟、感謝の心がある、おだやか、芯が強い、協調性が高い、規律正しい、控えめ、太っ腹、温和、幸せ、気高い、謙虚、独立独歩、公明正大、優しい、忠実、楽観的、忍耐強い、臨機応変、スピリチュアル、賢い

ポジティブな結果
- 呪いを解く方法を見つける
- 自分に呪いをかけた相手を倒し、呪いが解かれる
- （永遠の命を求めていた場合）不死の肉体を手に入れる
- 呪いを最大限に活用する
- 自分に満足し、平穏を見つける

NOTE
この項目では、キャラクターが恐ろしい呪いを長期にわたりかけられる状況を扱う。もっと短期的で、さほど深刻でもない魔術をかけられる場合は、「魔法をかけられる」の項目を参照のこと。

人違いされる

〔英 Being Mistaken for Someone Else〕

具体的な状況

- 芸能人や著名人と間違われる
- 売春婦だと思われ、誘いの声をかけられる
- 復讐しようとしている人に、人違いをされて狙われる
- 人違いをされて人に話しかけられる
- 犯罪者や性犯罪者、または戦犯に似ているため、誤解を受ける
- 兄弟姉妹に間違われる
- 自分の生き写しのようなそっくりな人がいて、常にその人と混同される
- 同姓同名の人が他にもいて、その人と間違えられる
- IDを盗まれて、身分を証明するときに混乱が生じる

引き起こされる軽度の問題・困難

- 誰かと間違われ、じろじろ見られる
- 人につきまとわれ、指を差され、ささやかれる
- 有名人と間違われ、プライバシーがない
- 許可もなく動画を撮られる
- ぎこちない会話に耐える
- 相手が人違いをしていることが伝わるまで、疑いの目で見られる
- ファンに取り巻かれる
- 人違いをして声をかけてくる人たちに失礼にならないように答えなければならない
- 人違いだと否定しているのに、しらばっくれていると思われ、放っておいてくれないので耐えなければならない
- 人違いされて騒がれるのを避けるため、その場を去らなければならない
- そっくりさんと混同されたので、身分を証明するため、役所に書類を提出しなければならない
- 嫌な人物と間違われ、不快で決まり悪い思いをする
- (地域のお尋ね者と間違われた場合) 警察に尋問される

起こりうる悲惨な結果

- 抑えつけてきたフラストレーションが爆発し、事態が悪化する
- 犯してもいない罪に問われる
- 人違いされた自分の無実を証明するための証拠やアリバイがない
- 自分に生き写しの人がデートをしているところを見かけた人に、自分が浮気をしていると誤解されて責められる
- (誰かに人違いされて) 脅迫を受ける
- 自分に似た人の行動が原因で、暴行を受ける
- IDが盗まれ、自分の信用に傷がつく
- 自分が嘘をついていると思い込んだ家族や友人に背を向けられる
- 実際に悪事を犯した人に、自分と似ていることを利用され、罠にはめられる
- 人違いされたせいで友人や愛する人たちまで連帯責任を問われる
- 自分の信用が傷つき、商売や暮らしに悪影響が出る
- 危険な人々にとらわれ、拷問を受ける
- 人違いされたせいで愛する人たちが銃撃戦に巻き込まれて殺される
- 逮捕される
- 無実の人を有罪にしかねない司法制度を信用できなくなる

結果として生じる感情

驚嘆、怒り、苦悩、不安、裏切られる、根に持つ、葛藤、防衛、自暴自棄、決意、不信、フラストレーション、戦慄、緊張、圧倒、疑心暗鬼、無力感、自己憐憫、唖然、心配、用心

起こりうる内的葛藤

- (面白い経験ができるのではと思って) 自分と似ている人のふりをしたい誘惑に駆られるが、そんなことをするのは間違いだとわかっている
- 他人に間違えられたままでいたが、状況が複雑になり後悔する
- 魅力的または人気のある人に間違われれば、いいこともあるが、迷惑な一面もあるのが嫌だ
- 愛する人たちに自分の言葉を疑われ、裏切られたような気持ちになる
- 人違いして自分に背を向けた友人たちに怒りを覚えるが、逆の立場になれば自分も同じことをしただろうと頭ではわかっている
- 人違いされるほど誰かに似ているとは思えないので、自分のものの見方は他の人たちとは違うのではないかと悩む
- 魅力のない人に間違われ、自分の外見に自信をなくす

状況を悪化させうるネガティブな特性

無神経、挑戦的、支配的、不正直、つかみどころがない、だまされやすい、衝動的、無責任、妄想症、自滅的、協調性が低い、激しやすい

基本的欲求への影響

▸▸ 自己実現の欲求

有名な人物に似ているせいで自分の評判が傷つけられている、または夢を追いかけられなくなっている場合、何もできなくなって、成功を手にできないかもしれない

▸▸ 承認・尊重の欲求

悪名高い人または忌まわしい人物にそっくりだと人に思われている場合、人々の思い込みのせいで自分がよく思われない可能性がある

▸▸ 安全・安心の欲求

人違いされた人に手ごわい敵対者がいる場合、自分だけでなく愛する人たちも危険にさらされる可能性がある

対処に役立つポジティブな特性

おだやか、如才ない、楽観的、雄弁、臨機応変

ポジティブな結果

- この厄介な状況を逆手にとって、うまく利用する
- 有名人に間違われたおかげで、コンサート会場に入場するのに並ばずにすんだり、特別扱いされたりして大きな得をする
- 質素で普通の生活にあらためて感謝する
- 不正や冤罪に対して声を上げて活動するようになる
- 困難な時期も自分に寄り添ってくれた人たちと強い絆を築く
- 友人たちの本性を知る (その結果、彼らとの縁を切る)
- 社会格差を意識するようになり、(偏見や人種差別などのせいで) 一部の人々が不正に狙われている事実に目を向け、変化を起こそうと努力する
- 有名人に似ないように自分の外見を変える方法を見つけ、誰にも注目されない静かな生活を取り戻す

魔法をかけられる

〔英 Being Placed Under a Spell〕

具体的な状況

- 踊り子が一時的に踊れなくなるなど、才能やスキルが奪われる
- ほれ薬を飲まされる
- 「ロバのような鳴き声になれ」「突然歌いはじめろ」「眠れ」などと、いたずらのような魔法をかけられる
- ある人々の前に出ると必ずつまずく魔法をかけられる
- 動物の言葉が理解できる、または死者と会話ができるため、動物や死者につきまとわれる
- 特定のものが見つからなくなる、または使えなくなる
- 特定の場所に絶対に到達できなくなる
- 魔法がかけられているせいで、気分に応じて外見が変わる（髪の色が変わる、肌にぶつぶつができるなど）
- くしゃみをすると不幸なことが起きる
- 予言どおりに、または魔法や呪いをかけられたため、言葉を発することができなくなる
- 動物や物に一時的に変身する
- 疑問文しか話せなくなる
- 姿が見えなくなる
- 特定の時間内、他の人と体が入れ替わる
- 一見害のなさそうな魔法をかけられるが、大問題になる（ギリシャ神話のミダス王のように、手に触れるものはみな黄金になる力を与えられるが、何もかもが黄金になるので大問題になってしまうなど）

引き起こされる軽度の問題・困難

- 魔法が効いていた間に自分がしでかしたことを知り、恥ずかしい思いをする
- 魔法をかけられていた間にしたことを覚えていない
- 魔法をかけられている間に屈辱的な姿を動画に撮られ、広められる
- 魔法のせいで人間関係に亀裂が入る
- 魔法のせいであのような言動をしたのだと弁明しても信じてもらえない
- 自分の姿形を一時的に変えられてしまう
- 周囲の人からのからかいに耐える
- 魔法を解く方法を見つけ出さなければならない
- 誰が、どのような理由で自分に魔法をかけたのかがわからない
- 魔法にかけられているのだが、何が引き金になって、いつその魔法が効力を発揮するのかがわからない
- コントロールを失って、じれったい思いをする
- 魔法のせいで体に不快感を覚える

起こりうる悲惨な結果

- 魔法に抵抗できないので無力感を覚え、魔法使いに狙われているのではないかと悩む
- 自分の行動が変わったせいで、人間関係が決裂する
- （魔法のせいで言葉を話せなくなっているため）愛する人たちに何が起きているのかを説明できない
- 自分だけが魔法に苦しめられているため、誰にも理解されず、まったくの孤独を味わう
- 自分と魔法をかけた相手との間に魔力をめぐる対立が起き、他の人たちを危険に巻き込む
- 自分は魔法を使えないのに、魔法使いに不当に狙われ、力の不均衡が生まれる
- 魔法のせいで他の人たちに攻撃されやすくなる
- 取り戻すことができない、またはかけがえのないチャンスや重要な人間関係を失う
- 魔法をかけるときに失敗し、効力が永遠に消えなくなる
- 心が傷つき、人を信用できなくなったり、強い不安を感じたりするようになる

- 魔法にかかっている間に許せないことをしてしまう

結果として生じる感情

動揺、怒り、不安、気づかい、混乱、拒絶、欲望、自暴自棄、決意、幻滅、決まり悪さ、自信喪失、情欲、執拗、無力感、後悔、自責、反感、復讐、脆弱、用心

起こりうる内的葛藤

- 魔法に気づかず、「どうしてあんな行動をとってしまったのだろう」と自分を責める
- 変わり果てた自分の姿に困惑する
- 気がおかしくなっていくのではないかと心配する
- 助けが必要だが、自分に何が起きているのかを他人に言いたくない
- このまま魔法は解けないのではないかと心配する
- 魔法使いに狙われてしまう自分の弱さや、状況を元に戻すことができない自分の不甲斐なさに、自己嫌悪に陥る
- 復讐したいが、どんなしっぺ返しを食らうのだろうかと恐れる

状況を悪化させうるネガティブな特性

生意気、強迫観念が強い、不正直、失礼、愚か、生真面目、せっかち、理不尽、悲観的、向こう見ず、恨みがましい、自滅的、気分屋、小心者、協調性が低い、執念深い、意気地なし

基本的欲求への影響

▸▸ 承認・尊重の欲求

魔法にかけられている間にあらゆる困惑や屈辱を味わって自信を失い、他人から敬意を払われなくなるかもしれない

▸▸ 帰属意識・愛の欲求

正直になれない、または100%正直になる気になれないときに、健全な人間関係を維持するのは非常に難しい。魔法の効力が長く続き、自分の気持ちを人にはっきりと伝えられないせいで、誰よりも大切に思っている人を失う可能性がある

▸▸ 安全・安心の欲求

魔法の効力は大したことがないかもしれないが、恥ずかしい思いをしたり、いつ魔法が効力を発揮し、強力な魔法使いの犠牲になるのかがわからなかったりして、精神的につらくなることも。こうしたことのすべてが原因となって、明らかに安心を感じられなくなるはずだ

対処に役立つポジティブな特性

柔軟、冒険好き、分析家、慎重、クリエイティブ、効率的、謙虚、想像豊か、独立独歩、知的、注意深い、楽観的、忍耐強い、勘が鋭い、積極的、臨機応変、賢明、スピリチュアル、賢い

ポジティブな結果

- 魔法がついに解け、「あんなこともあったよね」と笑い飛ばす
- 魔法を解いて、敵を倒すことができる
- 魔法にかかることに慣れる
- 魔法が効いているところを誰にも見られなかった

NOTE

この項目では、比較的苦痛が少なく、効力が続くのは一時的で、大事にもならないような状況を扱う。強力な呪いをかけられたり、深刻な被害を受ける状況については、「呪いをかけられる」の項目を参照のこと。

無意識に抑圧されていた記憶が蘇る

〔英 A Repressed Memory Resurfacing〕

具体的な状況

- 周囲にある何かが引き金となって記憶が蘇る
- 人が話し込んでいる内容を立ち聞きし、忘れていた記憶が蘇る
- 催眠療法を受けている間に思いがけないことを打ち明ける
- 心が傷つくような状況を経験し、過去の記憶が目覚める
- 過去の思い出の品々を見つけ、思い出したくない記憶が次々と蘇る

引き起こされる軽度の問題・困難

- 感情的になって不安になる
- 突然記憶が蘇って混乱する
- 職場や学校で気が散る
- 不眠や食欲不振に陥る
- 闘うか、逃げるか、身をかたくするかの反応を示し、騒ぎを起こす
- 他の人たちに影響をおよぼすであろうトラウマを思い出す
- 過去の出来事に絡んだ人たちと今でも連絡を取り合い、付き合わなければならない
- なぜ恐れを感じるのか、その理由を知ってしまい、怖がる反応がひどくなる
- 記憶が抜け落ちている部分があって、それを思い出せず、いらいらする
- （新聞記事や家族のアルバムを調べるなど）過去に何があったのかを突き詰めたくなる
- 相手に怪しまれないように、家族についていろいろと聞き出す
- 心理療法を受けたり薬を服用したりするために、医療費がかさむ

起こりうる悲惨な結果

- （仕事ができなくなる、子どもを学校に迎えにいくのを忘れる、無反応になるなど）記憶があまりにも衝撃的で、思い出したとたんに周囲を遮断してしまう
- 記憶が蘇って人を信じられなくなり、自分の殻に閉じこもって妄想に走る
- 愛する人に真実を告げるが、嘘だ、勘違いだと叱責される
- 記憶のせいで、信用している人との関係がぶち壊しになる
- 家族の一人が過去の出来事に関与していた事実が露呈し、家族関係が崩れる
- 過去の違法行為が発覚し、家族が逮捕または収監される
- 責任を負うべき人に詰め寄ったが、時期尚早で、まだ過去に区切りをつけられない
- 愛する人が真実を知って復讐したせいで、余計な問題が起きる
- 責任を負うべき人が既に死亡していて、過去に区切りをつけることができない
- 記憶を否定して生きているので、過去に起きたことを信じない、またはそんなことは起きなかったふりをする
- 心の痛みを感じなくするため、薬物やアルコールに頼る
- 心的外傷後ストレス障害（PTSD）を発症し、人生の道を踏みはずす
- 鬱になる
- 自殺を考える

結果として生じる感情

怒り、苦悩、不安、裏切られる、根に持つ、混乱、意気消沈、嫌悪、幻滅、危惧、悲嘆、罪悪感、憎しみ、屈辱、自信喪失、ネグレクト、圧倒、パニック、疑心暗鬼、自己嫌悪、恥、恐怖、苦しみにもがく

起こりうる内的葛藤

- 記憶をひた隠しにして、何も起きなかったかのように振る舞うことがつらい

- 自分の記憶を疑い、何が本当なのかがわからなくなる
- 自己嫌悪と自責の念に駆られる（不合理にもそういう気持ちになることがしばしば起きる）
- 安心できないし、安心できるようにするにはどうしたらいいのかもわからない
- 人生の横道にそれ、自分らしく生きられないような気持ちになる
- 起きたことを忘れて前進したいが、できない
- 他の人たちに何を話すべきか決められない
- 心の重荷に感じていることを誰かに話したいが、秘密を知ったとたん、その人が自分を見る目が変わるのではないかと恐れる
- 過去の出来事を洗いざらい知りたいが、深く知るのが恐ろしい
- 過去の出来事を知ることができて感謝の気持ちもあるが、一方で、記憶が蘇らなければよかったのにと思う
- 自分を守るはずだった、またはあんなことをすべきではなかった人たちに怒りと恨みを抱く
- 宗教に幻滅する

状況を悪化させうるネガティブな特性

依存症、無気力、臆病、不正直、衝動的、不安症、理不尽、うっとうしい、神経質、妄想症、向こう見ず、寡黙、執念深い、暴力的、激しやすい

基本的欲求への影響

▸▸ 自己実現の欲求

つらい記憶が蘇ると、自分に危機が訪れ、自分が本当は何者なのか、あんな出来事が起きていなければ、自分はどういう人間になっていたのだろうかと悩む可能性がある

▸▸ 承認・尊重の欲求

記憶が蘇り、過去に何が起きたのかを知ってしまうと、自分ではどうすることもできないほど傷つきやすくなる。他の人たちが何が起きたのかを知っている場合は、憐れまれるのではないかと感じ、弱々しい気持ちになったり、不安を覚えたりすることも考えられる

▸▸ 帰属意識・愛の欲求

（自分に危害を加えた、または真実を隠そうとしたなど）愛する人たちが過去の出来事に関与していた場合、彼らとの関係を断ち切って前進しても、人をなかなか信用できないかもしれない

▸▸ 安全・安心の欲求

記憶の中には危険なものもあり、関与している人たちが真実を隠したままにしておきたいと思っている場合もある。自分が違法行為や道義に反した行為の目撃者であることを思い出した場合は、目にした内容を人に明かすと身に危険が迫ることも考えられる

対処に役立つポジティブな特性

柔軟、分析家、芯が強い、協調性が高い、勇敢、好奇心旺盛、共感力が高い、正直、公明正大、大人っぽい、客観的、楽観的、勘が鋭い、粘り強い、責任感が強い、賢明、素朴、賢い

ポジティブな結果

- 過去のトラウマを認め、それと向き合うために助けを求める
- （特定の場所にいるとき、ある人と一緒のとき、ある行動をしているときなど）なぜ自分がそのような気持ちになるのかの説明がつく
- 過去の出来事や状況に対する答えが見つかり、安堵する
- 機能不全とも思える振る舞いをしていたのには理由があることに気づき、それを克服する努力をする
- 以前はそんなことができるとも思わなかったが、遂に過去と区切りをつけることができる

盲目的に人を信用しなければならない

〔英 Having to Blindly Trust Someone〕

具体的な状況

- 急にしばらく家を空けることになり、ペットの面倒を一度も見たことがない人に自分のペットを任せなければならない
- 救命のために必要な措置だが危険な医療行為をしてくれる医者が必要になる
- 休暇で初めて訪れた街を案内してくれる地元の人を探す
- 新しいチームと一緒に重要なプロジェクトに関わっている
- いつもお世話になっている専門家(ファイナンシャルアドバイザー、在宅看護師、ナニー〔家庭訪問型の情操教育従事者〕など)が定年退職するので、新しい人を紹介される
- 誘拐された、または人身売買された自分に、見知らぬ人が助けてやると声をかけてくる
- 外国で体調を崩し、見知らぬ人の世話にならなくてはならない
- (薬物を購入する、ヒットマンを雇う、盗品を売るなど)違法行為をしているので、取引相手がおとりの警察官ではないことを信じるしかない
- 収監された先の看守が公正で、自分を守ってくれる人だと信用しなければならない
- 危険地域からこっそり逃げ出す、または当局に見つからないように隠れるのに、見知らぬ人々に頼る

引き起こされる軽度の問題・困難

- トラウマや恐怖のせいで判断が曇り、人を信用すべきかどうかがわからなくなる
- 独立心が強いが、人からの助けを受け入れなければならない
- 自分が信用することにした人について、愛する人たちまたは共謀者たちと意見が対立する
- 他人に任せなければならない
- 信頼した人が実は能力がない、怠け者、または自分とは合わないことが発覚する
- 信用した人ではうまくいかず、代わりを探すのにさらに時間とお金を無駄に費やす
- 信用した相手の判断に賛同できなくても、黙っていなければならない
- 全容を知らないでいることに慣れなければならない
- (秘密を守らなければならないから、真実を知ると恐怖におののくだろうから、知らないほうがよいからなどの理由で)質問をしても、相手が答えない
- 信用した相手のサービスに代金を払わなければならないが、この投資が功を奏するのかはわからない

起こりうる悲惨な結果

- 間違った相手を信用したことに気づく
- 相手が自分自身のことを正直に話していたわけではないことを知る
- 相手の手にすべてを委ねてしまい、明らかに怪しい兆候があったのに見逃す
- 相手のサービスに全額投資するが、実を結ばない
- 悪かった状況がさらに悪くなる
- 裏切られる、または罠にはめられる
- 避けようとしていた人たちに見つかる
- 逮捕される
- 暴行を加えられる
- 間違った相手を信用したせいで、他の人たちが危害を加えられる

結果として生じる感情

動揺、不安、懸念、裏切られる、根に持つ、気づかい、葛藤、敗北、反抗、自暴自棄、幻滅、疑念、怯え、弱体化、危惧、屈辱、自信喪失、怖気づく、不本意、あやふや、心配、脆弱

起こりうる内的葛藤

- 先へ進むには相手に任せるしかないのに、なかなかそうできない
- プライドが高すぎて、なかなか他人に助けを求められない
- 相手のことを正当な理由もなく疑っている
- 世の中は善人がほとんどなのだから、気を落ち着けて相手を信用し、自分は他のことに意識を集中させるべきだと自分に言い聞かせる
- 別の人を信用することに決めるが、何か間違いが起きるのではないかと気が気でない
- 自分の判断は間違っているのではないか、自分の直感は信用できないのではないかと、鬱々とした気持ちになる
- 相手が信用できない人物であることが発覚し、恥と自責の念にさいなまれる

状況を悪化させうるネガティブな特性

無神経、幼稚、支配的、防衛的、不正直、愚か、気むずかしい、せっかち、不安症、口うるさい、うっとうしい、強引、向こう見ず、恨みがましい、自己中心的、意地っ張り、協調性が低い、恩知らず、暴力的、不満げ

基本的欲求への影響

▸▸ 承認・尊重の欲求

強い独立精神の持ち主で、自由を非常に大切にする人なら、自分のことは自分でやれたはずなのにと思い込んでいるので、不安に思うかもしれない

▸▸ 帰属意識・愛の欲求

能力のない人、または二枚舌を使う人を信用したせいで深刻な被害を受けた場合、愛する人たちに「自分たちの言うこと聞かずに、おかしな人に仕事を任せるからだ」と責められるかもしれない

▸▸ 安全・安心の欲求

自分の身の安全、精神的安定、または自由が危ぶまれる状況では、安全・安心の欲求があっという間に脅かされる可能性がある

▸▸ 生理的欲求

見知らぬ人に自分の命を委ねている場合、間違った相手を信用したとなると、悲惨な結果が待っているかもしれない

対処に役立つポジティブな特性

柔軟、冒険好き、用心深い、感謝の心がある、おだやか、自信家、勇敢、クリエイティブ、おおらか、熱心、正直、謙虚、純真、知的、注意深い、勘が鋭い、臨機応変、お人好し、奔放、賢い

ポジティブな結果

- 結果的に相手が優秀で、今後長きにわたって一緒に仕事をしたいと思う人だった
- 人間は捨てたもんじゃないという思いを新たにする
- 生きるか死ぬかの状況を生きて切り抜ける
- 何でも自分でやろうとは思わずに、他人を信用するようになる
- 自分の直感を信じるようになる
- 信用できる人とそうでない人を見分けられるようになる
- 自分を救ってくれた相手に感謝を示し、自分も他の人たちに同じことをしようと触発される

もっともらしい嘘をつかなければならない

〔英 Needing to Lie Convincingly〕

具体的な状況

- 逮捕を免れるため、アリバイをでっち上げる
- 叱られたくないがために、親や教師、コーチに嘘をつく（幼年の場合）
- 自分の軽率な行為を隠すため、配偶者に間違ったことを言ってごまかす
- 自分の評判を台無しにしかねない秘密を隠す
- 解雇されないよう、同僚や上司に情報を曖昧にする
- わが子を守るために嘘をつく
- 人からの反論が予想される理想や意見を持っているが、ごまかす
- 人から金を巻き上げるため、生活に困っているふりをする
- 酒を買うために年齢を偽る
- 脱出の機会を作るために、自分を拘束している人に嘘をつく
- （違う名前を呼ばれて返事をする、もっともらしい過去を作り上げ、それを忠実に守るなど）別人になりすまして移動しなければならない
- 車を手に入れるため、または名声高いグループに入るため、自分の経済状況を誇張する
- ある人と関係を築いて金を手に入れることができるよう、または他の人たちに近づけるよう、自分の本心や目的をその人には言わない
- 友人の気持ちを傷つけないように、小さな嘘をつく
- 政治家やカルトのリーダーが自分の本当の動機や目的を人に隠す必要がある

引き起こされる軽度の問題・困難

- 考える間もなく、その場でぱっと嘘をつかなければならない
- 言葉に詰まる
- 誰かに疑いを持たれる
- どの嘘をどの人に言ったのかが覚えきれない
- 自分がでっち上げた話に辻褄の合わない点があることが発覚する
- 愛する人についた嘘を隠すため、さらに嘘をつかなければならない
- 愛する人の信用を一時的に失う
- 他の人たちに嘘をついているところを見られ、評判が下がる
- 自分を擁護するよう友人を説得しなければならない
- 心配のあまり夜も眠れない
- 腹痛や食欲不振など、体調を少し崩す

起こりうる悲惨な結果

- 自分のボディランゲージで嘘がばれてしまう
- 嘘がばれ、個人的な利益を得る機会を失う
- 本当のことを言わなかったため叱られる
- 真実が明るみに出て、重要な人間関係が終わりになる
- 警察に虚偽の供述をした、または他の犯罪行為に手を染めたかどで逮捕される
- 訴えられる
- 嘘をついた相手に逆に一杯食わされる
- うまく嘘をついているので、他人に対して不誠実でも何とも思わなくなる
- 本当のことを言わなかったせいで悲惨な結果を味わっただけでなく、実は、嘘などつく必要がなかったことを知る
- 嘘をついていることがばれてゆすられる（他の仕事に就けなくなる、スポンサーやファンを失うなどと言われる）

結果として生じる感情

不安、愕然、気づかい、葛藤、混乱、軽蔑、防衛、拒絶、自暴自棄、落胆、幻滅、疑念、怯え、羨望、狼狽、フラストレーション、罪悪感、苦痛、緊張、パニック、後悔、自責、自己嫌悪、恥

起こりうる内的葛藤

- （嘘をつけば誰かが傷つかずにすむ場合など）自分の嘘は果たして道徳に反するのだろうかと悶々とする
- 真実を述べたいが、結果を恐れる
- 嘘をついたことに罪悪感を覚えるが、嘘は必要なのだと思おうとする
- 間違っていると知りながら嘘をつくと罪悪感を覚えるが、それでも嘘をついてしまう
- 自分の二枚舌を自慢したいが、目立たないようにもしたい
- 悪乗りして嘘を重ねるべきかどうかと考える

状況を悪化させうるネガティブな特性

無神経、意地悪、幼稚、生意気、強迫観念が強い、臆病、防衛的、いい加減、忘れっぽい、貪欲、だまされやすい、偽善的、理不尽、嫉妬深い、怠け者、神経質、妄想症、悲観的、疑い深い、知性が低い

基本的欲求への影響

▸▸ 自己実現の欲求

正直であることに非常に価値を置いているのに、嘘をつくと、自分のアイデンティティや価値観を疑うようになり、自分は何をやっているのだと思ってしまうだろう

▸▸ 承認・尊重の欲求

嘘をついていることがばれると、自分の評判とエゴの両方が傷つきかねない

▸▸ 帰属意識・愛の欲求

大切な人に嘘をついていたことが本人にばれてしまうと、その関係が修復不可能なほどに壊れる可能性がある

▸▸ 安全・安心の欲求

間違った相手に嘘をつくと、自分の身の安全だけでなく、自分にとって大切な人たちの身の安全まで危ぶまれることが考えられる

対処に役立つポジティブな特性

大胆、おだやか、魅力的、自信家、控えめ、効率的、熱心、ひょうきん、想像豊か、知的、几帳面、注意深い、忍耐強い、勘が鋭い、雄弁、臨機応変、正義感が強い、粋、勉強家、ウィットに富む

ポジティブな結果

- 他人の決心をぐらつかせ、他人を説得する能力に自信をつける
- 大きな見返りを得る
- 自分が求めていたことを達成する
- 悲惨な状況を逃れる
- ばれずに、または心を痛めずに、もっともらしい嘘をつけるようになる
- 不正直なのはいけないと反省し、その代わりに説得力をもっと身につける

予定が突然変わる

〔英 An Unexpected Change of Plans〕

具体的な状況

- 飛行機が遅れる
- わが子が病気になり、手当てが必要になる
- 悪天候のせいで、休暇旅行を延期しなければならない
- 親が心臓発作を起こしたと知らせが入る
- 一緒に時間を過ごす予定だった相手が電話で急にキャンセルしたいと言ってきた
- 道端で迷子になっている動物を見つけ、より安全な場所に戻してやらなければならない
- ジョギングに出かけ、歩道で倒れている人を発見する
- 楽しみにしていたデートに出かけようとしたら、車のバッテリーがなくなっていることに気づく
- 車で旅をしていたら、道が工事中で迂回しなければならない
- 旅行中に体調を崩す
- 友人に会いに行く途中で犯行を目撃し、警察に通報して供述しなければならない
- 職場で怪我をし、病院に行く必要がある
- 陣痛が早く始まる
- 定期健診を受けるだけだったはずなのに、緊急の手術を受けるはめになる
- 勤め先が吸収合併され、自分の職務が変わる、または自分の職位がなくなる
- 定年退職者が詐欺に遭って老後用の貯蓄をだまし取られてしまい、働きに戻らなければならない
- 思いがけず離婚することになり、自分の将来像が変わる

引き起こされる軽度の問題・困難

- 重要な会議や予定を逃す
- 予定変更を何とかしのげる物（カレンダーアプリを使うためのノートパソコン、人の連絡先、携帯電話の充電器、着替え）を持ち合わせていない
- 他の人たちを待たせる
- スケジュールを再調整しなければならない
- 食事を逃す
- 約束を破るはめになる
- 約束を守れなかったことを謝る
- 予定が変わったせいで愛する人たちにも迷惑がかかり、気まずくなる
- 書類を記入する、報告書を提出する、または職員に事情を話す必要がある
- 疲れきって、むさ苦しく見える
- いらいらして他人に八つ当たりし、騒ぎを起こす
- パニックになり、後悔するような言動をする
- 先払い分が返金されず、損をする
- （旅行の中止など）子どもたちに予定が変わったことを伝えなければならない

起こりうる悲惨な結果

- クライアントを失う
- 助っ人を探し出す時間がない
- 遅刻が多いことで職場から何度も警告を受けていた従業員が、突然の予定変更でまた遅刻し、雇用主の我慢の限界をむかえて解雇される
- 飛行機が遅れたせいで葬儀に出席できなくなるなど、予定が変更されたせいで、日程を動かすことのできない用事をキャンセルするはめになる
- 予定が変更されたせいで、愛する人たちが迷惑を被る
- 予定変更の原因になった愛する人たち（体調を崩した子ども、介護が必要な親など）に、意図せず非難めいた言葉を浴びせる
- 予定変更のせいで極度のストレスを感じ、心身が参る
- （仕事を辞める、配偶者に離婚したいと告げる、

常に助けが必要な兄弟姉妹を無視して去るなど）軽率な反応をする

結果として生じる感情

動揺、怒り、いらだち、根に持つ、失望、不信、不満、狼狽、フラストレーション、短気、立腹、むら気、圧倒、激怒、反感、悲しみ、自己憐憫、衝撃、復讐、脆弱、用心、気がかり

起こりうる内的葛藤

- いらいらをこらえるのが難しく、他人に八つ当たりしたい衝動に駆られる
- 気持ちが圧倒されて、どうすればいいのかわからない
- 他の人たちに予定が変更になったことをうまく伝える方法を考える
- 次のことまで頭が回らない
- 予定が変更になったのは自分のせいではないのに、他人に迷惑をかけたと罪悪感を抱く
- 約束を守るために、他に何か方法があったのではないかといつまでもくよくよ考え、気が休まらない
- スケジュールの再調整に追われて燃え尽きそうになり、投げやりになる

状況を悪化させうるネガティブな特性

無神経、無気力、挑戦的、支配的、不正直、生真面目、せっかち、理不尽、無責任、手厳しい、操り上手、大げさ、自己中心的、気分屋、協調性が低い、執念深い、暴力的

基本的欲求への影響

▸▸ 自己実現の欲求

予定していたことが、夢の実現など自分の大切なことを実行する上で非常に重要だったものである場合、挫折したような格好になり、不幸や不満を覚えるかもしれない

▸▸ 承認・尊重の欲求

自分のせいで予定が変更された場合、他人が自分を見る目が変わり、「無責任で頼りにならない人だ」「自分勝手だ」とみなされるかもしれない

▸▸ 帰属意識・愛の欲求

予定変更がきっかけで、人間関係に亀裂が入る可能性がある。以前からそれほど良好な関係ではなかったのならなおさらだ

対処に役立つポジティブな特性

柔軟、冒険好き、おだやか、自信家、勇敢、クリエイティブ、決断力がある、如才ない、おおらか、共感力が高い、温和、幸せ、独立独歩、優しい、面倒見がいい、楽観的、忍耐強い、臨機応変、天真爛漫、寛容

ポジティブな結果

- ゆっくりする時間ができる
- 楽しみにしていたイベントの会場で惨事が起き、その場にいなかったために命が助かる
- 突然の変更にも我慢強く対応し再調整できたおかげで、今後失望することがあっても、うまく対処できるようになる
- 新しいことに挑戦せざるを得なかったが、結果的に予定していたことよりも楽しめた
- 予定が変わって時間ができたので、人を救う、または助けることができた
- 不測の事態が起きたときのために、準備をしておかなければならないことに気づく

悪いタイミングで悪い場所に居合わせる
〔英 Being in the Wrong Place at the Wrong Time〕

具体的な状況
- 川へ釣りに行ったら、川に死体を投げ込む人を見た
- 犯行現場に居合わせる
- 休暇を楽しんでいるところに自然災害が起きる
- 人目につかないようにしていたところへ、自分の正体をばらす可能性のある人に出くわす
- バーで喧嘩に巻き込まれ、自己防衛で人を殺してしまう
- 電車に乗っていたら、突然脱線事故が起きる
- 親戚の家に泊まっていたら、夜中にその家で火事が起きる
- 交差点を渡っているときに、信号を無視した車が突っ込んでくる
- ヒッチハイクをしていたら、連続殺人犯に拾われる
- 乗っていた飛行機がハイジャックされる
- 強盗がコンビニエンスストアを襲っている最中に、店に足を踏み入れる
- 刑務所内の図書館に本を返しに行くと、仲間の囚人がナイフで刺されるのを目撃する
- 機械を操作していたら誤作動が起きる
- 建設会社のトラックの後ろを走っていたら、荷台から台車や建設機材が落ちてくる
- 雷に打たれる

引き起こされる軽度の問題・困難
- 一瞬驚く
- 瞬時に判断をしなければならない
- 何が起きているのかがわからない、または思考停止に陥る
- 状況を読み違える
- どう反応すればよいのかと周囲を見回している間に、貴重な時間を失う
- 危険を軽視する
- 自分はたまたま悪い状況に居合わせただけだということを、すぐに信じてもらわなければならない
- たまたま居合わせた悪い状況から、うまいことを言って何とか逃げなければならない
- 軽傷を負う
- 他の人たちが怪我をするのを目撃する
- 自分は何も見ていないし、トラブルは避けたいと思っていることを犯人に納得してもらわなければならない
- 自分はたまたま居合わせただけで、悪いことをするつもりなどなかったし、やってもいないと言っても疑われる
- 自分が関与しているのではないか、何か責任があるのではないかと人に疑われる

起こりうる悲惨な結果
- 恐ろしくて身動きができない
- やってもいない罪を犯したと不当に責められる
- 強盗に金品を奪われる、攻撃される、または利用される
- 他人が苦しむ姿や恐ろしい不正行為を目撃してしまう
- 危機に直面し、他の人たちと協力し合わなければならないのに、(相手が非現実的、協力を拒む、体が動かないなどの理由で)自分の仕事が困難になる
- 生きるか死ぬかの状況ですばやく決断しなければならない
- 見てはならないものを見た、または聞いてはならないもの聞いたせいで、自分の命が危なくなる
- 弁護士代や車の修理代など、恐ろしく高額な出費がかさむ
- 突然の事故でコントロールを失った経験から、事件後も不安や心配に苦しむ
- その出来事をきっかけにトラウマに苦しむ
- 重傷を負う
- 犠牲者が出る

- 口封じのために殺害される

結果として生じる感情

不安、愕然、気づかい、拒絶、自暴自棄、不信、怯え、決まり悪さ、危惧、狼狽、罪悪感、戦慄、屈辱、ヒステリー、圧倒、パニック、無力感、恥、唖然、恐怖、脆弱、用心

起こりうる内的葛藤

- 別の反応の仕方もできたのではないかと思い悩む
- この状況から逃れるための最善の方法を考える
- 極度の恐怖を覚える
- 他の人たちに悪影響をおよぼしかねない情報を共有するかどうか悩む
- 無力感を覚える、自分ではどうすることもできないと感じる
- この状況を切り抜けるだけの能力が自分にはないのではないかと疑う
- なぜこんなことが自分の身に起きたのかと怒り心頭になる
- この状況が起きたのは誰のせいでもないが、誰かを責めたくなる
- 思いもよらない、深刻な結果を招いた反応をした自分をなかなか許すことができない
- なぜ神はこのようなことが起きることを許したのかと、信仰の危機に直面する

状況を悪化させうるネガティブな特性

挑戦的、臆病、愚か、とげとげしい、無知、優柔不断、無責任、手厳しい、強引、反抗的、向こう見ず、自滅的、自己中心的、意地っ張り、協調性が低い、意気地なし、不満げ

基本的欲求への影響

▸▸ 承認・尊重の欲求

このような状況で自分が示した反応は、自分自身を見る目に影響をおよぼすはずだ。たとえば、自分には能力があり、プレッシャーの中でもうまく立ち回れると思う場合もあれば、その逆の場合もある

▸▸ 安全・安心の欲求

危険な状況にいるなら、安全だとは思わないだろう。何か起きるのかによっては、この先も不安を引きずることになり、脆さを感じ、安全を感じられなくなる場合も考えられる

▸▸ 生理的欲求

自分がコントロールできない危険な状況は、必ずしも逃れられるわけではなく、命を失う可能性が高い

対処に役立つポジティブな特性

用心深い、分析家、おだやか、芯が強い、勇敢、決断力がある、熱心、知的、内向的、几帳面、注意深い、楽観的、勘が鋭い、粘り強い、積極的、世話好き、臨機応変、正義感が強い、スピリチュアル

ポジティブな結果

- 別の対応をすることも可能だったことに気づき、同じ過ちを繰り返さなくなる
- 恐怖心をうまくコントロールして、危険な状況に直面しても安全に切り抜ける
- 自分にはそのような状況を避けたり、結果をよい方向に変えたりすることはできなかったのだと気づいて、前進できる
- 自分の直感を信じるようになる

GMC＋Sツール

プロット（外的要因）と**アーク**（内的要因）を考えながら、主なキャラクターのゴール（目標）、モチベーション（動機）、コンフリクト（対立・葛藤）、そしてステークス（危険度）を整理するためのチャートがこちら。詳しくは、「ストーリーテリングにおける対立・葛藤の役割：プロットの形成」をもう一度振り返ろう。

キャラクター名 ✎	アラゴルン
ストーリーの中の役割 ✎	主人公級の登場人物

ゴール（目標）	プロット	キャラクターは何をしたいのか、何を達成したいのか？	✎ サウロンを打ち負かし、中つ国を元の平和で誰もが仲良く暮らしていた国にしたい
ゴール（目標）	アーク	自分の成長や変化、または考え方の変化によって、何が解決されなければならないのか？	✎ 隠れ続けるのをやめて、ゴンドールの王になるという自分の真の運命を受け入れる
コンフリクト（対立・葛藤）	プロット	何がキャラクターのストーリーの目標達成を阻んでいるのか	✎ サウロンとその配下の者たち、そして、指輪の魔力（指輪をつけて闇の力を得た者の数をゆっくりと増やし、腐敗させていく）
コンフリクト（対立・葛藤）	アーク	何がキャラクターの内面の変化を阻んでいるのか	✎ イシルドゥアの弱さを自分も受け継いでいるため、自分も先祖たちと同じ過ちを繰り返す運命にあるのではないかと不安に思っている
モチベーション（動機）	プロット	なぜキャラクターはこのプロットの目標を達成したいのか？	✎ 中つ国を暗黒と絶望に陥れるサウロンの支配を避けたいから
モチベーション（動機）	アーク	なぜキャラクターはそのような内面の変化を遂げる必要があるのか？	✎ 自分自身と人間に力と価値があることを証明したいから
ステークス（危険度）	プロット	キャラクターが目標を達成できない場合、何が危険にさらされるのか	✎ アラゴルンが敵に負ければ、サウロンは指輪を取り返し、中つ国とその国の善き者たち全員を破壊する
ステークス（危険度）	アーク	キャラクターの内面が変わらなければ、何が危険にさらされるのか	✎ アラゴルンが自分の運命を受け入れなければ、自分は弱く、先祖たちと同じように力もなく失敗するというアラゴルン最大の恐れが現実になる

＊このチャートの印刷版はWriters Helping Writers［＊］のウェブサイトにあります。
＊https://writershelpingwriters.net/writing-tools/

キャラクター名 ✎	
ストーリーの中の役割 ✎	

ゴール（目標）

プロット

キャラクターは何をしたいのか、
何を達成したいのか？

✎

アーク

自分の成長や変化、または考え方の変化によって、何が解決されなければならないのか？

✎

コンフリクト（対立・葛藤）

プロット

何がキャラクターのストーリーの目標達成を阻んでいるのか

✎

アーク

何がキャラクターの内面の変化を阻んでいるのか

✎

モチベーション（動機）

プロット

なぜキャラクターはこのプロットの目標を達成したいのか？

✎

アーク

なぜキャラクターはそのような内面の変化を遂げる必要があるのか？

✎

ステークス（危険度）

プロット

キャラクターが目標を達成できない場合、何が危険にさらされるのか

✎

アーク

キャラクターの内面が変わらなければ、何が危険にさらされるのか

✎

クライマックスにおける問題の見つけ方

クライマックスはストーリーの頂点。クライマックスで主人公は悪役と闘って決着をつけるのか、敵対勢力同士がぶつかり合うのか、それとも最後は悲運の恋愛で終わってしまうのかと、読者たちはこの瞬間を心待ちにしてきたのだ。書き手がここで失敗すると、読者たちは失望するだろう。そこで、書き手のあなたがこの大事な場面で失敗しないよう、便利なチェックリストを用意した。クライマックスでよく起きる問題と、その修正方法を簡単に確認できるようになっている。

このチャートの印刷版はWriters Helping Writers［］のウェブサイトにあります。
*http://writershelpingwriters.net/writing-tools/

問題	解決策
あまりにもあっさりと解決する	場面にもっと有意義で適切な対立・葛藤を導入し、ヒーローがなかなか勝てないようにする。
長すぎる	何を達成させなければならないかを決め、そこから逸脱しないように、この場面を入念に練る。推敲時に不必要なものはそぎ落とし、キャラクターの行動を最後まで歯切れよく、簡潔に書く。
結果があいまい	この闘いに誰が勝つのかを誤解のないように明確にする。紛れもない勝者と明らかな敗者が必ずいるはずだ。
ありきたりすぎる	ヒーローに疑念や弱点を与えて、勝利を危うくし、あとで必ず成功が訪れるとはヒーローに思わせない。敵対するキャラクターをよく考え、ヒーローを不安に陥れるのに十分な手ごわい人物に仕立て上げること。
重要性に欠ける	クライマックスで勝利した結果、勝者は目標を達成するように書ききろう。クライマックスでの出来事で、ストーリー中最大のリスクを迎えるようにする。
キャラクターに発動力がない	キャラクターは自分自身の力や狡猾さ、決意などを通して勝利しなければならない。超自然的な出来事や別のキャラクターの介入によって助かるようでは、ヒーローは勝利したことにならない。ヒーローに発動力を与え、実力で成功を勝ち取らなければならないようにする。
キャラクター・アークが不完全	クライマックスの前か最中に、主要キャラクターは自分の致命的欠陥に向き合わなければならない。なぜなら、そのときに学んだ教訓や、心の成長が勝利を確実にしてくれるからである。キャラクターが自分の最大の欠陥を捨てられなかったり、特定の欠点を正せなかったりした場合には、必ず負けるだろう。

おすすめの書籍とサイト

エンジンに油を差すかのごとく、ストーリーに対立・葛藤を導入すると、ストーリーは順調に進む。対立・葛藤についてもっと学びたい、それがどのようにキャラクターの成長や力強いストーリーの構造に貢献し得るのかを知りたい場合には、次の参考資料に目を通すといいだろう。

『対立・葛藤類語辞典 上巻』

アンジェラ・アッカーマン＆ベッカ・パグリッシ著（フィルムアート社）

キャラクターにアークを旅させる間、対立・葛藤を利用して、緊張感やリスクを高め、キャラクターに課題を突きつけ、読者たちの感情を最初から最後まで引きつけておく方法を学ぶ入門書。

『Elements of Fiction Writing - Conflict and Suspense
（小説を書く：コンフリクトとサスペンス）』

ジェームズ・スコット・ベル著（未邦訳）

書き手のストーリーにスパイスを効かせて、プロットを前進させ、読者たちにページをどんどんとめくらせるために必要なすべてが詰まった一冊。

『Understanding Conflict（and What it Really Means）
（対立・葛藤を理解する［そしてそれが本当に意味するもの］）』

ジャニス・ハーディ著（未邦訳）

対立・葛藤の作り方と広げ方に関するアイデアがたくさん詰まった、使いやすいガイド。

『SAVE THE CATの法則　本当に売れる脚本術』

ブレイク・スナイダー著（フィルムアート社）

このベストセラー書は、脚本家だけのものではなく、あらゆる形のストーリーテリングを書く人のためのもの。書き手のアイデアをもっと市場性のあるものにし、ストーリーをさらに満足のいくものにするための情報が詰まったガイド。

ウェブサイト

「One Stop for Writers」内の「Conflict Thesaurus（対立・葛藤類語辞典）」

対立・葛藤に関する項目をひとつのデータベースにまとめた、ストーリーの対立・葛藤をできる限り印象の強いものにするための情報がたっぷりと詰まったオンラインの類語辞典。

https://onestopforwriters.com/character_conflicts

ウェブサイト

「One Stop for Writers」内の「Conflict Tutorial（コンフリクト・チュートリアル）」

ストーリーとキャラクターのために、対立・葛藤がどういう効果を発揮し得るのかを紹介する即席マニュアル。対立・葛藤というストーリーテリングに重要な要素について、ちょっとしたヒントを得たいときに便利な一冊。

https://onestopforwriters.com/tutorials

ウェブサイト

「One Stop for Writers」内の「Scene Maps (Formal)［場面マップ：フォーマル版］」と「Scene Maps (Informal)［場面マップ：インフォーマル版］」

ストーリーの各場面が書き手の意図どおりの効果を発揮するよう、場面を練り、整理するためのオンラインツール。フォーマルとインフォーマルに場面を分け、対立・葛藤のシナリオ、リスク、キャラクターの動機、各場面で重要になる感情を記録することができる。

https://onestopforwriters.com/about_scene_map_formal

https://onestopforwriters.com/about_scene_map_informal

おわりに 「One Stop for Writers」でストーリーテリングの質を高めよう

創作者の皆さん、執筆活動を根本から変えてみませんか？

小説があふれている市場では優れた作品のみが突出します。そこで、本書の筆者2人が作ったのが「One Stop for Writers」。際立ったストーリーとキャラクターを創作するためのアイデアがたくさん詰まったサイトです。たとえば、こんな便利なツールが用意されています。

* **書き手がストーリーを言葉で「見せる」ためのヒントが満載の、どこからでもアクセス可能なデータベース**
* **超インテリジェントな「キャラクタービルダー（Character Builder）」ツール**
* **キャラクターごとにキャラクター・アークを細かく設定できるツール。繰り返し同じ情報を入力する必要はありません**
* **ストーリーの構成や場面を練るためのボード作りとタイムライン設定ツール**
* **アイデア探しのためのツール**
* **ストーリーテリングの様々な要素を明確にするためのフローチャートやサンプル、Q&Aシート、チェックリストなど**
* **各種チュートリアルと類語集**
* **執筆完成までの手順表「執筆作業のロードマップ（Storyteller's Roadmap）」**

執筆をもっと楽にしたい、その準備にかかる時間を短くしたい、構成がしっかりした新鮮なプロットに合わせ、真実味あふれるキャラクターを作るためのツールを探していた……そんなあなたの小説の創作方法を「One Stop for Writers」は変えます。PCの画面を見つめるばかりで何も書けない、ストーリーがうまく流れていないから、専門家の意見が聞けたら……そんな悩みにさようなら。より力強い小説をより短時間で書いてみませんか？

興味のある方は、ぜひ2週間の無料トライアルをお試しください。お申し込みの際に「ONESTOPFORWRITERS」というコードを入力すると、すべてのプランが1回に限り25％割引になります*。

今こそ、読者が熱望していた、新鮮で説得力のある小説を創作するときです。それではみなさん「One Stop for Writers」でお会いしましょう！

アンジェラ・アッカーマン＋ベッカ・パグリッシ

*ここで紹介された「One Stop for Writers」は、本書の著者たちによって運営される海外サイトです（有償項目あり）。ご利用を検討される場合、詳細はガイドラインをご覧のうえ、ご自身の責任のもとにご判断いただきますようお願い申し上げます。

類語辞典シリーズ好評既刊紹介

http://www.filmart.co.jp/ruigojiten/

『感情類語辞典 増補改訂版』

滝本杏奈＋新田享子＝訳 定価：2,000円＋税

「この感情を伝えるにはどうしたらいいのか」。喜怒哀楽の感情に由来するしぐさや行動、思考、心の底から沸き上がる感情を収集した、言葉にならない感情を描くときに手放せない一冊が、収録項目180%増量にて再登場。飯間浩明（国語辞典編纂者）推薦。

『性格類語辞典 ポジティブ編』

滝本杏奈＝訳　定価：1,300円＋税

記憶に残る「前向きな」キャラクターの創作のヒントの詰まった類語辞典。キャラクターが持ちうるポジティブな性質と、その性質を代表する行動、態度、思考パターンなどを列挙し、現実味溢れ、読者を魅了するキャラクターの創作に役立ってくれるはずだ。朝井リョウ（小説家）、飯間浩明（国語辞典編纂者）推薦。

『性格類語辞典 ネガティブ編』

滝本杏奈＝訳　定価：1,300円＋税

悪役にも心の葛藤や不安はあるし、やりたいことがあっても躊躇し、うまく物事が運ばないことだってある……リアルな悪役はポジティブな部分とネガティブな部分をあわせ持っている。そんな彼らの嫌な部分の理解を深めると、その根底にある不安と恐れが見えてくるだろう。キャラクターの心の闇に光を当てた一冊。藤子不二雄Ⓐ（漫画家）、飯間浩明（国語辞典編纂者）推薦。

『場面設定類語辞典』

滝本杏奈＝訳　定価：3,000円＋税

郊外編、都市編合わせて225場面を列挙し、場面ごとに目にするもの、匂い、味、音、感触をまとめた一冊。情景を描写しながら、ストーリーの雰囲気や象徴、そしてキャラクターの葛藤や感情を表現し、ストーリーに幾層もの深みを持たせ、読者を引きつけるための設定のつくり方を学んでほしい。有栖川有栖（小説家）、武田砂鉄（ライター）推薦。

『トラウマ類語辞典』

新田享子＝訳　定価：2,200円＋税

誰もが大小さまざまなかたちで持っている「トラウマ」。不意の事故や予期せぬ災害、幼少期の体験、失恋や社会不安……などなど、トラウマを効果的に描ければ、そのリアリティが読者の共感を呼ぶはず。より魅力的で豊かなキャラクターを作りあげるために必要な、あらゆる心の傷／トラウマについて網羅した一冊。綾辻行人（小説家）、武田砂鉄（ライター）推薦。

『職業設定類語辞典』

新田享子＝訳　定価：2,200円＋税

職業をめぐる登場人物の特質や選択は、どのように特徴づけられ、プロットに結びつき、必要とあらばシーンに対立関係を吹き込むことができるのか。どうすれば読者や観客が登場人物を自分に重ね、作品にのめり込むことができるのか。120を超える職業設定の実例から、ストーリーテリングのための無限の可能性を探る。宮下奈都（小説家）、池澤春菜（声優／第20代日本SF作家クラブ会長）推薦。

『対立・葛藤類語辞典 上巻』

新田享子＝訳　定価：2,000+税

あなたの作品のキャラクターたちの成長を促し、それを読者に追体験させるべく、あなたの作品が求める「対立・葛藤」を見つけ出そう。ストーリーテリングに絶対に必要な「対立・葛藤」を学ぶ絶好の入門書が、シリーズ初の上下巻構成で刊行。読書猿（『独学大全』著者）推薦。

著者紹介

アンジェラ・アッカーマン Angela Ackerman
ベッカ・パグリッシ Becca Puglisi

アンジェラ・アッカーマンは主にミドルグレード・ヤングアダルトの読者を対象に、若い世代の抱える闇をテーマにした小説を書いている。SCBWI〔児童書籍作家・イラストレーター協会〕会員である。ベッドの下にモンスターがいると信じ、フライドポテトとアイスクリームを一緒に食し、人から受けた恩をどんな形であれ他の人に返すことに尽くしている。夫と2人の子ども、愛犬とゾンビに似た魚に囲まれながら、ロッキー山脈の近く、カナダのアルバータ州カルガリーに暮らす。
ベッカ・パグリッシはヤングアダルト向けのファンタジー小説、歴史フィクションの作家であり、雑誌ライター。SCBWI会員である。太陽が輝くフロリダ州南部に暮らし、好きなことは映画鑑賞、カフェイン入りドリンクを飲むこと、体に悪い食べ物を食べること。夫と2人の子どもと暮らす。
アンジェラとベッカはともに多くの作家と作家志望者が集まるウェブサイト「Writers Helping Writers（前身は「The Bookshelf Muse」）」を運営している。豊かな文章を書くにあたり参考となる数々の類語表現を紹介するこのウェブサイトは、その功績が認められ賞も獲得している。

訳者紹介

新田享子

三重県生まれ、サンフランシスコを経て、現在はトロント在住。テクノロジー、国際政治、歴史、文学理論、服飾と幅広い分野のノンフィクションの翻訳を手がけている。ウェブサイトはwww.kyokonitta.com

対立・葛藤類語辞典 下巻

2023年6月30日　初版発行

著者 ―――― アンジェラ・アッカーマン+ベッカ・パグリッシ
訳者 ―――― 新田享子
翻訳協力 ―――― 株式会社トランネット
校正協力 ―――― 株式会社鷗来堂
ブックデザイン ―― イシジマデザイン制作室
装画 ―――― 小山健
日本語版編集 ―― 田中竜輔
発行者 ―――― 上原哲郎
発行所 ―――― 株式会社フィルムアート社
〒150-0022
東京都渋谷区恵比寿南1丁目20番6号 第21荒井ビル
TEL 03-5725-2001
FAX 03-5725-2626
http://www.filmart.co.jp

印刷・製本 ―― シナノ印刷株式会社

Printed in Japan
ISBN 978-4-8459-2303-8　C0090